Os 7 segredos para criar filhos bons de garfo

CB139891

Os 7 segredos para criar filhos bons de garfo

Karen Le Billon

ilustrações de
Sarah Jane Wright

tradução de
Gabriela Erbetta

EDITORA
ALAÚDE

Copyright © 2014 Karen Bakker Le Billon

Copyright das ilustrações © 2014 Sarah Jane Wright

Copyright da tradução © 2015 Alaúde Editorial Ltda.

Título original: *Getting to Yum* (EUA e Canadá) / *The 7 Secrets of Raising Happy Eaters* (UK)

Edição brasileira. Venda proibida em Portugal.

Todos os direitos reservados. Nenhuma parte desta edição pode ser utilizada ou reproduzida – em qualquer meio ou forma, seja mecânico ou eletrônico –, nem apropriada ou estocada em sistema de banco de dados sem a expressa autorização da editora.

O texto deste livro foi fixado conforme o acordo ortográfico vigente no Brasil desde 1º de janeiro de 2009.

PRODUÇÃO EDITORIAL: Editora Alaúde

PREPARAÇÃO: Maria Sylvia Corrêa

REVISÃO: Claudia Vilas Gomes, Bóris Fatigati

ÍNDICE REMISSIVO: Cássio Yamamura

CAPA: Cesar Godoy

IMAGEM DE CAPA: Sarah Jane Wright

IMPRESSÃO E ACABAMENTO: Cromosete Gráfica e Editora

1º edição, 2015

Impresso no Brasil

Dados Internacionais de Catalogação na Publicação (CIP)
(Câmara Brasileira do Livro, SP, Brasil)

Billon, Karen Le
Os 7 segredos para criar filhos bons de garfo / Karen Le Billon ; ilustrações de Sarah Jane Wright ; tradução de Gabriela Erbetta. -- São Paulo : Alaúde Editorial, 2015.
Título original: The 7 secrets of raising happy eaters.

ISBN 978-85-7881-284-3

1. Crianças - Nutrição 2. Educação alimentar de crianças I. Wright, Sarah Jane. II. Título.

15-02108 CDD-613.2083

Índices para catálogo sistemático:
1. Crianças : Nutrição : Promoção da saúde : Ciências médicas 613.2083

2015
Alaúde Editorial Ltda.
Rua Hildebrando Thomaz de Carvalho, 60
04012-120, São Paulo, SP
Tel.: (11) 5572-9474
www.alaude.com.br

Para Sophie e Claire,
minhas melhores “aprendizes”

Sumário

Jogos e experiências

Prefácio

As taxas de obesidade aumentaram muito nas últimas décadas, principalmente em função de um estilo de vida nada saudável e do consumo cada vez mais rápido e automático. O *marketing* agressivo da indústria alimentícia também contribuiu para a epidemia de obesidade infantil ao induzir as crianças a desejar alimentos muito calóricos e pouco nutritivos e dando incentivos econômicos para que as famílias pudessem adquiri-los. Hoje, mais do que nunca, os pais precisam de estratégias que ajudem os filhos a desenvolver hábitos saudáveis que serão úteis por toda a vida.

Como pediatra especializada em obesidade infantil, uma das questões que mais escuto é "Como fazer as crianças comerem o que é bom para elas?" Embora possa parecer uma pergunta simples, a resposta é incrivelmente complexa. Karen Le Billon ofereceu algumas ideias provocativas em seu artigo "Why French Parents Are Superior (in One Way)" [Por que os pais franceses são melhores (de certo modo)]. No texto, Karen falava sobre como os franceses ensinam seus filhos a apreciar alimentos saudáveis, enquanto as famílias americanas muitas vezes involuntariamente fazem o contrário. Em um contraste gritante com o limitado repertório de sabores das crianças americanas, a maioria das francesas aprende a aceitar uma variedade enorme de gostos e texturas desde cedo – e muito do que comem é saudável. A verdade é que as crianças americanas têm três vezes mais propensão à obesidade do que as francesas. Intrigada, peguei uma cópia do primeiro livro de Karen, *Crianças francesas comem de tudo* (Alaúde, 2013), e fui transportada para uma pequena cidade francesa cheia de maravilhosos alimentos, onde Karen e seu marido conseguiram transformar as duas filhas enjoadas em onívoras que adoram provar novos sabores com a ajuda de informações oficiais sobre nutrição e estratégias inteligentes.

Em seu aguardado segundo livro, *Os 7 segredos para criar filhos bons de garfo*, Karen traduz as evidências científicas atuais e sua própria experiência de transformação do comportamento alimentar das filhas na França em lições valiosas para ajudar outros pais a fazer o mesmo em todos os lugares. Seus "segredos" oferecem conselhos cuidadosamente pesquisados, baseados em evidências e muito práticos para auxiliar os pais a lidarem com crianças de apetites mimados e indomáveis. Karen explica como as crianças desenvolvem o paladar e como isso tem impacto na aceitação de novos alimentos. Ainda indica estratégias inteligentes e práticas para que seus filhos experimentem novos ingredientes por meio de experiências da Educação do Paladar que lhes ensinam (e aos pais também) habilidades importantes, mas muitas vezes negligenciadas, em um método divertido e tranquilizador. Fiquei particularmente impressionada de ver Karen adotar o inovador conceito de que *os próprios pais* devem fazer a propaganda dos alimentos saudáveis para as crianças; pesquisas recentes mostram que isso é muito mais eficiente do que esconder a comida sorrateiramente nas refeições.

Como educadora da área médica e mãe de quatro crianças com personalidades e preferências distintas, estou sempre em busca de informações baseadas em evidências, adaptáveis e amigáveis, que possam ser usadas em casa e no trabalho. Eu e meus filhos, às vezes enjoadinhos, nos divertimos muito com as experiências deste livro (recentemente, eles descobriram que gostam de toranja, ou que, pelo menos, não têm problemas com a fruta) e aprovaram diversas das receitas que testamos dizendo que são deliciosas!

Os 7 segredos para criar filhos bons de garfo é leitura obrigatória para os pais que não apenas querem ensinar, mas também mostrar aos filhos que alimentos saudáveis podem ser deliciosos. Este livro convida as famílias a embarcarem na aventura do paladar e mostra que a comida pode ser uma grande fonte de alegria e descobertas. Eu e minha família aproveitamos muito a leitura de *Os 7 segredos para criar filhos bons de garfo*, e espero que o mesmo aconteça com você. Bem-vindos a bordo!

Dra. Jenny Cheng
Pediatra e Diretora Clínica
One Step Ahead (Programa de Controle do Peso)
Harvard Medical School

Introdução

Quando conheci Jessica, seu filho Lucas, de 3 anos, não comia uma única hortaliça. Nenhuma! Entre a lista de alimentos vetados por Lucas havia carne (com exceção de cachorro-quente), comida "amassada" (até batata assada) e "qualquer coisa verde". Jessica já estava entrando em desespero. "A mesa do jantar parece um campo de batalha. Eu fico muito estressada. Meu marido e eu não sabemos mais o que fazer", ela me disse.

Alguns meses depois de adotar a Educação do Paladar proposta por este livro, os hábitos de Lucas melhoraram muito. Alimentos antes proibidos agora estavam entre seus favoritos: vagens, laranjas, toranja – até espinafre cru! Melhor ainda, a irmãzinha de Lucas, que começou a Educação do Paladar do início, come qualquer coisa que coloquem à sua frente. "Como resultado do projeto", Jessica explicou, "adotamos novas rotinas que enriqueceram os hábitos alimentares da família".

O que é a Educação do Paladar e por que é útil aos pais?

A Educação do Paladar é uma abordagem prática e envolvente da educação alimentar que usa jogos e brincadeiras para ajudar as crianças a apreciarem a comida. O princípio básico é que as crianças *aprendem* a comer bem, da mesma maneira que aprendem a ler. A ideia de que o paladar pode ser ensinado transmite uma mensagem esperançosa e positiva. O objetivo é simples: as crianças vão ter prazer com alimentos saudáveis porque *querem* (e não porque *precisam*). Seus filhos vão desenvolver hábitos positivos (*como*, *onde* e *quando* comer), que encorajam desejos balanceados e atitudes saudáveis diante da comida. Serão comensais saudáveis, felizes e espertos.

É claro que diversas culturas alimentares – francesa, italiana e japonesa, para citar algumas – vêm praticando suas versões da Educação do Paladar há muito tempo. Apenas recentemente cientistas e educadores começaram a testar os efeitos disso e a explicar por que e como funcionam tão bem. Pesquisadores passaram as últimas décadas em impressionantes (e às vezes francamente engraçadas) experiências com bebês e crianças: alimentando bebês com água levemente ácida (a careta "de azedo" que fazem se parece com a dos adultos); pedindo a crianças de colo que comessem "cobertura de gafanhoto" (elas adoraram) ou tingindo alimentos de azul para ver se a pressão dos colegas encoraja os pequenos a comer algo assustador (encoraja).

A principal mensagem da pesquisa científica sobre a Educação do Paladar é simples e inspiradora: as crianças podem realmente aprender a gostar de novos sabores (mesmo que pareçam desconfiadas no início). E tem mais. Técnicas específicas da Educação do Paladar aprimoram os hábitos alimentares, fazendo com que as crianças fiquem mais abertas a experimentar alimentos novos, e mudam suas rotinas para melhor. Crianças que passaram pelo programa comem alimentos saudáveis com mais frequência e voracidade mesmo meses depois de o treino acabar.[1] Os estudos científicos mostram, na verdade, que a Educação do Paladar funciona melhor do que a educação baseada em princípios nutritivos![2]

Minha história familiar: transformando crianças enjoadas

Como sei tanto a respeito de crianças e comida? Meu melhor atributo é ser mãe de duas garotas maravilhosas que eram muito enjoadas para comer (um daqueles "obstáculos abençoados" que tanto estresse causou quando eu era mãe de primeira viagem). Também sou professora universitária, portanto adoro pesquisar e encontrar respostas para problemas complexos. Estas duas facetas de minha personalidade se juntaram quando meu marido e eu nos mudamos para a França com as duas meninas, que estavam então vivendo de uma alimentação "bege" (macarrão, cereais, torradas com manteiga e biscoitos – imagine!) Como a Educação do Paladar é comum nas casas e escolas francesas, minhas filhas começaram a ter uma educação alimentar semelhante ao que descrevo no livro. Depois de um ano, as duas (então com 5 e 2 anos) estavam comendo – e adorando – uma vasta quantidade de alimentos, incluindo salada de beterraba, espinafre cremoso, brócolis e mexilhões. (Não estou inventando!)

Fiquei tão inspirada com a mudança positiva nos hábitos alimentares de minha família – e certa de que aprendemos lições de vida que poderiam ajudar pais em outros lugares do mundo – que escrevi um livro sobre a experiência, *Crianças francesas comem de tudo*, publicado em uma dúzia de países, em dez idiomas diferentes. Alguns leitores me escreveram contando histórias sinceras de como as ideias da obra ajudaram na alimentação de suas famílias. Outros pediam mais receitas, dicas e conselhos práticos. "Gostei de ler as memórias", escreveu uma mãe, "mas quando você vai lançar *o* livro que estamos esperando, com instruções para os pais?" Assim, passei os últimos anos me dedicando a explorar e compilar pesquisas de campos diferentes: educação, medicina, neurobiologia, nutrição, psicologia, sociologia e até antropologia comparada. Em *Os 7 segredos para criar filhos bons de garfo*, destilei os resultados em lições essenciais e estratégias para os pais. (E me livrei do estresse desenvolvendo e testando as receitas com minha própria família!)

Tive a bênção de dividir a experiência de escrever este livro com mais de vinte famílias e mais de quarenta crianças em idade pré-escolar da Alphabet Academy, em Connecticut. Suas histórias e avanços impressionantes aparecem neste livro e, espero, podem inspirá-lo assim como fizeram comigo.

Será que minha família pode se beneficiar da Educação do Paladar?

Você já se pegou pensando em algumas dessas coisas?

- Sei *o que* meu filho deveria estar comendo, mas não sei *como* fazer isso!
- Quero que meu filho se alimente melhor, mas não gostaria de usar força ou chantagem, nem de resmungar ou implorar.
- Muitas vezes batalho para que meu filho coma as cinco porções de frutas e hortaliças recomendadas por dia.
- Meu filho reage negativamente ou se recusa a comer alimentos novos.
- Muitas vezes preparo dois ou mais pratos em cada refeição – um para adultos e outro para as crianças.
- Às vezes troco alimentos saudáveis, que meus filhos rejeitam, por "comida de criança".
- Alimentar meu filho é motivo de estresse.

Se respondeu "sim" a qualquer uma dessas colocações, este livro é para você.

Como a Educação do Paladar Funciona?

A Educação do Paladar tem um objetivo simples: ajudá-lo a ensinar seu filho a *gostar* de uma alimentação saudável. Como muitas vezes imaginamos que o paladar infantil é inato, ensinar uma criança a comer pode parecer esquisito. Quantas vezes já ouvimos alguém dizer: "Meu filho é muito enjoado nas refeições!"? Não imaginamos que comer seja algo que *aprendemos*; ao contrário, achamos que isso é apenas algo que *fazemos*. Mas as crianças *podem* aprender – e ser ensinadas – a comer bem.

Para atingir este objetivo, a Educação do Paladar consiste em três atividades básicas – jogos divertidos, receitas simples e rotina alimentar – introduzidos em uma sequência estratégica: os "Sete Segredos" da alimentação infantil saudável. A ideia fundamental é que, melhorando *como*, *quando* e *por que* comemos, é possível melhorar *o que* comemos.

O Segredo nº 1 explica como *ensinar* os filhos a gostar de experimentar alimentos novos. O nº 2 revela como usar a força do *marketing* para tornar ingredientes saudáveis mais atraentes para as crianças. O Segredo nº 3 ajuda a revisar os hábitos familiares, eliminando os lanchinhos sem propósito. O Segredo nº 4 faz mágica na hora das refeições: rituais e rotinas que incentivam as crianças – e os adultos – a correr para a mesa (e a permanecerem felizes durante todo o tempo). O nº 5 explica como afastar os garotos da "comida de criança" (caso seja o que estejam habituados a comer). Muitos se entusiasmam com a oportunidade de ajudar na cozinha – e por isso o Segredo nº 6 trata da participação deles no preparo e no planejamento das refeições. Como as atitudes e o estado emocional dos pais são fundamentais para o sucesso do método, o Segredo nº 7 revela técnicas para manter a calma apesar da angústia muitas vezes associada à tarefa de alimentar nossos filhos.

Como os jogos podem ajudar?

Cada um dos Sete Segredos está associado a um conjunto de jogos e experimentos divertidos. Os jogos são uma maneira leve de introduzir as crianças a novas formas de comer e a aumentar seu entendimento sobre a comida. Os jogos da Educação do Paladar (alguns, na verdade, são experiências científicas básicas) baseiam-se nos princípios da educação experimental. A ideia básica é simples (e fundamentada por pesquisas): as crianças precisam *experimentar* o que aprendem, *experimentar* na prática, e não simplesmente ouvir o que precisam fazer.[3] Além disso, as brincadeiras tornam o aprendizado mais divertido – para as crianças e também para os adultos.

Alguns jogos ajudam as crianças a entender como a alimentação está relacionada aos cinco sentidos (tato, olfato, visão, audição, paladar). Quando começam a se sentir mais à vontade com as sensações físicas que os diferentes ingredientes evocam, elas se tornam mais confiantes.[4] Por exemplo, o Jogo 9 (As frutas azedas, página 86) ensina que a toranja é *amarga*, mas isso não significa que seja *ruim*. Os filhos de muitas famílias que participaram de meus testes começaram a adorar toranja depois desse jogo!

Outros foram pensados para resolver (ou prevenir) alguns problemas comuns, como os listados na tabela a seguir. Por exemplo: crianças que têm dificuldade em comer alimentos de texturas diferentes podem se beneficiar do Jogo 16: Misturando tudo.

Se seu filho tem dificuldade com isso...	**... experimente isso!**
Comer alimentos diferentes ao mesmo tempo	Jogo 16: Misturando tudo (página 143)
Aceitar algumas texturas	Jogo 13: As texturas extraordinárias (página 123)
Comer muito rápido	Jogo 18: Comendo devagar (página 158)
Alimentos amargos	Jogo 9: As frutas azedas (página 86)
Aceitar mudanças em seus pratos preferidos	Jogo 19: Três é melhor (página 158)
Sensibilidade a sabores fortes	Jogo 3: Papilas amigas (página 49) Jogo 4: O superpaladar (página 51)
Recusa em comer alimentos saudáveis	Jogo 5: O nome bobo (página 68)
Preferir porcarias a alimentos saudáveis	Jogo 6: Cheire e prove (página 70) Jogo 8: Teste às cegas (página 72) Jogo 14: Confusão de cores (página 126) Jogo 15: O jogo do iogurte (página 128)

Se seu filho tem dificuldade com isso...	... experimente isso!
Parar quieto à mesa	Jogo 12: A rosa, o espinho e o botão (página 107)
Comer salada	Jogo 17: Você é o chef (página 144)

Como as receitas funcionam na Educação do Paladar?

As receitas deste livro estão dispostas em uma sequência apropriada para diversas faixas etárias: bebês (8 a 18 meses), crianças de colo (18 meses a 4 anos), idade pré-escolar (4 a 6 anos) e idade escolar (6 anos e mais). A ideia é simples: assim como aprende matemática aos poucos, a criança aprende a comer passo a passo. Comece mostrando os sabores básicos aos bebês (como você ensinaria a contar até 10). Então acrescente texturas, particularmente quando são crianças de colo (como você ensinaria a contar acima de 10, introduzindo sequências numéricas). As crianças em idade pré-escolar começam a expandir o conhecimento sobre comida quando experimentam novas combinações de sabores e texturas (como se fossem soma e subtração). Finalmente, estão aptas a comer como adultos (cálculo avançado – brincadeira!) As receitas foram pensadas nesta sequência e, aos poucos, introduzem sabores e texturas mais complexas. Veja os pimentões, por exemplo: as receitas incluem uma Sopa de tomate e pimentão assado (página 253) para bebês, seguida por Homus vermelho (página 254) para crianças de colo, Enroladinho de pimentão (página 255) para pré-escolares e Ratatouille (página 257) para os mais velhos. A vantagem deste método é que cada receita também agrada os adultos – mesmo os purês, que na verdade são sopas simples.

As receitas também foram criadas de forma propositalmente ousada. Talvez você se surpreenda com alguns ingredientes (como sálvia ou anchovas), mas, por favor, deixe as dúvidas de lado. Quem sabe descubra (como aconteceu com várias famílias dos testes) que seus filhos conseguem gostar desses alimentos, mesmo que não sejam normalmente considerados "infantis".

A Educação do Paladar é como treinar o sono?

Comer é uma função corporal básica, assim como dormir. Mas comer *bem* é uma habilidade complexa que requer anos de aprendizado. A melhor comparação da Educação do Paladar é com a leitura. Aprender a ler direito requer tempo e esforço; pode levar anos até que uma criança se transforme em um leitor competente e confiante. Isso não significa, porém, que ler seja desagradável. A Educação do Paladar também não é. Abraçar uma criança e ler para ela é uma das coisas mais satisfatórias que existem. Lembra do seu entusiasmo ao redescobrir seus livros infantis favoritos ao lado de seu filho? Ou como foi quando ele aprendeu a caminhar ou conseguiu andar de bicicleta sozinho pela primeira vez? Agora imagine a mesma sensação ao ensiná-lo a comer, ao explorarem juntos o maravilhoso mundo dos alimentos. E se você se sentisse da mesma maneira ao introduzir ingredientes novos – como algo a ser desejado e celebrado?

Será que *todas* as crianças podem aprender a comer direito?

Sua crença na capacidade de seus filhos é fundamental para o sucesso. Algumas crianças demoram mais (às vezes *muito* mais) que outras, mas a maioria *pode* aprender a comer bem. Se suspeita que seu filho tenha alguma dificuldade particular, talvez haja algum fator médico (incluindo alergias, espectro autista ou transtorno de processamento sensorial) que deva ser tratado por um profissional.

Em que idade posso começar a Educação do Paladar?

Em qualquer idade. (Na verdade, algumas famílias que trabalharam comigo disseram que se saíram muito bem com os *pais* enjoados!) Apesar de ser mais fácil com crianças mais novas, nunca é tarde demais para começar. Se seus filhos são mais velhos (como eram as minhas, no início), não se preocupe: pode demorar mais, mas eles se adaptam de forma admirável. Para os mais velhos, *Os 7 segredos para criar filhos bons de garfo* pode funcionar como um programa de "reabilitação", auxiliando no desapego aos alimentos processados e criando hábitos novos e positivos. Se seu filho for menor de 2 anos, a jornada será bem mais fácil. Nessa fase, a Educação do Paladar é como a medicina preventiva. Seu objetivo é identificar as implicâncias e talvez até impedi-las. Além disso, você vai conseguir aproveitar por completo as receitas mais simples no final deste livro. Que sorte começar nesta idade! É possível criar rotinas saudáveis desde o início.

As crianças não deixam de ser implicantes sozinhas?

A maioria (75 por cento, em muitos estudos) é seletiva em relação a alimentos: rejeitam ingredientes novos em favor dos preferidos e até desenvolvem laços fortes com algumas "comidas-fetiche" (como macarrão). Em outras palavras, a implicância é normal para algumas crianças. Mas, com técnicas simples de Educação do Paladar, mesmo as mais enjoadas diversificam a dieta.

A esta altura, talvez você esteja se parabenizando e dizendo "meu filho não é enjoado!" Que bom, para você e para ele – mas não comemore tão cedo. O processo seletivo varia de acordo com a idade, em um padrão previsível. Geralmente aparece de 1 aos 3 anos, mas também pode surgir em outras idades, e por motivos diferentes. Cerca de quatro em dez bebês se alimentam vorazmente (principalmente quando estão com fome) e tendem a apreciar – ou pelo menos experimentar – novos ingredientes. Quatro, do mesmo grupo, são tenazmente teimosos em relação a suas preferências. E os outros dois serão difíceis para comer desde o começo.

A partir dos 2 anos, algumas crianças de colo vorazes ou teimosas começam a ser seletivas. Podem ser implicantes (recusando alimentos que já comeram e gostaram, mudando as preferências de um dia para o outro) e/ou enjoadas (recusando ingredientes novos e exigindo refeições conhecidas). O enjoo na hora de comer (chamado "neofobia", ou medo de alimentos novos) geralmente aparece em torno dos 2 anos e fica pior por volta dos 4 ou 5 anos. Algumas pesquisas sugerem que os meninos, em média, tendem a ser mais enjoados que as meninas da mesma idade.[5]

Na época em que começam a ir para a escola, muitas crianças já sabem do que gostam ou não, e essas preferências tendem a se manter estáveis. Por volta dos 10 ou 12 anos, as implicâncias diminuem em várias crianças, embora as preferências mudem quando elas se aproximam da adolescência. Se a família está tendo dificuldades em relação à alimentação ou se o adolescente passa por problemas pessoais, a resistência pode aumentar. Pode estar relacionada, por exemplo, a preocupações com a saúde, à imagem do corpo ou a distúrbios alimentares. Com o tempo, porém, a maioria supera as implicâncias.

Quando ouvi falar pela primeira vez desse padrão de desenvolvimento, fiquei aliviada. Percebi que as implicâncias são uma fase normal para muitas crianças e que podem surgir de vários fatores, incluindo o apetite inato, hábitos e rotinas da família e experiências ou pressões sociais vindas de fora de casa. Chega de culpa! (Livrar-se da culpa é um dos primeiros passos para desenvolver uma rotina familiar de alimentação saudável.)

O mais importante foi perceber que eu podia tomar alguma providência – bem como todos os pais. Para muitas crianças, a implicância é uma fase, e não algo que vai durar a vida inteira. Da mesma maneira que pais firmes e compreensivos podem ajudar os filhos a superar a fase do "não", a Educação do Paladar auxilia as crianças a parar com a implicância.

E se meu filho não aceitar este plano? A implicância não vai aumentar?

Se você se preocupa com a resistência, comece pelos jogos sugeridos em cada capítulo. São ótimos para despertar a curiosidade natural das crianças a respeito da comida. Eles ajudam a ensinar os filhos a apreciar o sabor dos alimentos e a adotar hábitos saudáveis ao longo do dia. A premissa é essa: a comida pode ser divertida.

Sim, é isso. *Comer é divertido*. O que isso significa? Que é possível aproveitar as refeições com os filhos. Talvez seja difícil acreditar nisso agora (quando comecei a batalhar contra os hábitos de minha filha mais nova, eu também não acreditaria), mas você e seus filhos *podem* se divertir experimentando novos alimentos saudáveis.

Para as crianças realmente resistentes, talvez seja útil pular logo para os Segredos nº 6 e nº 7. O Segredo nº 6 explica como substituir a pressão por estratégias que incentivem seus filhos a participar da alimentação com você – e não contra você. O Segredo nº 7 traz sugestões para manter a calma e praticar o desapego em situações estressantes: quanto mais relaxadas (porém ainda firmes) forem suas orientações, mais êxito você vai ter.

O que dizer sobre alergias?

A Educação do Paladar baseia-se na crença de que não precisamos ter medo de introduzir uma ampla variedade de sabores e alimentos a crianças de todas as idades (na verdade, quanto mais cedo, melhor). Isso é reforçado por recentes conselhos médicos que encorajam os pais a não adiar a introdução de *nenhum* alimento – mesmo aqueles que eram tidos como "alergênicos" – para bebês com mais de 6 meses. Na verdade, os médicos agora estudam a possibilidade de que atrasar o consumo desses ingredientes, como amendoins, pode *aumentar* a chance de a criança desenvolver alergias. A ideia (ainda não provada pela ciência) sugere que comer uma grande variedade de alimentos pode proteger contra alergias. Os médicos também aconselham a oferecer os novos alimentos regularmente, depois de introduzidos.[6] A Educação do Paladar é uma maneira de colocar isso em prática.

O que a Educação do Paladar não é

Ela *não é* um método para produzir crianças que se alimentam "de maneira perfeita" (isso não existe!) Nem garante que seu filho vá comer de tudo. Assim como os adultos, eles têm preferências que devem ser respeitadas.

A Educação do Paladar também não diz respeito à educação nutricional. Grandes pesquisas mostram que ela não ajuda muito a *mudar* comportamentos ou criar novas atitudes positivas. Em outras palavras, fazer seu filho comer bem tem pouco a ver com nutrição. Não me entenda mal, a nutrição é importante – deficiência de micronutrientes (particularmente ferro, zinco e cálcio) ainda é um problema para muitas crianças, mesmo em sociedades relativamente desenvolvidas –, mas pesquisas têm mostrado cada vez mais que usar argumentos baseados na nutrição não é a melhor maneira de convencer uma criança a comer melhor.

A Educação do Paladar não incentiva atitudes na linha "culpa e vergonha". Ao contrário, é uma prática positiva que trata os alimentos como fonte de alegria, para serem explorados como em uma aventura compartilhada. Trata-se de *como* podemos inspirar as crianças – e nós mesmos – a comer melhor, porque é algo que eles – e também os adultos – *gostam* de fazer. Portanto, não vou ficar repetindo informações conhecidas sobre os problemas. Vou focar nas soluções.

Finalmente, a Educação do Paladar não está relacionada a dietas ou a comer apenas alimentos "saudáveis" (qualquer que seja a definição disso).

As receitas da terceira parte deste livro têm como base frutas e hortaliças, ingredientes que as crianças demoram mais a apreciar. Mas prefiro evitar rótulos (como comidas "boas" ou "ruins"). Ao contrário, devemos ensinar aos filhos que há abordagens diferentes em relação aos alimentos: alguns podem ser consumidos com frequência e outros, apenas de vez em quando. Do meu ponto de vista, não há nada de errado com guloseimas – de maneira moderada. "Moderação sem privação" é um princípio básico de *Os 7 segredos para criar filhos bons de garfo*. Pesquisas indicam que alimentos proibidos se tornam ainda mais tentadores para as crianças. Da mesma forma, forçá-las a comer coisas "saudáveis" (ou usando guloseimas para fazer chantagem) provavelmente resulta em ainda mais rejeição. A Educação do Paladar faz diferente: acredita que as crianças podem e vão gostar de todos os tipos de alimentos porque são naturalmente saborosos. Brócolis... *que delícia!* Por isso, incluí também receitas de lanchinhos e sobremesas.

Quanto tempo dura o programa?

Talvez você esteja pensando: "Parece razoável, mas depois de quanto tempo vou perceber alguma mudança?" Não vou enganar ninguém: não se trata de um processo imediato. Comer bem não é algo que se faça da noite para o dia. Se você se mantiver firme em relação às novas atitudes, pode ver mudanças na maioria das crianças de colo em uma ou duas semanas. Crianças em idade escolar demoram mais e adolescentes podem levar até um mês. Seja paciente e persista com carinho.

Quanto tempo esse programa toma por semana? Se planejar um jogo por dia e uma nova receita por semana, vai gastar trinta minutos no total – menos de cinco minutos por dia! Saiba, porém, que a Educação do Paladar vicia. Como descobriram as famílias que trabalharam nos testes comigo, quando se começa – e quando as crianças começam a nos surpreender com novas descobertas de sabor –, não se quer mais parar. (Os avanços são pequenos triunfos que tornam o desafio familiar ainda mais divertido.) Muitas famílias perceberam que estavam dedicando mais tempo, e não menos, à Educação do Paladar.

Talvez as refeições de sua família se pareçam um pouco com um passeio de montanha-russa. Em alguns dias, seus filhos experimentam brócolis; no outro, só faltam cuspir. Reclamam quando estão à mesa, comportam-se mal e, de repente, surpreendem com uma doçura incrível. Algumas refeições serão mais complicadas – é aqui que o ato de comer com consciência pode ajudar. Digo para os pais "respirem fundo, resistam à tentação de gritar ou dar broncas e lembrem-se de que isso vai passar". Pense que, a longo prazo, a Educação do Paladar vale a pena. Você vai passar menos tempo na cozinha, pois todos vão comer a mesma coisa e não vai haver necessidade de atender a pedidos de última hora. Seus filhos vão ser menos implicantes e, em muitos casos, vão comer de tudo. Por fim, vai ser possível usufruir muito mais do tempo com as crianças em vez de ficar estressado em relação ao que elas comem (ou não comem) – e não é isso o que realmente importa?

Que comece a aventura alimentar!

Com carinho,
Karen

P.S.: Incluí muitas informações úteis em gettingtoyum.com, *site* [em inglês] cheio de referências e receitas. Confira!

Os 7 segredos para criar filhos bons de garfo

Segredo nº 1

As crianças podem aprender a gostar
de alimentos saudáveis:
veja como ensiná-las

Imagine-se em uma viagem para outro país, algum lugar bem distante e diferente. Assim que chega, encontra uma família com filhos pequenos. Curiosos, os pais lhe pedem para explicar o que as crianças de seu país gostam de comer. O que vem à sua cabeça? Se alguém foi criado na América do Norte, provavelmente pensa em cachorro-quente, pizza e refrigerante. Ou, no caso da comida para bebês, em cereal de arroz, talvez em purê de maçã. Estereótipos de alimentos para crianças.

Agora imagine o que acontece quando pergunta àquela família o que os filhos *deles* estão acostumados a comer. Dependendo do lugar, as respostas serão diferentes. Na Índia, crianças comem curry (embora em versão mais suave que a dos adultos) e receitas temperadas com ervas e especiarias como hortelã, cúrcuma e canela. No México, experimentam molhos picantes antes mesmo de ir para a escola. Na Coreia, até os menorzinhos gostam de kimchi (feito de repolho e legumes fermentados), e o almoço pode incluir sopa de algas marinhas ou broto de feijão, rabanete em conserva ou refogado de polvo. No Japão, quando não estão beliscando *nattō* (grãos de soja fermentados), as crianças recebem arroz coberto de tofu picado, peixe (fresco ou seco) ou legumes. Na Itália, os cereais infantis são misturados ao *brodo* (um delicioso caldo de legumes temperado com alho e coberto de parmesão e azeite de oliva). Lá, também, a comida pronta para bebês inclui carne de coelho e até de cavalo. E eu vi mães italianas dando café com leite (provavelmente feito com *espresso*!) de colherzinha para bebês ainda nos carrinhos, ambos aproveitando o momento. Algas marinhas e gordura de foca (rica em vitamina C), seguidas por carne de baleia e alimentos nativos (como carne de rena), são dadas tradicionalmente aos bebês esquimós. Na França, entre os primeiros alimentos recomendados para os bebês, há sopa de alho-poró e endívia. Um dos livros de receitas infantis mais vendidos na França inclui legumes como alcachofra, aipo e couve-flor, com pratos como robalo com erva-doce ("por que não servir na comemoração do primeiro aniversário?"). Para as crianças mais ousadas, o mesmo livro inclui "tartare de vieiras" (sim, frutos do mar crus!) coberto de picles picado, alcaparras e pimenta-do-reino branca.

Esses exemplos podem parecer estranhos de início, mas não são. No mundo inteiro, os pais apresentam aos filhos os variados sabores de sua cultura. Isso significa introduzir alimentos picantes, azedos, salgados, doces – sabores intensos de todos os tipos, até mesmo aqueles que a cultura norte-americana de hoje acredita serem impossíveis de as crianças gostarem.

Nossos avós provavelmente ficariam perplexos diante da ideia de "comida de criança". Quando jovens, comiam a mesma coisa que todo mundo. Isso, claro, tinha algumas razões práticas: sem refrigeração e apenas com ingredientes sazonais (muitas vezes limitados), as pessoas cozinhavam o que havia na casa e comiam porque tinham fome. Os pais não tinham por que imaginar que os filhos não iriam gostar da mesma comida. A cultura dos alimentos industrializados inverteu esse pensamento. Hoje, acreditamos que a garotada prefere "comida de criança" e é com isso (na maioria das vezes) que a alimentamos.

Mas e se pensarmos de uma maneira mais positiva e acreditar no oposto, que crianças podem realmente *gostar* de alimentos variados? Por que não iríamos querer que nossos filhos aproveitassem o sutil sabor, por exemplo, dos brócolis? Se os pais consideram que esses legumes são saborosos e se os comem também, com o tempo as crianças aprendem a ingerir uma dieta variada e saudável. E se desconfiarem do ingrediente e disserem que o "odeiam", um pai pode (e deve) ajudá-lo a descobrir maneiras de gostar do produto. Como descrevo no experimento que segue, o ponto de partida são suas expectativas em relação a seus filhos, o que ajuda a colocá-los na trilha do sucesso (ou do fracasso).

O efeito Pigmalião

Qual a importância de nossa confiança na capacidade de aprendizado de nossos filhos? Muito, como mostrou o pesquisador Robert Rosenthal, de Harvard. Em 1965, ao lado da diretora de escola Lenore Jacobsen, o psicólogo conduziu um experimento nada ortodoxo em uma escola pública da Califórnia. Disseram aos professores que usaram um teste desenvolvido por Harvard (*o Harvard Test of Inflected Acquisition*) para identificar os alunos que estavam prestes a passar por uma arrancada de crescimento intelectual. Os professores se animaram, pois o método de Harvard seria capaz de detectar os alunos e incentivar o aprendizado. Acontece que a história toda era mentira. O teste era falso e os estudantes que iriam "florescer" intelectualmente foram escolhidos ao acaso.[1]

Rosenthal esperava provar que as expectativas dos professores influenciavam o desempenho dos alunos. E conseguiu. Quando sua equipe voltou à escola, vários meses depois, as crianças selecionadas tinham melhorado consideravelmente nas aulas. Até Rosenthal se surpreendeu ao ver o resultado; ele esperava uma pequena diferença, mas alguns alunos tinham pulado de nota C para A. O psicólogo também se espantou com outro resultado: o QI das crianças havia aumentado, chegando até quarenta pontos a mais do que o dos alunos que não foram escolhidos.

Ele concluiu que as expectativas dos professores em relação ao que os alunos *poderiam* aprender influenciou positivamente no que eles *efetivamente* aprenderam. Rosenthal chamou isso de "efeito Pigmalião", baseado na famosa peça de teatro escrita por George Bernard Shaw (mais tarde transformada no filme *Minha bela dama*), em que o professor Henry Higgins ensina a vendedora Eliza Doolittle a domar o sotaque caipira e adotar maneiras elegantes, confundindo a crença dos espectadores na inferioridade natural das classes "baixas".

A experiência de Rosenthal causou um enorme impacto porque provou que a expectativa dos adultos em relação às crianças tem uma enorme influência sobre o comportamento e aprendizado – o efeito é maior nos mais jovens. O mais importante do estudo, talvez, tenha sido demonstrar a força dos rótulos. Se rotulamos um filho de "mimado", ele provavelmente vai ser mimado. Se dizemos a uma filha que ela não gosta de alguns alimentos, ela provavelmente vai acreditar nisso. Se nós mesmos acreditamos que alguns ingredientes (como hortaliças) não são saborosos, é quase certo que nossos filhos também vão pensar assim.

Isso aconteceu com minha amiga Kate, que recentemente percebeu que seu pai não gostava de brócolis, mas mesmo assim comeu a hortaliça durante vinte anos. O esforço dele compensou: embora ele ainda não goste de brócolis, esse é o legume preferido de Kate e de sua irmã, Lauren! A mensagem, simples, é a seguinte: se desejamos que nossos filhos comam algo, devemos comer diante deles – e com prazer, dizendo que é saboroso.

O contrário também é verdadeiro: se alguém se alarmar quando um filho de 3 anos pegar um pedaço de toranja (como fez um pai durante um almoço em nossa casa) e falar, preocupado, "Oh, isso é muito ácido para você" (como ele também fez), a criança provavelmente vai recuar e decidir que não gosta daquilo (e foi exatamente como esse garoto se comportou). As crianças ficam naturalmente alertas em relação a alimentos que seus pais desprezam. Esse comportamento, claro, é um mecanismo útil de proteção, mas pode ganhar contornos exagerados. Quando seu filho encontrar algum ingrediente novo, encoraje-o a experimentar – com curiosidade, sem fazer julgamento.

Crianças são "aprendizes"

Em vez de rotular um filho de "implicante", pense nele como "aprendiz" ou "iniciante". Ele vai acreditar que é normal aprender a gostar de novos alimentos e naturalmente vai pedir a sua ajuda para isso. Se puder evitar dizer (direta ou indiretamente) que há alimentos de sabor bom ou ruim, mas sim de sabores *interessantes*, a criança pode se surpreender com seu entusiasmo.

Eis um exemplo simples que aconteceu em nossa família. No ano passado, estávamos em um evento no nosso bairro, em Vancouver, uma cidade que tem a sorte de reunir diferentes tipos de culinária. Um dos salgadinhos à venda era bem apimentado: algas temperadas com wasabi (é uma pasta verde pálido de sabor intenso, também conhecida como raiz-forte japonesa). Minha vizinha ofereceu um pouco a mim, e Claire, minha filha de 4 anos, pediu um pedaço. "Oh, acho que é muito apimentado para ela!", respondeu minha vizinha, tirando a bandeja do alcance de Claire. Mas a garota pediu novamente e dei a ela um pouco do meu pedaço. Enquanto a vizinha se afastou, esperando por um choro que imaginava inevitável, falei para Claire "Experimente – você vai gostar! É bem saboroso!" Quando a menina comeu feliz e pediu mais um pouco, a vizinha, perplexa, insistiu: "Mas não é muito apimentado?" Claire concordou, enquanto mordiscava o salgadinho e requisitava outro pedaço.

Não foi um caso isolado. Antes de fazer 5 anos, Claire também comia (e, mais importante, gostava de comer) curries tailandeses e tofu, sushi e espinafre, brócolis e beterraba, queijo roquefort e outras coisas. Isso não significa que coma de tudo – por alguma razão, ela se aflige com ovos mexidos –, mas gosta de muitos ingredientes. Ela e a irmã mais velha, Sophie (com 9 anos), não nasceram gostando de tudo isso, é claro. Mas *aprenderam* a gostar de comer. Crianças pequenas, na verdade, estão abertas a experimentar muito mais alimentos do que imaginamos.

Tem um cabelo no leite... oba!

Intrigado com o comportamento de crianças pequenas diante da comida, Paul Rozin (psicólogo da Universidade da Pensilvânia) decidiu estudar como os seres humanos desenvolvem a repugnância. Suas experiências foram simples. Em um caso, uma criança ouviu histórias a respeito de algo (um gafanhoto, uma folha, até mesmo cocô de cachorro) que caía em um copo de leite. Depois de cada frase, elas deviam dizer o quanto gostariam de experimentar o leite, indicando a resposta em rostinhos sorridentes em uma tabela. Em outro, elas eram convidadas a comer algo que parecia contaminado. Por exemplo: o pesquisador passava um pente no cabelo e depois mergulhava o objeto em um copo de suco, tirava e pedia para a criança beber.[2] Ao longo dos anos, as experiências envolveram estratégias diferentes, incluindo minha preferida: pedir a crianças de colo para comer biscoitos polvilhados de "pó de gafanhoto" (farinha, açúcar e corante alimentício verde). Os adultos que participaram dos estudos eram expostos a outros testes, como mexer uma sopa com um pente ou um mata-moscas nunca usados.

Como as crianças e os adultos reagiam à pesquisa de Rozin? Crianças mais velhas nem sonhavam em tomar o leite ou a sopa até que o copo fosse lavado – mesmo assim, metade ainda se recusava. Os adultos eram mais resistentes: muitos não apenas se recusavam a provar, mas sugeriam que o copo ou a tigela já estavam contaminados e deveriam ser jogados fora. As crianças mais novas (por volta de 3 anos), porém, mostravam-se felizes ao tomar o leite e o suco ou comer os biscoitos de gafanhoto. Não pareciam fazer distinção entre alimentos perigosos, nojentos ou apenas inadequados.

Como Rozin resumiu: "crianças mais novas parecem acreditar que as coisas que fazem mal para elas terão gosto ruim. E os alimentos que fazem bem terão gosto bom". Como, então, podem aprender que os brócolis não apenas fazem bem, mas *também* têm gosto bom? Sozinhas é que não será, indica a pesquisa de Rozin. Ao contrário, as crianças são ensinadas a não gostar de alimentos por adultos e outras crianças. E, como qualquer pai sabe, as preferências alimentares são difíceis de desaparecer depois de estabelecidas.[3]

Superpaladares

A mente das crianças, porém, não é uma tábula rasa. Descobertas recentes mostram que a sensibilidade do paladar é, até certo ponto, genética. A pesquisadora Linda Bartoshuk, da Universidade da Flórida, estuda as variações genéticas na percepção do sabor e classifica as pessoas em três categorias: superpaladares, paladar médio e sem paladar.[4]

Para os que têm superpaladares, cerca de 25 por cento da população americana, os alimentos amargos são muito mais amargos e os doces, muito mais doces.[5] Donos de paladar médio correspondem a 50 por cento da população. Os 25 por cento restantes são os sem paladar, muito menos sensíveis a qualquer sensação de sabor. Bartoshuk explica que os "superpaladares vivem em um mundo de sabores 'neon', enquanto os sem paladar veem tudo em tons pastel".[6] Acho que tenho uma filha em cada extremo desse espectro: a mais velha arfa assustada e imediatamente cospe qualquer pedacinho de alho cru que encontre na comida. A mais nova, por outro lado, come o ingrediente com gosto, sem desconforto óbvio. Isso não significa que a maior não goste de sabores fortes (ela adora curry, por exemplo), mas demora um pouco mais para que aprenda a gostar deles.

Por que as crianças são tão diferentes umas das outras? Parte da explicação pode ser fisiológica: elas podem ter densidades diferentes das papilas fungiformes (papilas gustativas). Cada papila gustativa está associada a um feixe de nervos que envia sinais de dor ao cérebro. Quanto mais papilas, mais forte é a sensação de dor e mais sensível é o paladar em geral.[7] (Curiosamente, as mulheres tendem a se encaixar mais na categoria dos superpaladares porque têm mais papilas gustativas que os homens.[8])

É importante lembrar que as crianças, em média, têm mais papilas gustativas que os adultos. Em outras palavras, a maioria delas tem o paladar mais sensível. É por isso que a prática – por meio da degustação repetida de novos alimentos – é tão importante: *muitas* crianças tendem a levar mais tempo que o adulto médio para se acostumar a novos sabores de comida. Paciência e persistência suave são chaves para a Educação do Paladar.

Não se incomode com as "caretas"

Quando servir alimentos novos a seus filhos, saiba que a expressão facial deles pode levar à confusão. Cientistas descobriram que a fisionomia das crianças indica quando elas gostam de algum ingrediente, mas não quando não gostam.[9] Ninguém sabe ao certo por que elas fazem caretas, mas a expressão pode ser uma resposta automática, como o reflexo exibido por recém-nascidos quando experimentam sabores ácidos ou amargos. Mesmo que as crianças tenham ar de desconfiança, ou que torçam o nariz, talvez não tenham desgostado do alimento. Confie mais no que elas dizem, e não no que demonstram.

O reflexo nos recém-nascidos

O que acontece se deixarmos um bebê provar um líquido doce? E então um azedo? Todos têm as mesmas reações: rostinho feliz para sabores doces e careta para os azedos (e também para os amargos ou salgados). Essas reações são tão universais, e tão facilmente reconhecíveis, que quando pesquisadores tiraram fotos dos bebês e mostraram a alguns adultos, eles conseguiram adivinhar o que os recém-nascidos tinham provado. No mundo inteiro, o reflexo já aparece no primeiro dia de vida da criança. Os cientistas os chamam, portanto, de reflexos inatos (presentes no nascimento), e não adquiridos (que podem ser aprendidos). Provavelmente surgiu por sua capacidade protetora (o leite materno é doce, enquanto muitas toxinas e venenos são amargos). Aos poucos, as crianças aprendem a gostar de diversos sabores, mas as "caretas" (que muitas vezes surgem por distração) podem persistir até a adolescência!

Pratique, pratique, pratique

Quando foi a última vez que você aprendeu a gostar de um novo alimento? Para a maioria de nós, já faz algum tempo. Assim como as crianças, nós nos acostumamos aos hábitos alimentares. Esquecemos que tivemos que aprender a gostar de coisas que hoje são prazerosas (eu levei anos para apreciar o sabor do café, por exemplo). A boa notícia é que as crianças (e também os adultos) podem aprender a gostar de novos alimentos por meio da exposição repetida: basicamente, a prática faz a perfeição.[10]

Existe o risco, porém, de exagero na prática. Isso é preocupante principalmente com crianças mais novas (até 7 ou 8 anos), para quem experimentar novos alimentos pode ser um grande desafio. Talvez apresentar muitos ingredientes novos de uma vez seja um tiro pela culatra, já que elas precisam de um ritmo mais lento. Tudo se resume a encontrar equilíbrio: algumas variedades e novidades, mas nada em demasia.[11] Uma vez por dia pode funcionar para muitas crianças, mas para outras o ideal é uma vez por semana. Você conhece seus filhos.

Apenas um pouco de prática regular pode trazer resultados rápidos; incentivar seu filho a passar apenas cinco minutos por dia experimentando algo novo ajuda muito. Isso é importante, pois estudos mostram que, em média, a criança precisa provar um ingrediente novo até doze vezes antes de passar a comê-lo com prazer.[12] Um exemplo: Rena, de 4 anos (uma das crianças das famílias que me ajudaram com o livro), não ficou muito entusiasmada com a couve-flor nas duas primeiras vezes em que a experimentou. Mas na terceira ocasião em que sua mãe, Babette, preparou o Gratinado de couve-flor (página 235), ela e a irmãzinha comeram sem reclamar (e até pediram mais!)

Jon (de outra família) passava por situações semelhantes com o filho de 13 anos, Michael, um enjoado completo. Descrito pelo pai como "um garoto que provavelmente nunca comeu uma vagem", Michael provou (com alguma relutância) a Vagem com amêndoas (página 269). Na primeira vez, não terminou sua porção nem demonstrou interesse em comer novamente. Na semana seguinte, porém, Michael surpreendeu a família inteira ao perguntar "por que não podemos comer vagem mais vezes?" Depois disso, Jon me escreveu:

> *Minha mulher e eu ficamos sem fala. Agora meu filho pede para comer vagem! Impressionante. Isso mostra como nossos conceitos equivocados a respeito do que as crianças gostam ou desgostam atrapalham a ajuda que podemos dar para que elas apreciem a comida.*

Como mostram os exemplos de Michael e Rena, a exposição repetida e *sem pressão* a ingredientes novos é fundamental para o sucesso da Educação do Paladar. Por isso eu recomendo que sua família adote essa regra simples, mas muito eficiente:

Você não precisa gostar, mas tem que experimentar.

Alguns leitores reconhecem a frase como uma das Regras Alimentares que descrevi em *Crianças francesas comem de tudo*, escrito depois de passarmos um ano na França. Lá, vimos os resultados impressionantes (pareciam mágicos) de pedir para as meninas experimentarem tudo o que havia sido preparado para elas – mesmo que não gostassem. Quanto mais familiar for algum ingrediente, mais as crianças tendem a apreciá-lo.[13] Seu objetivo é criar essa familiaridade por meio da repetição. Atenção: olhar a comida não é suficiente – as crianças devem prová-la (lembre-se, pode demorar até doze "degustações" antes que ela coma direito). Crianças desconfiadas beneficiam-se de outros tipos de exposição antes de provar: olhar, tocar e conversar sobre o alimento.[14]

Elas aprendem rapidamente essa regra e às vezes até encorajam umas às outras, como foi o caso de Rena. Depois de apenas alguns dias da Educação do Paladar, ela começou a perguntar aos pais o que comeria no jantar. As refeições tornaram-se algo desejado, algo que despertava a curiosidade. Rena sentia-se orgulhosa de ser "grande", repetindo "você não precisa gostar, apenas precisa provar" para a irmã mais nova, Rachel (de 2 anos e meio). E a menorzinha até surpreendeu os pais ao mostrar-se mais voraz, particularmente quando eram servidos alimentos coloridos.

Até crianças pequenas podem encorajar umas às outras a experimentar novos ingredientes, como mostra Alexandra, uma leitora que me escreveu:

> *Hoje fiz uma versão de Ratatouille com os legumes que cultivamos em nosso jardim. Com a colher na mão, meu filho de 2 anos e meio sentou à mesa do almoço olhando para o prato e sem tocar em nada. Então, entre garfadas, minha filha de 4 anos disse "você não precisa gostar, mas tem que experimentar". E ele provou… até que o prato estava vazio e ele pediu mais.*
>
> *Alexandra*

Esqueça o sem graça

Aprender a gostar de novos alimentos é ainda mais complicado quando a criança prefere uma dieta sem graça. O problema dos alimentos sem tempero é que incentivam as crianças a evitarem sabores intensos – uma característica de boa parte dos ingredientes saudáveis. Quando elas crescem, nos preocupamos se não comem a quantidade diária recomendada de hortaliças e frutas. E *devemos* nos preocupar: taxas de obesidade infantil aumentam rapidamente em todo o mundo e afetam a saúde física e mental de nossos filhos, seu desempenho escolar e mesmo o Q.I.

O doutor Jatinder Bhatia, pediatra e membro da American Academy of Pediatrics Commitee on Nutrition, recomenda oferecer curries leves aos bebês,[15] hábito que os pais indianos cultivam desde cedo. Como resultado, eles aprendem a gostar de curry antes de chegar à idade do "não", por volta dos 2 anos. A mesma lógica está presente em diversas culturas, como a japonesa, em que os pais dão peixe (shirasu) aos bebês.

A lição, aqui, é simples: se começar a se preocupar cedo com o desenvolvimento do paladar de seu filho, a probabilidade de ele se tornar enjoado é menor. Esse é um dos motivos pelos quais outras culturas geralmente se espantam ao saber que os norte-americanos dão comida sem tempero aos bebês. Quando expliquei que essa era a recomendação dos livros americanos que eu havia lido, minha amiga francesa, Laurence, perguntou: "Você está treinando as meninas para *não gostarem* de comida?"

Isso não significa que você deva servir um curry superapimentado para seu filho de 3 anos no jantar de hoje à noite. É um processo gradual. Ninguém aprende algo da noite para o dia. Se já ensinou uma criança a andar de bicicleta, nadar ou tocar piano, sabe que isso leva tempo. *Muito* tempo. A persistência paciente é a melhor amiga dos pais. Talvez você se surpreenda, como Françoise:

> *Nunca me senti segura para oferecer novas receitas e hortaliças. Recuava muito cedo. Hoje sei que posso continuar tentando com alimentos que eles rejeitam há anos. Fiquei surpresa ao descobrir de que meus filhos gostam ou não e ao aprender sobre suas preferências (pensei que eu soubesse!) Achei que minha filha de 3 anos era quem comia com mais facilidade, mas então percebi que ela gosta de alimentos saudáveis, mas não necessariamente de ingredientes novos – uma coisa é totalmente diferente da outra. Também me surpreendi ao ver que eles gostam de receitas ousadas (sopa de maçã com curry), mas não de pratos doces (iogurte com frutas vermelhas). Outro dia, pedimos cordeiro em um restaurante e eles brigaram para comer! O paladar das crianças definitivamente se aprimorou.*
>
> *Françoise*

Faça um "sabor amigo" a seus filhos (e a você!)

Muitas crianças não apreciam o gosto das hortaliças quando as experimentam pela primeira vez. A natureza parece ter bagunçado muito as coisas. Os sabores que elas adoram são justamente os mesmos a que nós, adultos, não conseguimos resistir: açúcar, antes de tudo, mas também sal e gordura. Na verdade, como a indústria de alimentos processados descobriu, a combinação certa de açúcar, sal e gordura pode até mesmo criar sintomas parecidos com os do vício.[16]

O poder dos sabores preferidos inatos fica evidente desde cedo: recém-nascidos adoram açúcar.[17] Basta uma gotinha adocicada na língua deles para que abram um sorriso e relaxem – tanto que os médicos chamam a isso de efeito "analgésico" (que alivia a dor); já houve testes para o uso de soluções de açúcar com o objetivo de amenizar a dor das crianças durante procedimentos médicos.[18] (Eu não acho que teria autorizado minhas filhas a participar desse estudo, mas fico feliz por alguns pais corajosos terem apoiado a experiência.) Uma gota de sabor azedo, ao contrário, provoca nos bebês um reflexo que muitos pais reconhecem: as sobrancelhas cerradas e os lábios contorcidos, indicando que o bebê não gostou.

A preferência pelo doce não se limita à cultura gastronômica da América do Norte. Ao redor do mundo, as crianças tendem a preferir açúcar, sal e gordura e a gostar menos dos sabores azedos, amargos e alcalinos que caracterizam as hortaliças. (Os cientistas não sabem o motivo disso, mas acreditam que boa parte seja decorrente de uma aversão inata a toxinas e venenos potenciais, que tendem a ser azedos e amargos.) Não é surpresa nenhuma descobrir que as crianças preferem as hortaliças quando estão temperadas com um pouco de gordura (um pedacinho de manteiga, um fio de azeite de oliva) ou quando são naturalmente doces (purê de alho-poró com um pouco de pera, por exemplo).

Enquanto você conduz experiências de paladar em casa, saiba que algumas crianças se beneficiam da tática "sabor amigo". Ou seja: se lançamos mão de sabores de que elas já gostam, vão ficar mais propensas a experimentar (e mais aptas a gostar) de novos ingredientes.[19] Os cientistas chamam a isso de "condicionamento do sabor" e fizeram várias experiências para descobrir como funciona. Em uma delas, os pesquisadores adicionaram açúcar branco à toranja e viram que as crianças passaram a gostar mais não apenas da fruta, mas de outros alimentos azedos.[20] É interessante notar que servir receitas saborosas de frutas e hortaliças aumenta a aceitação das hortaliças sozinhas; as crianças "avançam" da toranja com açúcar para a fruta sozinha (como aconteceu com as minhas).[21]

Muitos pais já usam o "condicionamento do sabor" (pense no ketchup, pelo menos na América do Norte). Há muito com o que experimentar: minhas filhas amam o "ketchup verde" (*Pistou*, página 339), um delicioso molho pesto de legumes. O Vinagrete clássico (página 336) é excelente para servir com diversas hortaliças (ou como molho de uma salada já apreciada por seu filho). O simples também é possível: manteiga ou azeite de oliva, mais uma pitada de sal, fazem maravilhas por muitos legumes. Qualquer condimento (homus, molho agridoce, pasta de iogurte ou mesmo ketchup) funciona; certifique-se, porém, de apresentar a seu filho mais de um "sabor amigo". Resista à tentação de cobrir tudo com ketchup![22] É preciso programar a criança para gostar do sabor natural dos alimentos e para esperar variedade – não para ficar lambendo apenas algumas poucas coisas. Quanto mais sabores, melhor.

Usar o "sabor amigo" é uma ótima maneira de, aos poucos, educar o paladar de seus filhos: você pode usar sabores familiares como base para introduzir receitas mais complexas ao repertório deles. Minha amiga Laurence, por exemplo, que vive no sul da França, começou a servir purê de abobrinha para seu bebê, Antoine. Alguns meses depois, acrescentou salsinha e tomate. Quando Antoine tinha 1 ano e meio, ela já havia adicionado berinjela e pimentão, a consistência do prato estava menos pastosa e o garoto comia algo que se parecia muito com a ratatouille, um tradicional cozido francês.

Como ensinar uma criança a gostar de novos alimentos

O que você faria se uma criança estivesse tímida no primeiro dia de aula e dissesse "eu odeio a escola"? Você a ajudaria a descobrir maneiras de passar a gostar da escola. Com gentileza, persistiria. Aprender a gostar de novos alimentos – um de cada vez – é um processo semelhante.

Como introduzir novos ingredientes de um jeito que respeite as suscetibilidades individuais das crianças? E como fazer isso sem forçar (o que, quase inevitavelmente, se volta contra você)? Uma das melhores maneiras é o treino em que você pede a seu filho para provar uma pequena quantidade, mas não exige que ele coma tudo. Quando uma criança fala "não gosto dessa comida", muitas vezes ela quer dizer "eu não conheço isso". Apresentá-la a um novo ingrediente de modos diferentes ajuda a diminuir seu medo.

> *Quando começamos a Educação do Paladar e a pensar em comida como miniexperiências, comecei a fazer perguntas às crianças ao ver que elas não gostavam de algumas receitas. Do que você não gosta? Da textura, do chei-*

ro, da aparência ou dos outros ingredientes? Isso as encorajou a explorar o assunto e as combinações de alimentos. Por meio desse processo, descobrimos que Kelly, na verdade, gosta de sopa, mas não da textura do aipo, e isso foi um enorme avanço para ela (a única que não gostava de sopa em uma casa fanática pela receita). Foi também através da experiência que confirmei: as garotas achavam o molho muito apimentado e que a alface era muito dura para espetar com o garfo. Isso me fez repensar a maneira com que preparo salada – e agora elas adoram!

Lori

Um aviso: evite apresentar alimentos novos quando seu filho estiver adoentado ou se você vai dirigir muito tempo e sabe que ele tende a ficar nauseado no carro. Psicólogos descobriram que os humanos desenvolvem aversão à comida que associam com doenças. Se a criança se sentir mal depois de ter provado algo novo, vai sentir horror do cheiro e do sabor daquilo – mesmo que o alimento não seja a causa do desconforto.[23] Mas não se preocupe: se a criança desenvolver esse tipo de aversão, provavelmente não será para sempre.

Preparar, apontar... agora!

Como, então, pôr em prática as ideias deste capítulo? Em primeiro lugar, é possível ensinar uma criança a gostar de novos alimentos adotando o passo a passo abaixo. Quando ela estiver acostumada à Educação do Paladar, introduza novos ingredientes usando as receitas que estão a partir da página 203. Você também pode seguir o planejamento da página 45. Use os quatro jogos a partir da página 46 para apresentar às crianças algumas ideias básicas sobre sabores e papilas gustativas e encorajá-las a ampliar seu repertório. (Se for melhor para sua família, fique à vontade para mudar a ordem desses passos.)

Passo a passo da Educação do Paladar

1. **Escolha um novo alimento semelhante a algo de que seu filho já goste.** Se ele gosta de pepino, experimente finas fatias de pimentão verde. Se gosta de cenoura, tente pimentão vermelho. Se gosta de um tipo de pão, apresente outro tipo.

2. **Apresente antes de servir.** Parece bobo, mas esse passo é importante porque as crianças geralmente desconfiam de alimentos que não reconhecem. Mostre um pimentão vermelho, por exemplo. Leve seus filhos ao mercado e deixe que escolham uma dessas hortaliças para levar para casa. Melhor ainda: encontre uma horta que tenha um pimentão plantado. Deixe que as crianças toquem e cheirem o ingrediente. Corte o produto e mostre a elas a cor intensa. Em seguida, experimente algumas maneiras diferentes de introduzir pimentões vermelhos nas refeições da família. As crianças podem ajudar na cozinha e servir o legume que "elas" escolheram. Isso também ajuda a formarem conexões entre alimentos em diferentes formas – o tomate cru que os deixa com um pé atrás é o ingrediente principal do molho de pizza que elas adoram. Introduzir as crianças a hortaliças cruas muitas vezes ajuda a dissipar a desconfiança de comer os mesmos produtos cozidos.
3. **Sirva uma porção pequena, preparada da maneira mais simples possível, mas ainda assim cheia de sabor.** Use uma tigelinha ou ramequim, ou sirva uma "porção degustação" em uma colherinha. Um pouco de sopa de cenoura na colher assusta muito menos que uma tigela cheia sobre a mesa. Para crianças desconfiadas, tente colocar uma porção do alimento em um de seus biscoitos salgados preferidos (ou pão, se for o caso). Algumas vão se sentir mais seguras se puderem, elas próprias, espalhar a comida no biscoito.
4. **Experimente você também – e demonstre gostar!** Pesquisas indicam que as crianças se mostram mais dispostas a experimentar (e comer) novos alimentos se os pais ou colegas comem primeiro – e dão mostras de gostar. (Não finja – eles vão descobrir num minuto.)
5. **Não peça para comerem; peça para experimentarem.** O segredo é não gerar estresse sobre aceitar ou rejeitar novos alimentos. Apenas peça para que a criança prove e se acostume ao prato. Eliminar a pressão para comer (pedindo para que apenas experimentem) significa que eles não estão resistindo, mas apenas provando, em um ambiente encorajador. Experimente dizer "não deixe os olhos fazerem o trabalho da língua". As crianças avaliam o alimento primeiro pela aparência (cor e textura).[24] Isso significa que podem ficar mais desconfiadas diante de novidades. Se salpicar salsinha fresca no macarrão preferido delas, vai criar uma suspeita, mesmo que o sabor seja o mesmo. Incentive-as a superar as primeiras impressões e realmente provar as receitas, sem fazer pré-julgamentos. Também é possível dizer a crianças

relutantes que elas podem cuspir a comida (da maneira mais educada possível) ou apenas experimentar com a língua. Em outras palavras, elas não precisam engolir o que estão provando. Importante: é preciso tentar não reagir de forma negativa se seu filho decide não comer o novo alimento. Um comentário firme e encorajador ("na próxima vez, você vai gostar mais") transmite a mensagem correta.

6. **Peça para a criança falar sobre a comida.** De maneira nenhuma pergunte à criança se ela gostou do novo alimento – você poderá receber um "não!" como resposta. Em vez disso, peça para ela descrever a comida de uma maneira positiva (ou, pelo menos, neutra). Se elas se acostumarem a taxar de "nojento" qualquer coisa desconhecida, correm o risco de criar uma rotina de recusas. Descrever o alimento faz com que soe mais familiar. Pergunte a seu filho o que ele acha do sabor real da comida e faça comentários sobre o gosto e a textura. Pense em palavras divertidas que você pode ensinar à criança para descrever os diferentes atributos do ingrediente: temperatura (gelado, morno, fervente, escaldante), sabor (amargo, ácido, melado, salgado, picante, agridoce, intenso), textura (cremoso, crocante, farelento, seco, gorduroso, efervescente, folhado, sedoso, macio, duro). Divirta-se pensando nos termos ou mesmo inventando alguns – minha filha mais nova, Claire, gostava de descrever as sobremesas como "plumosas"! Fornecendo à criança a linguagem para descrever a comida, vai descobrir do que ela gosta (e do que não gosta) e então vai poder ajustar as receitas. Se o pimentão vermelho é "muito crocante" da primeira vez, talvez você possa assá-lo para a nova tentativa.
7. **Sirva os alimentos novos com regularidade.** A frequência depende da criança; algumas estão dispostas a experimentar novos ingredientes várias vezes por semana, mas outras podem achar que isso é um tanto exagerado. Os mais velhos vão conseguir lidar com mais variedade (por exemplo, pimentão vermelho cru na salada e, no dia seguinte, pimentão assado), mas as mais novas podem preferir menos novidades. Você é quem conhece melhor o seu filho!
8. **Continue tentando! (A regra da "dúzia deliciosa".)** Não desista se o alimento for rejeitado uma, duas ou até mais vezes. Persista (mas não seja insistente). O novo ingrediente deve reaparecer no cardápio com regularidade, até que a criança saiba apreciá-lo. Se isso não acontecer, fale "você ainda está aprendendo a gostar disso" ou "você ainda não provou o suficiente". É importante que as crianças mais velhas, principalmente, experimentem outras vezes. Lembre-as de que, em

alguns casos, é preciso comer algo até doze vezes antes de adotarem o alimento em definitivo – minha família chama isso de "a regra da dúzia deliciosa". E as crianças adoram fazer contas, principalmente as menores! Mesmo as mais velhas gostam do desafio de se lembrar de quantas vezes já provaram algum ingrediente.

Naturalmente, é possível adaptar a Educação do Paladar de uma maneira que funcione para sua família. Stacy, uma das mães que trabalharam comigo, tentou introduzir novos alimentos como petiscos e lanches em lugar das refeições. Ela descobriu que, dessa maneira, o exercício ficou mais informal. Com menos pressão, obteve resultados melhores com seus meninos de 6 e 4 anos. Um dia, por exemplo, Stacy deu a eles cranberries cruas na hora do lanche, sem insistir para que comessem. Cada um experimentou um pouco! No dia seguinte, também durante o lanche, provaram a fruta polvilhada de açúcar. Naquela noite, a mãe acrescentou cranberries secas à salada do jantar e eles comeram tudo!

Martha obteve um sucesso parecido. Depois de meses de tentativas inúteis para que Tobias, de 3 anos, comesse batatas, ela se decidiu pela Educação do Paladar. Comprou batatas-bolinhas bem pequenas, que são um pouco mais adocicadas do que o tipo que normalmente adquiria. Serviu-as inteiras, como é o usual. "São bonitinhas", disse Tobias. Antes, Martha descascava e amassava as batatas para o filho. Dessa vez, os dois descascaram juntos, e o garoto as amassou sozinho, em seu prato. O resultado? "Mamãe, são deliciosas!"

Desafio em família: quatro semanas, quatro alimentos

Quando seu filho assimilar os princípios básicos da Educação do Paladar, é possível introduzir novos alimentos com regularidade. As receitas listadas a partir da página 203 foram criadas para facilitar o processo com crianças de todas as idades – uma delas é a Vitamina sensacional de abacate (página 274), ótima também para bebês. À medida que seu filho for crescendo, as receitas tornam-se mais complexas: você pode preparar a Vitamina para o bebê, o Guacamole de principiante (página 275) para crianças de colo e a Salada com salsa de abacate (página 277) para os mais velhos e os adultos. Com crianças maiores que se mostrem desconfiadas, você pode servir os pratos na sequência: primeiro a vitamina, depois o guacamole e, com o tempo, a salada – sem esquecer os Picolés incríveis de abacate (página 277)! Todas podem ser apreciadas de uma maneira semelhante: as receitas "crescem" junto com a criança ou você serve na sequência para introduzir novos sabores e alimentos para os mais velhos.

Com que rapidez se deve apresentar cada novo ingrediente? Recomendo que você estabeleça um plano, testando uma hortaliça nova de cada vez. Muitas famílias que trabalharam comigo acreditam que um produto por semana é um ritmo bom. Algumas (com crianças mais novas ou mais desconfiadas) serviram a mesma receita várias vezes. Outras (com filhos mais velhos ou mais aventureiros) experimentaram diversos pratos com a mesma hortaliça. As receitas estão organizadas por produto, com quatro opções cada – a escolha é variada!

O planejamento

Pode parecer bobagem estabelecer um plano formal de Educação do Paladar, mas muitas crianças gostam disso. Jon, um dos pais que trabalharam comigo, imprimiu uma tabela e colocou em uma prancheta junto de uma caneta. Seus filhos adolescentes ficaram impressionados e levaram a atividade a sério! Já Roberta prendeu sua tabela na geladeira, e seus três meninos (de 3, 5 e 7 anos) adoravam escrever (com alguma ajuda) suas impressões sobre as receitas.

Você pode fazer o *download* de uma versão para impressão da tabela [em inglês] em **gettingtoyum.com.**

Hortaliça	**Atividade nº 1**	**Atividade nº 2**	**Atividade nº 3**	**Atividade nº 4**
Brócolis	Receita: Nossas impressões:	Receita: Nossas impressões:	Receita: Nossas impressões:	Receita: Nossas impressões:
Cenoura	Receita: Nossas impressões:	Receita: Nossas impressões:	Receita: Nossas impressões:	Receita: Nossas impressões:

Hortaliça	Atividade nº 1	Atividade nº 2	Atividade nº 3	Atividade nº 4
Couve-flor	Receita: Nossas impressões:	Receita: Nossas impressões:	Receita: Nossas impressões:	Receita: Nossas impressões:
Vagem	Receita: Nossas impressões:	Receita: Nossas impressões:	Receita: Nossas impressões:	Receita: Nossas impressões:

Quatro jogos divertidos

Estes jogos apresentam ideias básicas a respeito das papilas gustativas para que seu filho entenda mais profundamente o paladar. Crianças perspicazes podem tentar os quatro jogos, mas você pode escolher apenas aquele que desperte mais interesse, de acordo com a idade de seus filhos.

Jogo 1:
Os cinco sentidos (4 anos ou mais)

Mensagem principal: A intenção é despertar o interesse de seu filho sobre os alimentos por meio dos cinco sentidos: visão, tato, audição, olfato e paladar. Isso permite que ele entenda melhor suas reações à comida (tanto o que gosta quanto o que não gosta). O ideal é jogar na hora do lanche (quando ele está com fome, mas não muito faminto).

Material necessário: Um dos alimentos favoritos de seu filho (de preferência, uma fruta ou hortaliça).

O que fazer: Escolha um alimento que seu filho goste de comer – o ideal é que seja uma fruta ou hortaliça –, lave e prepare. Se for uma maçã, por exemplo, tire o caroço e fatie.

Explique que se trata de um jogo e mostre que você está animado e interessado nas reações dele. Então faça as perguntas a seguir. Quaisquer que sejam as respostas, aja de maneira positiva e encorajadora. Sinta-se à vontade para conduzir o diálogo de um modo que corresponda às suas necessidades.

- "Que alimentos você gosta de comer?"
- *Mostre o alimento e pergunte:* "Você gosta de comer isso?"
- "Que parte do corpo você usa para ver?"
- *Mostre o alimento novamente e pergunte:* "O que você vê?"
- "Que parte do corpo você usa para cheirar?"
- *Peça para cheirar o alimento e pergunte:* "Que cheiro você sente?"
- "Que parte do corpo você usa para tocar?
- *Deixe tocar o alimento e pergunte:* "Qual é a sensação?"
- *Encoraje a criança a usar as palavras fazendo perguntas sobre a textura do alimento. Por exemplo:* "É liso ou áspero? Frio ou quente? É pegajoso?"
- *Peça para "testar" o alimento, experimentando-o, e pergunte:* "Como é o sabor?" *Encoraje-a a usar palavras como doce, salgado, azedo, crocante e daí por diante.*
- "Que barulho você ouve ao comer este alimento?"
- *Quando a criança terminar, pergunte:* "Como você sente sua boca agora? Ainda sente o gosto do alimento?"

Repita o jogo com outros ingredientes da preferência de seu filho até que ele esteja acostumado. Então repita com um novo alimento, algo de que a criança aprendeu a gostar recentemente ou algum que possa ser bem aceito. Não peça para comerem, mas apenas para provarem (o que pode ser feito apenas lambendo ou colocando na boca para mastigar, sem necessariamente engolir). É melhor simplificar as escolhas iniciais: um pedaço de fruta seca ou fresca, por exemplo. Aos poucos, repita com alimentos mais "complexos" ou difíceis. Lembre-se: não julgue as reações de seu filho! Apenas peça para descrever a comida. Seja tão curioso quanto espera que ele seja.

Converse!

Muitas famílias que trabalharam comigo neste livro acharam que o jogo funcionou muito bem com as crianças pequenas. O segredo é pedir que conversem sobre a experiência. À medida que fazem isso, elas aprendem a observar suas reações e não a apenas dar respostas negativas em função do hábito. Ao encorajar a curiosidade natural dos filhos, eles vão ficar mais confiantes durante a atividade. Respeite a opinião deles. Se não gostarem de alguma coisa, tudo bem. Solicite que expliquem o motivo (dentro de suas limitações, é claro). Com o tempo, esse jogo ajuda as crianças a se abrirem mais para novos alimentos. Acima de tudo, deve ser divertido!

Jogo 2:
Os cinco sabores (4 anos ou mais)

Mensagem principal: O jogo apresenta às crianças cinco categorias de sabores: doce, salgado, azedo, amargo e *umami* – que, em tradução livre do japonês, significa "deliciosamente gostoso". *Umami* pode ser descrito como um sabor harmonioso e prazeroso, salgado, com um quê de carne ou caldo; é encontrado naturalmente em alguns peixes e frutos do mar, algumas hortaliças (a exemplo de cogumelos, tomates maduros, espinafre e alga kombu), alimentos fermentados, secos ou maturados (como carnes curadas, chá verde, queijo parmesão, molho de soja e vinagre balsâmico) e também no aditivo alimentar glutamato de sódio. Muitas combinações tradicionais valorizam o *umami*: parmesão com molho de tomate, batata frita com ketchup. (O leite materno, aparentemente, também tem um sabor relativamente forte de *umami*!)

Material necessário:
¼ de colher (chá) de açúcar ou um substituto à sua escolha (doce)
¼ de colher (chá) de sal marinho (salgado)
1 fatia de limão-siciliano fresco (azedo)
1 pedaço pequeno de chocolate meio amargo ou 1 fatia fina de casca de limão-siciliano (amargo)
1 fatia fina de queijo parmesão (*umami*)
1 copo de água

O que fazer:
Prove os diferentes sabores. Coloque cada amostra de comida em um prato, diante da criança. Coloque outro prato, idêntico, na sua frente. Mante-

nha por perto um copo de água para cada um, para limpar a boca entre cada amostra. Comece pela que despertar mais interesse em seu filho. Uma de cada vez, prove cada amostra. (Se a criança estiver relutante, não se preocupe. Peça apenas que toque cada uma com a ponta da língua – se colocar um pouquinho em uma colher, ajuda!)

Converse sobre o que estão fazendo. Encoraje a criança a dar nome aos sabores. Seu filho provavelmente vai ficar surpreso com o sabor do chocolate meio amargo – explique por que o chocolate normalmente é doce e como o açúcar mascara o sabor amargo.

Discuta o assunto durante as refeições. Fale com seu filho sobre os diferentes sabores quando ele encontrá-los durante as refeições. Por exemplo: discuta o sabor "azedo" quando incluir toranja na salada de frutas. Incentive as crianças a usarem as palavras "doce", "salgado", "azedo", "amargo" e "*umami*" na descrição de sabores, alimentos e refeições. Você verá que a percepção delas muda; elas podem começar a achar que o azedo é "interessante", e não mais "desagradável".

Jogo 3:
Papilas amigas (4 anos ou mais)

Mensagem principal: Nós conseguimos sentir os sabores da comida por causa das papilas gustativas (pequenas elevações na língua e na boca). As papilas gustativas são como músculos: podemos treiná-las! E algumas são mais fracas (ou fortes) que outras.

Material necessário:
Um espelho
Uma lente de aumento

O que fazer:
Examine a língua. Sugira que a criança olhe a língua no espelho (com um espelho de aumento, como aqueles usados para fazer barba ou maquiagem, é ótimo). Melhor ainda: peça que use uma lente de aumento para ver a sua língua ou a de algum outro membro da família. Pergunte se ela nota como

a superfície da língua tem pequenas elevações e parece um pouco áspera. Compare com a parte de baixo, que é lisa. Explique que as elevações contêm as papilas gustativas. Crianças mais velhas talvez gostem da palavra científica: *papillae*. A textura áspera das papilas também ajuda a segurar o alimento e movê-lo enquanto mastigamos.

Seu filho pode ter até 10.000 papilas gustativas. Bebês têm mais papilas que os adultos e podem sentir o que a mãe estava comendo – mesmo antes do nascimento![25] À medida que crescemos, as papilas se atrofiam lentamente e o número diminui. Adolescentes, portanto, têm menos papilas gustativas que as crianças pequenas, e adultos têm menos que os adolescentes. É por isso que alguns alimentos parecem ter um sabor mais intenso para as crianças, e não para os adultos.

Examine as papilas gustativas de perto. Agora que vocês sabem qual é o aspecto delas, peça para seu filho olhar as próprias papilas gustativas em um espelho. Sirva um copo de leite e olhe novamente. Dá para ver as papilas com mais facilidade? Peça que ele mostre onde são maiores e menores, e para investigar se algumas áreas da língua têm mais papilas que outras. Algumas pessoas têm uma quantidade maior de papilas (às vezes, possuem os chamados de "superpaladares" – veja o Jogo 4: O superpaladar, página 51). Dê um pouco de leite para os irmãos e os pais e faça com que a criança examine a língua de todos. Será que alguém parece ter mais papilas gustativas que os outros?

A experiência da língua gelada (5 anos ou mais). Agora que seu filho consegue reconhecer as papilas gustativas, é hora de aprender mais sobre a maneira como elas funcionam. Bebidas e alimentos gelados podem deixá-las menos sensíveis. O frio pode literalmente anestesiar as papilas gustativas: se chupamos uma pedra de gelo antes de comer algo de que não gostamos, não percebemos muito o sabor. Tente dar uma fatia de limão – azedo! – a seu filho. Então peça para ele colocar a língua em um copo de água bem gelado ou chupar um "picolé" de gelo. Sirva o limão novamente: parece menos azedo do que antes? Converse sobre isso: assim como os dedos gelados também perdem um pouco de sensibilidade, as papilas gustativas são menos sensíveis quando estão geladas.

Uma versão desta experiência pode ser feita com picolés. Peça para seu filho dar um gole em seu suco favorito e então experimentar um picolé da mesma fruta (se possível, faça o picolé em casa, usando o mesmo suco). O sorvete congelado não vai parecer tão doce quanto o suco em temperatura ambiente.

Jogo 4:
O superpaladar (6 anos ou mais)

Mensagem principal: As pessoas são naturalmente mais ou menos sensíveis aos sabores (veja a página 33 para a descrição das três categorias de sensibilidade do paladar). Neste jogo, a criança vai comparar suas papilas gustativas (ou melhor, as pequenas elevações, ou *papillae*, que contêm as papilas gustativas da língua) com as de outras pessoas. Quanto mais *papillae* alguém tiver, mais papilas gustativas e mais sensíveis aos sabores. Seus filhos vão descobrir se são mais ou menos sensíveis e que pode levar mais ou menos tempo para aprenderem a gostar de novos alimentos, dependendo da categoria em que se enquadrem. As crianças com superpaladares vão entender que é natural levarem mais tempo para se acostumarem com novos sabores.

Material necessário:
Corante alimentício (verde ou azul funcionam melhor)
Cotonetes
Anéis de reforço de papel (um por participante)
Lente de aumento

O que fazer:
Descubra seu grau de sensibilidade. Diga a seu filho que vocês vão fazer uma experiência divertida. Explique que vão comparar o número de papilas gustativas na língua de cada um usando corante alimentício. Como as papilas não absorvem o corante, elas permanecem vermelhas ou rosadas (ou mesmo esbranquiçadas), o que facilita para contar os pontinhos na língua. Avise que vão usar uma medida simples: anéis perfurados de papel (que servem para reforçar papéis furados). Em geral, os menos sensíveis terão menos de quinze *papillae* dentro do pequeno círculo, enquanto os que têm superpaladares podem ter o dobro. A média é algo entre os dois valores. Peça para as crianças tentarem adivinhar se têm "paladar médio", "superpaladar" ou "baixa sensibilidade". (Crianças menores podem usar termos como "pouco", "médio" e "muito".)

Conte as papilas gustativas. Depois de anotar as estimativas das crianças, use um cotonete para aplicar um pouco de corante alimentício na língua de cada um. Coloque outro anel na área colorida e conte os pontos elevados que permanecem avermelhados ou rosados. Atenção: você está, na verdade, contando as *papillae*, que contêm as papilas gustativas (muito) menores – invisíveis a olho nu. Use uma lente de aumento para ajudar! Conte novamente, para confirmar. Se estiver disposto, compare os lados direito e esquerdo da língua. Você provavelmente terá menos *papillae* que as crianças – principalmente na ponta da língua.[26] Tradicionalmente, sempre se afirmou que diferentes regiões da língua eram sensíveis a diferentes sabores (o sal na frente, o doce nas laterais dianteiras e o azedo nas laterais traseiras, por exemplo), mas pesquisadores têm revisitado o assunto – e discutido acaloradamente sobre isso. O único ponto em que parecem concordar é que todas as áreas da língua são de alguma maneira sensíveis a todos os sabores.

Converse sobre o tema. Seu filho vai ter muitas perguntas a respeito desta experiência. Eis algumas perguntas que você pode fazer: suas previsões estavam certas? O que aconteceria se você tivesse menos papilas gustativas – a comida teria um sabor menos intenso? E se você tivesse mais, seria mais sensível? É por isso que quem é mais sensível demora mais tempo para se acostumar com novos alimentos? Peça para a criança listar alguns aspectos positivos de cada categoria de sensibilidade do paladar. Por exemplo: quem tem pouca sensibilidade se habitua mais rápido a novos ingredientes e tem menos chances de se chatear com comidas diferentes quando viaja. Os superpaladares podem detectar com mais facilidade quando o alimento está estragado.

Dicas preciosas para aprender a gostar de novos alimentos

- **Apreciar (e amar) alimentos saudáveis é uma condição que pode ser ensinada.** Essa é uma habilidade básica que todas as crianças podem aprender.
- **Não rotule seu filho de "mimado" ou "enjoado"; ele está "aprendendo a gostar" de novos alimentos.** Lembre a criança de que a prática faz a perfeição. Isso anima os pequenos e acalma os pais. Com exercício e exposição repetida, as crianças podem aprender a apreciar muitos alimentos diferentes. Diga isso a seu filho – e lembre-se disso regularmente! Seu encargo é tornar os alimentos disponíveis; a função da criança é familiarizar-se aos poucos com os novos ingredientes. Algumas levam mais tempo que outras; seja paciente.

- **A maioria das crianças não é enjoada por uma questão de personalidade; é uma *fase* que elas vão superar.** Neofobia – o medo universal de alimentos novos que surge por volta dos 2 anos – é normal. Muitas crianças passam por essa fase enjoada. *Mas é apenas uma fase.* Os pais podem ajudar os filhos a pular essa etapa, ou passar por ela de maneira mais rápida, ensinando-os a superar o receio diante de ingredientes novos.
- **Embora todas as crianças *possam* aprender a comer, algumas levam mais tempo** (da mesma maneira que algumas demoram mais para ler do que outras). Existem diferenças entre as crianças. Algumas são genéricas (por exemplo, meninas tendem a ter mais papilas gustativas que os meninos) e outras, específicas (há crianças com papilas gustativas mais sensíveis do que outras). Tenha paciência! A prática faz a perfeição.
- **Apresente os novos alimentos antes de servi-los.** Quando as crianças dizem "não gosto dessa comida", muitas vezes querem dizer "não conheço essa comida". Mostrar os alimentos antes de servi-los ajuda a aumentar a familiaridade e, por consequência, a aceitação.
- **Aceite o "não" depois da primeira mordida.** Se você usar força ou pressão, isso se volta contra você. Mantenha a calma e ofereça o alimento novamente em outro dia.
- **Se possível, comece cedo.** Além de tornar o processo mais fácil, pesquisadores sugerem que distúrbios alimentares – antes vistos como problemas que só aparecem na adolescência – são influenciados por acontecimentos que ocorrem antes da puberdade, relacionados aos hábitos dos pais, insatisfação com o peso e a maneira como os pais alimentam os filhos.[27]
- **Não é tarde para começar, mesmo que a criança seja mais velha.** Os jogos da Educação do Paladar são uma maneira divertida de ajudar seu filho a familiarizar-se com os alimentos e ajudá-lo a entender as reações físicas que eles provocam. As receitas deste livro foram criadas para que seu filho conheça de maneira gradual os sabores e texturas, dos mais simples aos mais complexos, acostumando-se com novos ingredientes ao longo do caminho.
- ***Confie*: seu filho pode aprender a comer todos os tipos de alimento – e a gostar deles.** Acredite que a criança vai desenvolver um paladar mais abrangente. Com o tempo, isso acontece, principalmente se você der o exemplo! O processo pode levar tempo – portanto, seja paciente.

Segredo nº 2

Fazer propaganda
dos alimentos saudáveis
realmente funciona!

O iogurte cresce em árvores? As ovelhas botam ovos?

Em uma recente pesquisa com mil estudantes da escola primária da Inglaterra, menos de 25 por cento sabiam que hambúrgueres vinham do gado. Alguns disseram que os ovos são postos por ovelhas. Outros falaram que o queijo vem das borboletas. Menos de dois em três percebiam que batatas fritas são feitas com batatas.[1] Está certo que eram crianças relativamente pequenas. Mas a desinformação apareceu mesmo entre as mais velhas (minha estatística preferida: apenas um em cada três adolescentes britânicos identificou corretamente as fontes do bacon, dos ovos e do leite).[2] Estudos na Austrália tiveram resultados parecidos: quando perguntadas de onde vinha o iogurte, 25 por cento das crianças responderam que crescia em árvores. Diante do desenho de uma lancheira com pão, queijo e uma banana, menos de metade dos estudantes australianos conseguiu identificar que os três itens vinham de fazendas.[3] Um em cada cinco pensava que o macarrão vinha de um animal.

Esses exemplos são sintomas da ignorância gastronômica: as crianças simplesmente não conhecem uma grande variedade de alimentos, principalmente frutas e hortaliças. Mais preocupante é saber que, mesmo com um nível alto de conhecimento a respeito de comida e nutrição, elas não comem tão bem quanto deveriam.

A boa notícia é que as crianças podem adquirir esse conhecimento com facilidade. O chef-celebridade Jamie Oliver fez essa descoberta quando filmava o programa *Food Revolution* em uma escola da Virgínia Ocidental. Em um episódio, o sorridente Jamie tirou diversas hortaliças de uma sacola diante dos alunos do jardim da infância. É uma cena bonita, mas algo inquietante começa a acontecer: as crianças não têm ideia do que seja *nenhum* daqueles produtos. Uma delas apontou a couve-flor e perguntou: "Brócolis?" A classe ficou perplexa diante de uma beterraba – e outro aluno arriscou: "Aipo?" Outras crianças sugeriram que a berinjela era um nabo, ou uma pera. Uma série de perguntas cada vez mais desesperadoras sobre quais eram os ingredientes culminou no seguinte: Jamie levantou um punhado de tomates maduros. Certamente a garotada saberia do que se tratava. Depois de um silêncio constrangedor, uma criança levantou a mão e perguntou: "São batatas?" Jamie então mostrou duas batatas, e a classe ficou quieta. "Vocês sabiam que usamos batatas para fritar?" "Não!", responderam os alunos, a maioria balançando a cabeça. Ao final da (deprimente) cena, Jamie mostra caixas de nuggets de frango, pizza, fritas e hambúrgueres. As crianças, então, dão respostas imediatas e animadas – eles conheciam direitinho cada produto (e ficou claro que gostavam deles).

A expressão no rosto da professora diz tudo. Seus alunos fracassaram em um teste, e ela nem sabia que devia prepará-los para conhecer os alimentos. Pior: isso não é incomum. Muitas crianças na pré-escola não sabem o nome de muitas frutas ou hortaliças. A boa notícia é que elas podem aprender – e rápido. Alguns dias depois, Jamie voltou à classe. Dessa vez, os garotos responderam tudo com alegria – e corretamente.

Por que é importante "conhecer" as hortaliças? Porque comer bem, como diz o chef Cyril Lignac (a versão francesa de Jamie Oliver), requer que as crianças "domem" novos ingredientes. Em outras palavras, elas precisam se familiarizar (mais ou menos como fazer uma nova amizade). A importância disso – e do tempo que leva para essa convivência se desenvolver – é fundamental na educação gastronômica. Muitas vezes, quando as crianças falam "não gosto disso", querem dizer "não conheço isso". Sua tarefa (no papel de pai ou educador) é ajudá-las a conhecer novos alimentos – a alfabetizar-se na comida. Quando começarem a ter intimidade com os ingredientes (mais ou menos como os novos amigos), passarão a ter uma alimentação saudável.

A educação gastronômica tem dois aspectos: 1) Conhecer os alimentos: as crianças conseguem identificar uma variedade de ingredientes e aproveitar muitos sabores. 2) Consciência: elas sabem de onde vem a comida e como o ato de comer as conecta à família e à comunidade. Sem essa educação gastronômica, as chances de combater a crescente epidemia de obesidade infantil – que hoje afeta não apenas os países desenvolvidos, mas muitas nações ao redor do mundo – são bem escassas (sem trocadilho).

Como o *marketing* enfraquece a educação gastronômica

Nossa habilidade para ensinar as crianças a amar alimentos saudáveis tem sido cada vez mais enfraquecida pelo *marketing* da indústria alimentícia, hoje multibilionária, que usa técnicas cada vez mais sofisticadas.[4] As crianças americanas são expostas a mais de 40.000 anúncios de alimentos por ano – e a maioria é de fast-food, cereais e doces.[5] E essa propaganda funciona: o *marketing* tem um efeito concreto no aumento do consumo (se não tivesse, por que todas essas empresas gastariam tanto dinheiro?)[6]

A mensagem não aparece só na TV, que é apenas a ponta do *iceberg*. O endosso de celebridades, *marketing* indireto, descontos e embalagens cada vez maiores são usados para aumentar o consumo. (Aquelas barras de chocolate ao lado do caixa, no supermercado? É bastante provável que o fabricante tenha pagado para colocá-las ali, ao nível do olhar infantil.)

Os anúncios de alimentos também cresceram na internet, um veículo mais barato e mais frequente que a TV. A maior parte dos melhores *sites* acessados por crianças apresentam *marketing* de comida.[7] Outros encorajam a continuar a "experiência" da marca depois de sair da internet (oferecendo protetores de tela ou logos para o *desktop*). Os fabricantes também usam "advergames", tornando difusa a divisão entre jogos e propaganda. No *game* "Jell-O Jiggle It", as crianças podem colocar um cubo de gelatina para dançar. "Sour Fling" é um jogo em que as balas Sour Patch Kids devem superar obstáculos. Também é possível "lamber" pirulitos virtuais com o dedo em "Dum Dums Flick-A-Pop" (a intenção original era que os pirulitos fossem de fato lambidos, mas a Apple reclamou que os aparelhos podiam ficar comprometidos com a saliva em excesso); o aplicativo teve 1,5 milhão de *downloads*. Um pouco mais complexo é "Candy Sports", para dar tacadas de beisebol em direção ao logo da Skittles, jogar basquete em uma quadra coberta de Life Savers Gummies e dar chutes de futebol americano no símbolo da Starburst – três marcas de balas.[8] O simples "Cookie Dough Bites Factory" – que simula uma fábrica de biscoitos – teve mais de 3 milhões de *downloads*.

Sites mais desenvolvidos têm jogos elaborados, como o "Nesquik Imagination Station" (apresentado por um coelho bonitinho, com *quiz* e guia para fazer uma fantasia de astronauta), da Nestlé, ou o mundo imaginário McWorld, em happymeal.com (com jogos para crianças mais novas – escolha seu Mc-Avatar! –, um filme de ficção científica e uma série de livros para as mais velhas).[9] Parece bobagem? O *site* happymeal.com teve 350.000 visitantes em um único mês, em 2011.[10]

Os profissionais do *marketing* também miram adolescentes em *sites* populares de mídias sociais (como Facebook e Twitter), *smartphones*, *marketing* viral (como vídeos para compartilhar com os amigos) e até técnicas sofisticadas como *widgets* para *download* (pequenos aplicativos que podem ser baixados em computadores ou celulares de crianças para que as empresas direcionem anúncios aos usuários e seus amigos). Muitas dessas estratégias focam as necessidades de crianças mais velhas e adolescentes – como criar laços de amizade e estabelecer a própria identidade – e, portanto, são difíceis de resistir, o que as torna potencialmente mais perigosas que os anúncios convencionais porque procuram induzir reações emocionais e, por consequência, criar uma lealdade profunda às marcas.[11]

É claro que o *marketing* é uma atividade legítima. No entanto, encorajar as crianças a consumir alimentos prejudiciais em excesso traz consequências econômicas e para a saúde – relacionadas principalmente (embora não apenas) à obesidade.[12] O assunto preocupa tanto os legisladores que o Congresso dos Estados Unidos recentemente pediu à principal agência de pesquisa médica do país – o Center for Disease Control and Prevention [Centro para o Controle e Prevenção de Doenças] – que estudasse a relação entre obesidade e *marketing* de alimentos infantis. O resultado do estudo do Instituto de Medicina, "Food Marketing to Children and Youth: Threat or Opportunity" [*Marketing* de alimentos para crianças e jovens: ameaça ou oportunidade], é uma leitura assustadora.[13] A pesquisa descobriu que o *marketing* de alimentos mira intencionalmente crianças muito pequenas para distinguir entre verdade e propaganda. Os estudiosos hoje acreditam que os efeitos do *marketing* em nosso comportamento automático e subconsciente são muito difundidos e permanentes.[14] Ao ver esses anúncios, nossas crianças podem ser literalmente programadas para uma vida inteira de alimentação inadequada.[15]

O estudo também registra as táticas usadas pelo *marketing* das indústrias de alimentos para tornar suas mensagens atraentes. Os departamentos de *marketing* promovem grandes pesquisas com crianças – mesmo as pré-escolares. Para aumentar a capacidade de sugestionar as crianças, eles exploram o suporte psicológico que existe por trás de suas escolhas alimentares, investigando e testando "arquétipos infantis" (para criar os personagens adequados) e descobrindo maneiras de ajudar o público mirim a influenciar ou subverter "a voz das mães como guardiãs da família". Estratégias de *marketing* se multiplicaram e tornaram-se mais sutis, divulgando mensagens "legais" para algumas faixas etárias, e "fofas" para outras, até que as marcas fortemente propagandeadas tornem-se fundamentais ao senso de identidade infantil.[16] É assustador!

Os marqueteiros, é claro, argumentam que a propaganda é livre e que a atividade é boa para os negócios. As mesmas alegações foram usadas no *marketing* de cigarros para crianças – e são pretextos que não devemos aceitar mais, como defende brilhantemente a autora Marion Nestle em seu livro *Food Politics*.[17] Mas a força da indústria de alimentos é tamanha que os controles existentes em alguns países – como a França, onde máquinas de venda automática, fast-food e propaganda de alimentos de qualquer tipo são proibidos em todas as escolas – estão longe de serem universais.

E o que os pais devem fazer? Pode-se reduzir a exposição das crianças ao *marketing*. Até mesmo limitar o período diante da TV mostra-se benéfico para a saúde infantil.[18] Em parte, isso acontece porque ver anúncios de comida na TV (com a mensagem de que "beliscar = prazer") aumenta o consumo de calorias durante e imediatamente após a veiculação – mesmo que as crianças não estejam com fome.[19] (Isso, aliás, vale também para os adultos.)

Percebi que desligar a TV não é bom para a popularidade dos pais. Por sorte, há atitudes positivas que podem ser tomadas. Uma das melhores estratégias vira o *marketing* de cabeça para baixo: *você* pode fazer propaganda dos alimentos para seus filhos.

Você pode fazer o *marketing* dos alimentos para seus filhos!

O guru de *marketing* Brian Wansink, da universidade Cornell, passou décadas pesquisando maneiras de promover alimentos saudáveis para as crianças. Sua ideia é simples: por que não inverter a lógica dos marqueteiros, que com maestria induzem o desejo por alimentos processados e porcarias de todos os tipos? Parecia um desafio e tanto: como os pesquisadores acadêmicos, por mais espertos que fossem, poderiam competir com o gasto milionário das empresas em publicidade?

A estratégia de Wansink foi brilhante em sua simplicidade. Ele descobriu que rebatizar hortaliças com nomes bobos (ou marcas) fazia milagres com as crianças. Sua equipe serviu "cenouras de visão raio x" e "brócolis do soco forte" ao lado de "arvorezinhas delícia" e "vagens bobinhas". Puseram isso em prática em algumas escolas (incluindo duas em Nova York) com resultados surpreendentes: até 100 por cento de aumento no consumo de hortaliças![20] Outra experiência do grupo percebeu que crianças na pré-escola tinham propensão a fazer escolhas saudáveis se os alimentos estivessem enfeitados com personagens simpáticos (tão simples quanto o Elmo espetado em uma maçã).[21]

Wansink também desenvolveu uma experiência para crianças mais velhas, focada principalmente nas escolhas saudáveis em restaurantes de *fast-food*. Isso é sabidamente muito difícil: mesmo que diversas redes hoje ofereçam opções mais saudáveis, poucas crianças as selecionam. De maneira realista, quantas preferem uma salada em lugar das batatas fritas (mesmo que venha com o Newman's Own Balsamic Vinaigrette")? E uma maçã com cobertura realmente supera um sorvete de creme? Para muitas crianças, não.

Wansink estava convencido de que alguma coisa poderia ser feita para ajudar as crianças nas escolhas saudáveis. Sua equipe de pesquisa desenvolveu uma experiência que prepararia as crianças por meio de sugestão e associação.[22] A atividade era simples: foram convidados jovens de 6 a 12 anos que participavam de um acampamento de verão. Eles deviam almoçar em um fast-food uma vez por semana, durante quatro semanas seguidas. (Acho que não foi muito difícil convencê-los a participar desse estudo!)

Em cada almoço, a criança podia escolher entre batata frita e maçã com cobertura. Na primeira semana, elas simplesmente pediram o que quiseram, sem nenhuma influência. Na segunda, entretanto, elas deviam completar um pequeno questionário, particular, antes de seguir para o restaurante. Os pesquisadores mostraram a cada criança as imagens de seis super-heróis e perguntaram o que eles comeriam: a maçã ou as fritas? Elas, então, deviam fazer as próprias escolhas. Na terceira semana, elas recebiam imagens de alguns alimentos (incluindo fritas e maçãs) e então deviam classificá-los em saudáveis ou não. Novamente, depois do exercício, podiam escolher entre as batatas fritas e as maçãs com cobertura. O resultado? Na primeira semana, apenas uma entre dez crianças escolheu a fruta. Depois de perguntadas a respeito das escolhas dos super-heróis, quase cinco entre dez crianças (*metade* da turma) escolheu as maçãs.

Pude confirmar as descobertas de Wansink numa noite em que jantamos na casa de uma prima. Zelosa consumidora de alimentos integrais (e sem filhos), ela preparou uma refeição maravilhosa com couve refogada e cevadinha. Quando serviu os pratos, orgulhosa, minhas filhas olharam por alguns segundos enquanto eu observava, pensando no que fazer (elas nunca tinham comido cevadinha antes). Enquanto isso, o aroma do cereal – parecido com o do pão recém-saído do forno – invadia a mesa.

"Tem cheiro de pão!", disse Claire. Isso me inspirou.

"O que é isso?", perguntou Sophie, enquanto afastava um pouco o prato.

"Oh, é baguete de fada!", respondi animada, levando o prato novamente na direção dela.

Sophie olhou desconfiada, mas Claire mordeu a isca.

"Baguete de fada! Gostoso!", ela sussurrou, antes de mordiscar um grão de cevada. "É delicioso! Experimente!" E a irmã mais velha fez exatamente isso.

Claro que não é necessário usar apenas nomes infantilizados para operar a mágica do *marketing*. Os franceses costumam usar nomes relacionados a algum lugar.[23] Muitas vezes são palavras ligadas à área de onde vem o alimento, com uma ênfase no *terroir* ("sabor local") regional tão característico à cozinha familiar francesa. As Cenouras vício (veja página 229) são deliciosas, derretem na boca (e superfáceis de preparar) e remetem a imagens do suntuoso palácio na cidade que as batiza. Pense também no clássico bife bourguignon, que vem da Borgonha, a sudeste de Paris, uma das principais regiões gastronômicas da França. E o que dizer das Peras Belle Hélène (veja página 314), criadas pelo renomado chef Escoffier e batizadas em honra de uma ópera do século XIX composta por Offenbach (seria o equivalente a dar o nome de um *blockbuster* a uma receita!)? Aspargos Avatar? Batatas Harry Potter? Alface Rei Leão! É essa a ideia.

A mensagem é simples: nomes atraentes funcionam muito bem. Muitas famílias descobrem que essa é uma boa alternativa ao método de disfarçar os alimentos nas receitas: dar novos nomes (e não esconder os ingredientes) ajuda as crianças a superarem seus medos. Uma de nossas amigas francesas, Virginie, adora contar a história do "frango do mar" (*poule de mer*): Emma, sua filha mais velha, não gostava de peixe, mas adorava frango. A mãe, então, teve a ideia de servir um peixe suave, de carne branca (como linguado) e chamar de "frango do mar". Levou anos até que Emma começasse a gostar de peixe, mas ela nunca reclamou de seu *poule de mer*.

Outra experiência simples que uma das famílias testou envolveu batatas. As filhas de Kristine, com 2 e 5 anos, se recusavam a comê-las, ponto. Foi assim desde que começaram a ingerir alimentos sólidos. Sugeri algo que fiz quando minha filha mais nova, Claire, começou a reclamar das batatas: rebatizei de "vulcões"! Basta amassar uma batata cozida, dando um formato de cone, fazer um pequeno buraco em cima, colocar um pedacinho de manteiga e esperar que derreta, escorrendo pelos lados como se fosse lava (sim, você adivinhou). Veja o que Kristine disse:

> *Segui seu conselho no jantar de Ação de Graças. Moldei as batatas, fiz um buraquinho e coloquei nele o molho do assado. Disse às meninas que elas estavam comendo "batatas vulcão". Elas comeram tudo! Essa ideia é genial.*
>
> *Kristine*

A força dos pais

Uma das maneiras mais eficazes de fazer o *marketing* de alimentos para as crianças é usar os pais como exemplo. Se veem os pais (ou alguém de confiança que cuide delas) comer algum ingrediente com prazer, vão ficar muito mais dispostas a gostar – e a falar que gostaram. Esse efeito é mais evidente com os mais novos.[24] Famílias que ofereceram novas receitas em um ambiente calmo e afetuoso obtiveram os melhores resultados. Em um estudo, os filhos puderam escolher entre comer um sanduíche com recheio que não conheciam sozinhos ou ao lado das mães, em um momento tranquilo dos dois juntos. Ao final das seis semanas de pesquisa, quem optou pela segunda situação (a maioria) não apenas gostou mais do novo recheio como se mostrou mais disposto a experimentar outros alimentos.[25]

As famílias que trabalharam comigo disseram que ensinar as crianças a gostar de novos ingredientes muitas vezes requer uma mudança nos hábitos alimentares dos pais. Você se lembra de Lucas, de 3 anos? Quando sua mãe, Jessica, começou a Educação do Paladar, percebeu que seria bom se ela mesma cozinhasse (seu marido é que vinha preparando as refeições). "Vi que Lucas gostava de cachorro-quente porque era a única carne que eu sabia preparar", confessou. Encorajada pelo marido, Jessica preparou diversas receitas fáceis com legumes (todas incluídas na terceira parte deste livro) e descobriu – para sua alegria – que Lucas gosta de várias hortaliças, inclusive algumas que ela mesma tinha dificuldade de comer quando criança. O mais importante, diz Jessica, "acho que é ótimo para Lucas ver sua mãe na cozinha – isso ajuda a mostrar como os alimentos são importantes para nós e como podemos gostar deles!"

O método do "eu também"

Uma atividade divertida do *marketing* promovido pelos pais é o que eu chamo de "método do eu também". A ideia é simples: se você se serve e come com evidente prazer, a curiosidade natural das crianças fica aguçada e elas tendem a experimentar também.

Já fiz isso inúmeras vezes, mas decidi testar o método outra vez em uma dessas noites. Depois do prato principal, eu me servi de uma salada de folhas de espinafre baby cobertas com vinagrete e pequenos pedaços de tangerina. Não disse nada às meninas e apenas continuei a conversar com meu marido sobre como passamos o dia. Claire, a mais nova – que não é exatamente a maior fã de saladas – olhou para mim e perguntou: "Por que *eu* não ganhei salada?" Sophie, que não gosta de ser deixada de fora, acompanhou. E as duas imediatamente começaram a comer um prato cheio de salada.

Christine, uma de minhas leitoras, usou essa tática com muito sucesso com sua filha de colo, que estava com dificuldade para gostar de iogurte. A mãe mal colocava o produto na mesa e já ouvia: "Isso não!" Um dia, ela resolveu tentar algo diferente. Em lugar da embalagem de plástico, Christine colocou uma pequena tigela de vidro sobre a mesa. "Veja que bonita nossa nova tigela!" A garota examinou a vasilha, curiosa, enquanto a mãe servia um pouco de iogurte cor-de-rosa (de framboesa), dizendo: "Um pouquinho para você". Christine, então, começou a comer também, fazendo comentários como "hummm" e "delícia", aproveitando claramente cada colherada. Depois de um tempo, a garota pegou sua própria colher e provou um pouco do iogurte. Então, encantada, sua mãozinha avançou mais uma vez, e outra, até limpar a tigela. "Eu experimentei!", foi seu comentário orgulhoso. Hoje, o iogurte é apreciado por todos na casa de Christine.

O "porquê" de comer: não se trata de nutrição

Fazer propaganda dos alimentos para seus filhos não é apenas um divertimento. É, na verdade, uma contribuição crucial para que eles comam bem. Pesquisas mostram que as *preferências* alimentares (e não o conhecimento sobre nutrição) desempenham um papel importante para capacitar as crianças (e os adultos) a fazerem escolhas saudáveis.[26] Em outras palavras, comemos o que *gostamos* de comer, mesmo que não seja bom para nós e evitamos o que não agrada mesmo que saibamos que é bom para nós.

Informações sobre nutrição podem, na verdade, se voltar contra nós. A doutora Marion Nestle argumenta que muitos de nós sofremos de confusão nutricional: descobertas conflitantes, competitivas e que mudam muito rápido podem desorientar os consumidores, aumentar a ansiedade e encorajar a compra de alimentos muito processados com pretensões nutritivas (muitas vezes) duvidosas. Por causa disso, diversos nutricionistas hoje recomendam uma atitude diferente e mais simples: quanto maior a variedade de alimentos (incluindo frutas e hortaliças) que a criança consumir, mais nutrientes adquirem.

Seu objetivo é fazer com que seu filho coma uma variedade de alimentos. Fazer o *marketing* de ingredientes saudáveis ajuda a estabelecer as preferências corretas. Se você apenas se preocupar com a nutrição, está travando uma batalha perdida. Em lugar de dizer "Coma isso porque faz bem para você", diga "Coma isso, é gostoso!"

No jantar, deixei de falar "Você precisa comer isso" e troquei por "Puxa, é delicioso!" Minha filha de 3 anos ficou rindo e repetindo – e comeu tudo sem reclamar. Não estou exagerando: ela realmente mudou de atitude da noite para o dia.

Françoise

Em outras palavras, *dizer* a seu filho para comer alimentos variados porque assim ele obtém nutrientes não é uma boa estratégia. Treiná-las para que comam porque realmente acreditam que são ingredientes saborosos funciona melhor para a maioria das crianças. E vitaminas e minerais são mais bem absorvidos por meio de alimentos frescos do que por pílulas de complemento.[27] Quando perguntei a nosso médico, na França, se Claire estava consumindo ferro suficiente ou se precisava de suplementos, ele me olhou com curiosidade e então deu risada. "Faça com que ela coma salsinha e beterraba!", foi sua resposta tranquila.

Admito que conseguir que uma criança coma uma variedade de alimentos ricos em nutrientes muitas vezes requer que os pais sejam inventivos – mas também pode ser divertido! Lembro quando nossos amigos Sonja e Jamie nos visitaram com a filhinha, Carrie, uma garota de 2 anos determinada e enjoada que, na época, só comia ovos mexidos e torrada com manteiga – no café da manhã, no almoço e no jantar. Apesar dos esforços dos pais, nenhum legume ou verdura entrava em sua boca.

"Ela não come nada além de ovos mexidos", contou a mãe, evidentemente resignada com o destino de sua filha (Carrie estava ouvindo, quieta, mas atenta). "Quer apostar?", disse meu marido, Philippe, que então tratou do caso como um desafio pessoal. Depois de pensarmos um pouco, ele pegou um pouco do arroz que havia sido cozido para o jantar e bateu no processador com um pouco de espinafre cozido e uma colherada de mel. Colocou o purê aveludado, de um tom verde brilhante, em uma tigelinha enfeitada com um personagem no fundo. Pedacinhos de manteiga decoravam o prato: dois olhos, um nariz e uma boquinha.

"Veja o que vamos comer! Espinafre surpresa!", anunciou Philippe, com algum floreio. Ao dar a tigela para Carrie, ele disse em uma voz firme e convidativa: "Há uma *surpresa* para você no fundo de *sua* tigela – mas é só sua!" O restante de nós ganhou tigelas comuns, brancas, e começamos a comer sem fazer comentários (os pais da garota haviam sido instruídos a não falar nada e continuar a conversa como se nada fora do comum estivesse acontecendo).

No início, Carrie parecia rebelde. Ela olhava para a tigela. A tigela olhava de volta para ela. (Como combinado, todos olhamos para a tigela, também, e então começamos a comer.)

"Rápido, o olho está derretendo!", brincou meu marido. Ele colocou a colher de Carrie na tigela, abaixo daquele pedacinho de manteiga – que agora parecia um olho lacrimejante. E virou-se para continuar nossa conversa.

Com o canto dos olhos, percebi Carrie olhando para nós com ar zangado. Sem obter atenção, ela desviou o olhar para a tigela. Depois de hesitar um momento, levou a colher à boca e delicamente lambeu um pouquinho do espinafre cremoso. Então lambeu os lábios, novamente olhando ao redor da mesa. Pelo visto, ninguém estava prestando atenção. Então a colher alcançou o outro "olho". E depois o nariz, a boca... até que a garota limpou a tigela e descobriu o personagem escondido no fundo.

Hoje, Carrie é uma adolescente atlética e saudável que come praticamente de tudo (até espinafre). Como ela conseguiu? Em primeiro lugar, com muita prática! Seus pais a apresentaram inúmeras vezes a hortaliças variadas, preparadas de diversas maneiras. Depois, com criatividade: eles descobriram que receitas, técnicas de cozinha e apresentações (incluindo nomes engraçados) funcionavam melhor para a família. Por fim, tornaram as refeições divertidas.

Veja que nem falei em informações nutricionais. Você realmente acha que uma criança que ainda não sabe contar até cem terá vontade de comer espinafre porque é "rico em ferro"? A gente sabe que as crianças devem comer determinados alimentos, mas usar as informações nutricionais para encorajá-los provavelmente não funciona. (Na verdade, também não funciona com muitos adultos!)

Táticas para evitar: quando o *marketing* se volta contra você

Fazer o *marketing* dos alimentos para as crianças funciona melhor quando você adota uma atitude positiva. Dê ênfase ao prazer e não à privação associada a dietas ou à proibição de alguns ingredientes.

Também é possível ensinar as crianças a dar preferência aos bons alimentos que gostam de comer (o que eu chamo de "coisas para comer sempre") em lugar de evitar o que é "ruim" (que você pode batizar de "comida para de vez em quando"). Não deixe seu filho culpado por gostar de guloseimas. Evitar associações emocionais negativas com a comida ajuda as crianças a largar a culpa que pode acarretar hábitos prejudiciais e até transtornos alimentares. Afinal de contas, guloseimas são gostosas – com moderação.

Embora a atitude positiva seja importante, não exagere nos elogios. Um pouco de incentivo pode ajudar as crianças a perceberem que apreciam (e comem) alimentos saudáveis, mas o excesso pode deixá-las desconfortáveis ou agir de maneira contrária.[28] Comentários simples e positivos ("Você gostou da refeição, não gostou?" ou "Você foi muito bem ao experimentar esses pratos novos") faz com que elas se sintam melhores do que os elogios excessivos (que trazem a conotação de culpa ou ansiedade quando a criança não corresponde às expectativas dos pais).

O mais importante, talvez, é não subornar ou oferecer recompensas. Pesquisas mostram que essas táticas aumentam a preferência infantil pelos alimentos "prêmio" (como sobremesas) e diminuem a vontade de comer o "obrigatório" (como saladas).[29] Subornos e recompensas podem funcionar por períodos curtos, mas não ensinam o comportamento adequado a longo prazo.

Fazendo o *marketing* dos alimentos: mãos à obra

Como colocar essas ideias em prática? Além das sugestões discutidas neste capítulo, veja quatro jogos que ensinam a seus filhos conceitos importantes – como nosso olfato está relacionado ao paladar, por exemplo – e fornecem algumas estratégias para acabar com o medo diante de novos alimentos.

Jogo 5:
O nome bobo (3 anos ou mais)

Mensagem principal: Este jogo divertido dá novos nomes aos alimentos e desperta o entusiasmo infantil por novidades. Usar nomes "bobos" ou de "super-heróis" pode funcionar melhor com crianças pequenas; palavras descoladas ou modernas fazem sucesso com as mais velhas.

Se você estiver em dúvida – pode parecer que o jogo encoraja as crianças a brincar com comida –, garanto que funciona, como aconteceu com todo mundo que já tentou. Os pais têm tão poucas táticas fáceis e divertidas em seu repertório que essa não merece ser desprezada! Além disso, há uma diferença entre brincar sobre comida e brincar com comida. No primeiro caso, é possível respeitar os alimentos e ainda assim ter uma atitude leve em relação a eles. Isso não significa permitir que seu filho brinque *com* os pratos, e sim deixá-lo relaxado (e não na defensiva) para que as refeições sejam mais tranquilas. Lembre-se de que dar nomes familiares a alimentos diferentes pode ajudar a combater o medo, tornando a adaptação mais fácil (principalmente se você estiver viajando ou comendo na casa de outras pessoas).

Material necessário: Imaginação e senso de humor!

O que fazer: Peça para seu filho batizar as receitas (ou batize as receitas em homenagem a ele, caso tenha ajudado a fazer ou servir!) Em viagens, tente experimentar pelo menos um prato típico; na volta para casa, cozinhe algo parecido e dê algum nome que faça referência ao lugar em que estiveram. Ou pense em nomes bobos – mesmo com crianças mais velhas. Talvez se surpreenda ao ver como elas gostam disso!

Quando conversei com outros pais sobre o jogo O nome bobo, ganhei ótimas sugestões. Muita gente já faz isso! A Nina me escreveu para dizer que, em sua casa, o espinafre se chama Surpresa Monstro. Quando serviu brócolis para a filha, Brandy explicou que eram pequenos botões de flores – a garota na hora começou a chamá-los de "flores de brócolis" e a comer com gosto!

Também é possível usar o poder das associações. Faça isso quando comer fora, usando o nome do super-herói (ou apenas herói!) favorito de seu filho. "O que o Batman escolheria?" foi uma pergunta usada no estudo descrito no início deste capítulo. "O que a Dora escolheria?" funcionaria melhor com minha filha mais nova. Para os mais velhos, pense em um atleta ou uma celebridade – ou alguém que você saiba que eles admiram – conhecido pelos hábitos saudáveis.

Jogo 6:
Cheire e prove (6 anos ou mais)

Mensagem principal: O jogo ensina que olfato e paladar estão relacionados e ajuda a entender que o cheiro tem um papel importante para determinar o sabor dos alimentos. As crianças aprendem também que sabores artificiais são usados para confundir nossas papilas gustativas (essa é a parte mais divertida!)

Material necessário:
3 pirulitos de sabores diferentes (mas textura semelhante)
Uma venda

O que fazer:
Fale sobre a relação entre olfato e paladar. Peça para a criança pensar em como o paladar e o olfato podem estar relacionados. Por exemplo: pergunte se já notaram que estar resfriado diminui o sentido do paladar. Explique que isso acontece porque o olfato foi temporariamente afetado pela doença. Para os mais velhos, entre no assunto com mais detalhes. Os aromas são detectados quando os odores (moléculas gasosas) passam pelo nariz e são absorvidos pelas células. Quando o nariz está entupido, a língua consegue detectar o doce e o ácido – mas não, por exemplo, o perfume do limão. O cheiro, portanto, aumenta o sabor dos alimentos ao permitir a combinação de aromas complexos com os cinco sabores básicos (descritos na página 48). Crianças mais velhas também gostam de aprender novas palavras. A palavra "olfato" se refere à nossa capacidade de sentir cheiros. "Paladar", ou "gustação", à capacidade de sentir sabores.

Tampe o nariz! Vende as crianças, peça para tamparem o nariz e então experimentar os pirulitos, um em seguida do outro. Pergunte qual o sabor de cada um. Isso é mais difícil do que você imagina!

Converse sobre os sabores. Pergunte por que as crianças acham que os fabricantes de comida usam aromatizantes em seus produtos. Explique que muitos alimentos artificiais (como balas) são feitos de ingredientes parecidos com gostos muito parecidos e, portanto, apenas o uso de aromas diferentes faz com que tenham sabores distintos. Muitas indústrias empregam perfumistas (sim, esse trabalho existe!) para criar combinações de aroma e sabor usando ingredientes químicos comestíveis e extratos que alteram o gosto da comida ao influenciar nosso olfato.

Jogo 7:
O cheiro misterioso (6 anos ou mais)

Mensagem principal: O jogo apresenta a ideia de que os cheiros têm fortes associações emocionais que muitas vezes nos fazem lembrar de lugares, pessoas ou acontecimentos. As crianças podem ver como os perfumes evocam memórias (que geralmente trazem fortes associações emocionais) e conectam o fato com seus sentimentos a respeito da comida.

Material necessário:
Uma venda
Bolas de algodão
Recipientes, de preferência de plástico, com tampas
Quatro ou cinco itens perfumados, incluindo:

- Cheiros familiares (perfume, xampu, extrato de baunilha, limão, banana, canela)
- Cheiros fortes (folhas de pinheiro, vinagre, café, gengibre, alho, hortelã, curry em pó)
- Cheiros difíceis de identificar (raspas de lápis apontado, sujeira, azeite de oliva, uma fatia de batata crua)

O que fazer:
Prepare os recipientes. Coloque um item diferente em cada vasilha (mergulhe bolas de algodão nos líquidos e coloque dentro dos recipientes). Dica: mantenha os produtos separados e tampe as vasilhas para evitar que os odores se misturem.

Cheire os produtos. Peça para seu filho vendar os olhos e então cheirar os recipientes, um de cada vez. Então solicite que avalie os odores: incentive as crianças mais velhas a usar uma linguagem mais elaborada (forte, neutro, prazeroso, pungente); as mais novas podem dizer apenas "bom" ou "ruim".

Converse sobre a experiência. Pergunte para a criança se ela acha que algum produto é comestível (mesmo que não o tenha identificado corretamente) e peça-lhe que fale sobre as lembranças associadas aos cheiros. Talvez se surpreenda com as respostas! Aproveite para mencionar exemplos que tenham a ver com você (uma marca de xampu me remete a um acampamento de verão e um tipo particular de perfume sempre me faz lembrar de minha mãe).

Jogo 8:
Teste às cegas (9 anos ou mais)

Mensagem principal: As marcas influenciam nossa percepção de sabor e qualidade. Mesmo que a comida não seja a mais gostosa, nossa crença de que é melhor (criada pelo fabricante) interfere em nosso paladar. Este jogo ajuda a criança a pensar criticamente sobre suas respostas emocionais às marcas.

Material necessário: Compre pelo menos dois pares de alimentos: um de marca e outro genérico (fabricado, por exemplo, pelo próprio mercado). Eis uma lista possível, de acordo com o teste feito pelo *Consumer Reports:*[30]

- Cereal Rice Krispies, da Kellog's *vs.* cereal de arroz sem marca
- Manteiga de amendoim Skippy *vs.* manteiga de amendoim sem marca
- Barrinhas de granola Nature's Valley *vs.* barrinhas sem marca
- Coca-Cola ou Pepsi *vs.* outro refrigerante de cola

O que fazer:

Converse sobre a existência das marcas. Pergunte a seus filhos se eles acham que a marca influencia seu paladar e discuta o assunto com os mais velhos. Dê um exemplo: em um estudo, pesquisadores descobriram que as crianças tendiam a gostar mais da comida apresentada nas embalagens do McDonald's quando comparada a produtos sem marca.[31] Em outro, a garotada foi exposta a uma agradável propaganda de alimentos e então experimentava a comida divulgada; quem viu o anúncio considerou o prato mais saboroso do que quem não viu.[32] Pesquisas com adolescentes e adultos mostraram efeitos semelhantes, a exemplo da famosa experiência às cegas com refrigerantes de cola com e sem marca.

Experimente os alimentos. Peça para seus filhos experimentarem cada par de produtos, sem dizer qual é de marca. Anote as observações que fizerem (o que gostaram ou não) e as preferências gerais. No final, diga quais foram os alimentos favoritos e conte quantos tinham marca e quantos não tinham.

Variação – O troca-troca: Inverta as marcas dos produtos. Coloque-os na mesa com as identificações trocadas. Por exemplo:

- Uma tigela de Rice Krispies com a etiqueta "sem marca" e uma tigela de cereal de arroz comum com a identificação do fabricante Kellog's.
- Um copo de Coca-Cola ou Pepsi com a etiqueta "sem marca" e um copo de refrigerante tipo cola com o nome famoso.

Peça para seu filho experimentar as duas amostras e indicar qual é a preferida. Então conte que você fez as trocas!

Converse sobre os resultados. Seu filho já o aborreceu insistindo por um produto de marca e recusando o genérico? Peça para ele pensar nos motivos.

Se você fez a experiência do "troca-troca" e as crianças preferiram o produto genérico com a etiqueta de marca, pergunte o que elas pensam a respeito. Em que medida a crença de que estavam comendo algo com nome famoso influenciou as expectativas e o paladar?

Um importante ponto de discussão é quanto custam os produtos de marca quando comparados aos genéricos. Pergunte às crianças se elas acham que a diferença vale. Uma barrinha de granola com marca famosa custa quase duas vezes mais que uma genérica, por exemplo. Será que compensa? Por que (ou por que não)?

Dicas preciosas para fazer propaganda de alimentos saudáveis

- **Fale menos sobre saúde e mais sobre sabor.** Não insista com informações nutricionais (dizendo, por exemplo, que tal alimento tem muito ferro ou cálcio). Em lugar disso, diga quanto a comida é deliciosa. Troque o "coma isso, é bom para você" por "experimente, é realmente gostoso". Diga às crianças que alimentos bons têm gostos bons – a formação de hábitos saudáveis é consequência disso. *"Brócolis? Que delícia!"*

- **Faça as refeições com seus filhos e demonstre prazer ao comer.** Você é um modelo de implicância na hora de comer? Então considere mudar os próprios hábitos. Quando possível, exponha a criança a outras pessoas que exibem um comportamento a ser seguido (como colegas mais velhos).
- **Batize os pratos com nomes atraentes (ou bobos).** Parece bobagem? O jogo O nome bobo (página 68) mostra o contrário – funciona até para adultos!
- **Não use suborno ou recompensas.** Pesquisas mostram que isso faz aumentar o interesse das crianças pela "recompensa" (como sobremesas) e diminui sua preferência por alimentos "obrigatórios" (como saladas).[33]
- **Elogie moderadamente.** Um estudo recente mostrou que elogios comedidos aumentam o consumo infantil de alimentos saudáveis (e o prazer que sentem com isso) entre as crianças num prazo de três meses.[34] (Mas não elogie demais – pode dar errado.)
- **Não diga que os alimentos são "bons" ou "ruins".** Diga que são "coisas para comer sempre" e "comida para de vez em quando". Ensine a diferença a seu filho e não deixe que ele se sinta culpado por gostar de guloseimas – dessa maneira, você evita que ele coma por motivos emocionais.
- **Ensine seus filhos a priorizar alimentos de que gostam (em vez de evitar "comida ruim").** A diferença é sutil, mas importante. A alimentação saudável está relacionada ao prazer, e não à privação.

Segredo nº 3

Estabeleça um lanche por dia

Pergunte a qualquer pai se ele leva algum lanchinho quando sai de casa com os filhos – é bem capaz de ser um amontoado de petiscos. Biscoitos de água e sal, barrinhas de cereais, caixinhas de suco, caixas de cereais e muito mais enfiado em bolsos, bolsas, porta-luvas e sacolas para aquele inevitável momento em que a criança declara estar com fome. A agradável – e até reconfortante – imagem de um lanchinho é um dos clichês da infância. As crianças precisam comer, certo? Estômagos pequenos precisam ser preenchidos em intervalos regulares, certo? Mesmo que não sejam, a perspectiva de chiliques induzidos pela fome é mais do que muitos pais conseguem aguentar. De qualquer modo, por que privar o filho de um lanchinho? É normal que as crianças belisquem o tempo inteiro, não é?

Bem, esse comportamento é normal na América do Norte – e um pouco menos no Reino Unido –, mas não (pelo menos, não tradicionalmente) em muitos outros lugares. Na China, lanchinhos são raros e os petiscos (como biscoitos de arroz) têm poucas calorias.[1] Na Itália, é praxe fazer três refeições, com apenas um lanche – uma parada no meio da tarde chamada *merenda*. O mesmo vale para a França, onde crianças de apenas 2 anos sobrevivem com quatro refeições diárias: café da manhã, almoço, jantar e um lanche programado à tarde (uma minirrefeição) chamado *goûter*. Claro que a rotina gastronômica difere muito de um país para outro, mas parece correto dizer que, antes do advento da cultura industrial, petiscos eram relativamente raros – tanto em função de limites (pouco dinheiro; tempo e meios necessários para adquirir e preparar a comida; falta de habilidade para conservar os alimentos) quanto da sabedoria popular que regia os hábitos alimentares.

O fenômeno moderno de "petiscar a toda hora" é relativamente recente. O hábito cresceu rapidamente a partir da década de 1970, ao mesmo tempo em que aumentou o consumo de comida processada e a indústria alimentícia se consolidou.[2] Ainda na década de 1970, as crianças norte-americanas faziam um lanche por dia (25 por cento delas não faziam nenhum). Hoje, lançam mão de petiscos três vezes por dia, em média, e uma em cada cinco comem fora das refeições cinco vezes ou mais.[3] (Uma boa parte dos adultos também.[4]) E elas não estão sozinhas: em diversos países – da Inglaterra à Austrália, da Índia ao México –, a garotada também embarcou na onda dos petiscos.[5]

O aumento desse hábito é uma das principais causas da cada vez maior taxa de obesidade infantil.[6] E, por mais que fosse nossa vontade, as crianças não se dedicam a comer maçãs e cenouras. Salgadinhos, refrigerante e doces são as escolhas mais comuns – e mais calóricas. Os petiscos correspondem a mais de uma em cada quatro calorias que as crianças consomem hoje em dia. Ao mesmo tempo, poucas fazem três refeições diárias. Petiscos estão substituindo o café da manhã e mesmo o almoço – algumas escolas chegam ao ponto de trocar a hora do almoço por "pausas para o lanche" ou "pausas nutricionais" para economizar tempo durante o período letivo.

Muitos médicos e outros especialistas em saúde argumentam, porém, que o hábito é prejudicial porque, dessa maneira, as crianças não sentem fome suficiente para comer os pratos nutritivos servidos nas refeições. E não para por aí: como as rotinas alimentares dos adultos são formadas na infância, petiscos em excesso ensinam maus hábitos a nossos filhos. Oferecer esses lanchinhos típicos às crianças fomenta a preferência por alimentos de baixa qualidade e pouco valor nutritivo. Diversos produtos processados são desenvolvidos exatamente com vista a esses resultados, por meio de combinações viciantes de gordura, açúcar e sal pensadas para nos fazer querer mais.[7] Petiscos nos levam a comer em excesso ao mesmo tempo em que (ironicamente) diminuem nosso consumo de nutrientes. É muito simples: as crianças não precisam de lanchinhos. Eles podem *querer*, mas não *precisam*.

A afirmação de que as crianças não precisam de mais de um lanche por dia é controversa. Por um lado, certos pais argumentam que o hábito traz benefícios (equilibrar níveis de glicose no sangue, por exemplo). Alguns defensores da causa dizem que "beliscar" (comer aleatoriamente) não traz problemas, desde que sejam alimentos saudáveis. Outros pais discordam, alegando que a prática pode ser aceitável para crianças pré-escolares que escolhem entre pepinos e cenouras, em casa, mas nada recomendável para jovens no ensino médio com acesso a máquinas automáticas de petiscos e *fast-food*. Há também quem diga que beliscar sem critérios cria uma atitude desregulada que até pode funcionar com os menorzinhos, mas não como um comportamento para ser adotado ao longo da vida.

Uma coisa parece certa: se comer a qualquer hora ou o tempo todo torna-se normal, as crianças correm o risco de comer mesmo quando não estão com fome.[8] E se os lanchinhos são usados para controlar o comportamento infantil (como resposta a suas esquisitices, por exemplo), o perigo é causar desordens alimentares de fundo emocional. Está entediado? Por que não vasculhar o armário à procura de uma bala de frutas? Cansado? Não seja por isso, coma uns biscoitinhos salgados!

A melhor maneira de evitar o consumo emocional é estabelecer horários para as refeições e os lanches; isso tira os sentimentos e impulsos do cenário. Não só isso: pesquisas mostram que lanchinhos com horário marcado reduzem os índices de obesidade.[9] Mas qual é o melhor planejamento? Vários especialistas recomendam permitir no máximo dois por dia (para crianças com 6 anos ou mais, de preferência apenas um por dia).[10] Programe três refeições diárias estáveis, nutritivas e satisfatórias. Para crianças com menos de 5 anos, ofereça dois lanches: um no meio da manhã e outro no meio da tarde. Para as mais velhas, apenas um, geralmente no meio ou final da tarde. Essa rotina pode mudar à medida que seus filhos crescem e começam a praticar esportes, por exemplo. Para adolescentes, experimente aumentar as porções nas refeições e no lanche em lugar de acrescentar mais petiscos à rotina.

Muitas famílias que trabalharam comigo obtiveram ótimos resultados ao criar um planejamento. Heidi escreveu para explicar como isso estava funcionando com sua família depois de eu postar algumas ideias em meu *blog*:

> *Tínhamos perdido muito o controle dos lanchinhos em minha casa. Nunca pensei que isso pudesse ter efeitos negativos. Nós oferecemos apenas petiscos saudáveis e nunca questionei essa rotina por causa da crença norte-americana de que as crianças precisam comer com frequência e de que fazer mais refeições pequenas é melhor que três grandes. Ao decidir estabelecer apenas "um lanche por dia", acompanhei a alimentação das crianças por algum tempo e descobri que estavam ingerindo muito menos proteínas e hortaliças por causa de todas as frutas, biscoitos, bolinhos, vitaminas e barrinhas de cereais que devoravam o dia inteiro! Muitas vezes, elas não tinham fome no jantar, davam conta de apenas metade da refeição e mais tarde voltavam a beliscar. Comida em qualquer lugar, migalhas, bagunça, potinhos desaparecidos! Agora trocamos tudo isso por apenas um lanche reforçado depois da escola – e isso fez uma enorme diferença no comportamento delas no jantar! Também não sentem mais vontade de beliscar antes de ir para a cama. Adorei!*
>
> *Heidi*

A pediatra Nimali Fernando, autora do *blog* Doctor Yum, sempre trocou ideias comigo. Nimali confessou que não é diferente de muitas mães norte-

-americanas. Ela carregava lanchinhos "por desencargo de consciência" (e se alguém der um chilique? E se a família ficar presa em algum lugar sem comida?) e a bancada de sua cozinha tinha uma enorme cesta cheia de petiscos em que seus filhos invariavelmente procuravam alguma coisa para comer antes do jantar. Inspirada pela filosofia "um lanche por dia", a médica fez uma experiência:

> *No último mês, troquei os petiscos pelo "le goûter" (lanche da tarde) em minha casa. Fico satisfeita em dizer que funcionou muito bem. Na temporada de futebol, esse lanche sustentou as crianças até depois do treino, e os meninos passaram a comer melhor o jantar nutritivo que eu sirvo porque não ficam beliscando no carro, no caminho de volta para casa. Hoje, eles entendem as regras a respeito de petiscos e, por estarem envolvidos em várias atividades, não parecem sentir falta.*

Nimali e sua família aprenderam uma importante lição: sentir uma certa fome é uma sensação humana normal. Se o estômago das crianças (e dos adultos) estiver vazio e confortável antes das refeições, elas vão comer mais. Como Nimali resumiu, "uma criança que se depara com brócolis no jantar vai estar mais afeita a comer o legume se não estiver cheia de biscoitos e barrinhas de frutas".

Assim como a "Doutora Yum", quando minhas filhas dizem que sentem fome eu não as alimento necessariamente. Consulto o planejamento. Se não é hora de comer, digo a elas "que bom, você vai adorar a próxima refeição. É daqui a X horas." Às vezes falta apenas uma hora, mas pode ser que faltem duas ou três. Tudo bem – elas sabem que precisam esperar. Minhas filhas e eu sabemos que existe uma rotina em casa: três refeições nutritivas, com pratos que fornecem energia (e que elas podem comer muito ou pouco, como quiserem) e um lanche reforçado à tarde. Isso significa que elas comem quanto acham que precisam, sabendo que também vão comer bem na refeição seguinte.

A diferença entre *sentir* fome e *estar* com fome

A história da Doutora Yum levanta um tema importante: *tudo bem se seus filhos sentirem um pouco de fome*. Se fizerem três refeições e um lanche nutritivo ao longo do dia, não vão morrer. Pesquisas mostram que as crianças, de forma intuitiva, compensam essa pequena fome nas refeições (desde que, é claro, as refeições obedeçam a um planejamento conhecido por elas).[11] Ao limitar os petiscos, os pais permitem que elas desenvolvam um regulamento interno que permite saber se estão ou não com fome. Liberar o consumo o tempo todo (ou oferecer lanchinhos exagerados e cheios de sal ou açúcar) enfraquece essa habilidade.[12]

Ninguém quer que uma criança *esteja* com fome, mas parece que ampliamos o sentido da palavra "fome" para abarcar tudo – do faminto ao mal nutrido. Isso muitas vezes está associado ao hábito de alimentar os filhos assim que eles dizem que estão com fome (ou até antes). Fazendo isso, os pais perdem a oportunidade de ensinar uma habilidade valiosa: identificar quando o estômago está vazio, mas confortável. Isso permite às crianças não comer em excesso e esperar tranquilamente até a refeição seguinte – um exemplo claro de autocontrole.

Como ensinar essa atitude às crianças? É simples: apenas não permita que comam aleatoriamente. Se houver lanche, que seja programado. Quando você determinar o planejamento, explique que "comemos apenas na hora das refeições; podemos esperar alegremente por elas". Contentar-se com a sensação de estômago vazio, porém confortável, permite que seus filhos esperem com paciência pela refeição seguinte – e, assim, estabeleçam bons hábitos alimentares para a vida toda.

Os franceses têm uma expressão para essa sensação de fome antes das refeições: *bonne maladie* (uma "doença boa"). Eles dizem aos filhos que essa sensação é *boa* – um pouco como aquela expectativa que sentimos nos dias que antecedem nosso aniversário. Você não comemoraria uma semana antes, certo? Não há nada errado em sentir um pouco de fome se uma refeição nutritiva e saborosa será servida em breve.

Lembre-se: não entre em pânico pensando que seu filho sente fome (é diferente de *estar* verdadeiramente com fome). Sei que isso acontece com muitos pais (eu também, quando fazia a transição com minhas meninas). Uma mãe, Shaylagh, escreveu falando desses medos. Ela confessou que tinha começado a se alimentar do medo, apesar das melhores intenções. Como Shaylagh notou, "eu enchia a barriguinha de meu filho para evitar conflitos e depois questionava os motivos de ele estar irritadiço no jantar". Ao estabelecer um planejamento para refeições e lanche, porém, o comportamento da criança melhorou. Não foi mais preciso negociar nem houve mais ataques de raiva ou chiliques! Shaylagh descobriu um dos mais proveitosos princípios da maternidade: as crianças se comportam bem quando as regras são conhecidas e levadas a sério, porque sabem que suas necessidades serão atendidas de maneira satisfatória no momento mais adequado.

A arte da expectativa: como ensinar a ter paciência

Programar os lanchinhos é uma ótima maneira de ensinar as crianças a terem paciência. Ou de tratar a paciência como a "arte da expectativa" (não parece muito mais atraente e positivo?) Enquanto todos esperam pelo jantar, você pode falar sobre a refeição que está preparando, mostrar o prato para seu filho, deixar que ele sinta o cheiro e apreciar a ideia de que irá comer algo gostoso. Os franceses têm um ditado para isso: quando estão com um pouco de fome perto do horário da refeição e sentem o perfume da comida, dizem que estão *mis en appétit* (que talvez possa ser traduzido como "tiveram o apetite despertado").

Sei que não é fácil. A cultura do "beliscar a toda hora" na América do Norte faz com que os pais se sintam pressionados a deixar os filhos comerem quando e onde quiserem. Seu filho vai demonstrar alguma resistência (ou seus amigos, ou os pais dos amigos) quando os petiscos sumirem. Lembre-se: determinando horários para o lanche (e não proibindo), você está ensinando importantes lições que valem para a vida inteira – e que não são apenas sobre comida.

A Experiência do Marshmallow

Pode algo tão simples como as escolhas alimentares ajudar as crianças a desenvolver habilidades? Sim! Uma das maneiras mais famosas (e divertidas) de demonstrar isso é a Experiência do Marshmallow. O resultado mostra como a educação alimentar pode ensinar bons hábitos que contribuem para o equilíbrio ao longo da vida: gratificação tardia e autocontrole.

No início da década de 1970, o professor Walter Mischel, da Universidade de Stanford, conduziu um experimento aparentemente simples.[13] Uma a uma, crianças de 4 anos autorizadas pelos pais a participarem do estudo eram convidadas a entrar em um quarto pequeno e vazio, com apenas uma cadeira e uma mesa onde havia um sino e uma bandeja com dois marshmallows. Quando cada criança estava sentada, o pesquisador fazia uma oferta: ela podia comer apenas um doce naquele momento ou comer os dois depois de quinze minutos, período em que o cientista estaria ausente da sala. Se quisessem que ele voltasse antes, podiam tocar o sino – mas então não ganhariam o segundo marshmallow. Então o pesquisador deixava a sala.

As centenas de crianças que participaram do estudo eram filmadas pelos pesquisadores, que documentavam seu comportamento em detalhes. Algumas – as "imediatistas" – simplesmente comiam o doce assim que o cientista deixava a sala. Outros olhavam o marshmallow por alguns minutos e então tocavam o sino. Um garoto particularmente esperto colocou o doce na boca, mas não mastigou nem engoliu até dar o tempo (mas salivou de maneira impressionante!) Algumas crianças foram capazes de esperar, quase sempre arrumando alguma distração enquanto o tempo passava: eles cantaram, levantaram, andaram, dançaram, brincaram com o sino ou a cadeira, remexeram-se e até entraram debaixo da mesa para tirar a tentação de vista. Ao final dos quinze minutos, esses "pacientes" ganharam suas recompensas.

A equipe de Mischel acompanhou os voluntários enquanto cresciam, fazendo pesquisas e entrevistas periódicas com eles. As descobertas foram impressionantes. As crianças capazes de aguardar pela recompensa (e esperar pelo segundo marshmallow) eram mais propensas a ter êxito na vida. Os "pacientes" tinham melhores notas nos exames educacionais dos Estados Unidos (em média, 210 pontos acima dos outros) e levavam seus estudos mais adiante. Os "imediatistas" tinham, em média, um índice de massa corporal significativamente mais alto e eram mais propensos a ter problemas com drogas. Até certo ponto, essas diferenças são inatas, mas Mischel também descobriu que estão ligadas ao ambiente familiar e à educação dada pelos pais. Algumas crianças não tiveram a chance de exercer a paciência da mesma maneira que outras. Quem teve – economizando a mesada ou não beliscando durante as refeições, por exemplo – aprendeu lições valiosas que carregaram consigo até chegar à idade adulta.

Mischel também descobriu que esperar pela recompensa tardia é algo que a maioria de nós pode aprender. Em outros estudos, os pesquisadores ensinaram alguns truques mentais simples às crianças (como fingir que o marshmallow era uma nuvem) e elas conseguiram esperar por mais tempo. Isso parece funcionar também na vida real: diversos voluntários que falharam no teste do marshmallow, por fim, acabaram tendo êxito e se tornaram adultos "pacientes".

Em outras palavras, criar uma rotina de alimentação é ótimo para ensinar lições de vida a seus filhos. Eles vão conseguir desenvolver importantes habilidades: moderação, autocontrole e capacidade de planejamento. Também vão aprender a esperar pela recompensa e entender que é possível fazer escolhas alimentares bem pensadas (e não impulsivas). Planejar o lanchinho é outra ótima maneira de ensinar isso às crianças.[14]

Como criar uma rotina saudável para os lanches: mãos à obra

Se você está pensando em criar (ou modificar) a rotina alimentar de sua família para limitar os petiscos, a coisa mais importante a ter em mente é que isso será positivo para seu filho. Não se trata de privação! É apenas moderação.

Você é quem conhece melhor seu filho, é claro. Um planejamento de lanches e petiscos pode não funcionar para crianças com necessidades especiais. Os menores de 5 anos talvez necessitem de um reforço de manhã e outro à tarde (os estômagos pequenos podem precisar de refeições mais frequentes). Mas as três refeições mais um lanche por dia funcionam bem com a maioria das crianças com 5 anos ou mais. Se um lanche por dia for a rotina estabelecida, e se for seguida à risca, eles vão se acostumar – provavelmente, mais rápido do que você imagina.

Também é possível ajudar os filhos a esperarem mais entre as refeições se for servida comida de verdade (em lugar de pratos processados) tanto nelas quanto nos lanches. A melhor maneira de pensar nessas pausas é como minirrefeições. Experimente combinar proteínas, carboidratos, hortaliças e frutas, evitando alimentos processados. Mesmo os produtos com o selo de "saudáveis" devem ser evitados – eles não fornecem os mesmos nutrientes que as frutas e hortaliças frescas, verdadeiras (e não ajudam muito a aprimorar o comportamento à mesa).[15]

Também é possível usar a hora do lanche como uma ocasião descontraída para encorajar os filhos a comerem alimentos verdadeiros (integrais, e não processados). Lembre-se: se você servir uma fruta ou hortaliça em cada lanche (e em cada refeição), a criança vai estar mais propensa a ingerir a quantidade diária recomendada desses ingredientes. As refeições, portanto, vão ser menos conturbadas. Petiscos podem agir a seu *favor*, e não *contra* você.

O que servir em um lanche saudável e satisfatório?
Alimentos ricos em nutrientes e que fornecem bastante energia. Grãos (carboidratos) são fontes de energia para quem se exercita. Frutas e hortaliças são ricas em vitaminas. Proteínas, de preferência, devem prover um pouco de gorduras saudáveis, que ajudam na absorção dos nutrientes e aumentam a sensação de saciedade, permitindo a seu filho esperar até a próxima refeição sem beliscar no intervalo. Escolha um item de cada categoria para um lanche "completo". Trate a ocasião como uma minirrefeição, e não como hora de beliscar – mas não tenha medo de criar petiscos "divertidos", também, como pipoca caseira com manteiga de verdade.

Frutas e hortaliças	**Grãos**	**Proteínas**
Frutas frescas, em fatias	Biscoitos integrais	Manteiga de amendoim
Legumes crus fatiados (cenoura, aipo)	Torrada	Cream cheese e/ou patê para os legumes crus
Vitaminas de frutas	Pipoca caseira com manteiga	Queijo
Suco de legumes (tomate)	Pão sírio	Homus ou patê de feijão
Purês e caldos de frutas	Cereal matinal sem açúcar (ou com pouco açúcar)	Leite (integral ou semidesnatado)
Frutas cozidas	Bolinhos	Frios

O mais importante é escolher alimentos ricos em nutrientes. Desencoraje seu filho a tomar suco, que tem basicamente calorias vazias (o suco de maçã tem quase a mesma quantidade de açúcar que alguns refrigerantes, sem muito valor nutritivo agregado). Estudos científicos mostram que o interesse das crianças por hortaliças diminui depois de terem ingerido sucos, mesmo que em pequena quantidade.[16]

Eu sei que não é fácil. A doutora Jennifer Cheng, que lidera o Obesity Prevention Program [Programa de Prevenção da Obesidade] da Universidade de Harvard escreveu a respeito disso no *Journal of the American Medical Association*. Ao conversar com uma paciente sobre a filha com sobrepeso, a doutora Cheng sugeriu que a mãe substituísse o suco por água na hora do lanche. A resposta? A paciente, Lisa, admitiu que era difícil porque a filha, Maria, dava grandes chiliques se não fosse atendida. A médica então acessou o *site* Sugar Stacks (sugarstacks.com) e pediu para Lisa ajudar Maria a contar a quantidade de cubos de açúcar existentes em uma embalagem de suco de maçã. O queixo de Lisa caiu. "Uau, é muito açúcar!" A doutora Cheng, então, trabalhou ao lado de Lisa para pensarem em novas estratégias (substituir o suco por água, por exemplo). Para ajudar na transição e dar a Maria um certo senso de controle, ela sugeriu que a mãe perguntasse à filha se preferia um ou dois pequenos cubos de suco congelado ou um pouco de limão ou laranja espremidos na hora em seu copo de água. Como Maria continuasse a reclamar, Lisa voltou a conversar com a doutora Cheng e perguntou: "É isso o que você chama de amor inflexível?" A médica sorriu de volta e disse: "Eu apenas chamo de amor".[17]

Novos alimentos na hora do lanche: jogos divertidos para ajudar

Este capítulo inclui dois jogos que ajudam as crianças a explorar novos sabores e expandir o repertório de petiscos. Toranja na hora do lanche? Por que não?

Jogo 9:
As frutas azedas[18] (2 anos ou mais)

Mensagem principal: O jogo apresenta a ideia de que "azedo" é um sabor interessante (não necessariamente ruim). Algumas crianças das famílias que trabalharam comigo adotaram a toranja como sua fruta preferida depois deste jogo! O objetivo é ensinar seu filho a descrever e entender o sabor, e não apenas reagir a ele. Os mais velhos também aprendem que a temperatura muda o sabor dos alimentos. Com este jogo, você encoraja seu filho a gostar de sabores mais "interessantes", para que aumentem o repertório de ingredientes na hora do lanche.

Essas famílias notaram resultados impressionantes. Lembra-se de Lucas, o garotinho de 3 anos que não comia nenhuma hortaliça antes de começar a Educação do Paladar? Acontecia a mesma coisa com as frutas. Sua mãe, Stacy, me disse "Lucas nem *lambe* uma toranja!" O jogo As frutas azedas, porém, teve um efeito milagroso. Apesar de hesitante, Jessica começou dizendo que aquele era um "jogo de frutas". Lucas adorou a ideia e estava muito excitado para começar. Com um pouco de incentivo, ele pegou metade de uma toranja e começou a lamber, imitando a mãe: "Hummmm... suculenta!" Quando Jessica disse a ele que era azeda, o garoto respondeu: "Eu *adoro* azedo... Acho que essa é minha fruta preferida!" Logo eles passaram para a toranja e então a salada de frutas virou uma das sobremesas favoritas. Jessica me contou, orgulhosa, "Lucas surpreendeu o pai identificando a toranja na salada e contou a ele – que não estava conosco na hora do jogo – tudo sobre o ingrediente e o quanto ele gosta da fruta. Um sucesso!"

Material necessário:
1 abacaxi descascado em fatias
1 colher (chá) de açúcar cristal
Salada de frutas com abacaxi (pelo menos ½ xícara por criança)

O que fazer:
Faça o treino com o abacaxi. Diga a seu filho que esse é um jogo com frutas, e que vocês vão se divertir provando diferentes ingredientes. Ofereça dois pedaços (pequenos) de abacaxi com um pouco de açúcar polvilhado – um tirado direto da geladeira e outro em temperatura ambiente – e peça-lhe que experimente cada um. Agora repita a experiência, mas sem polvilhar a fruta. Solicite que a criança compare os diferentes sabores e sensações. Ela provavelmente vai gostar mais do pedaço com o açúcar e notar a diferença entre as versões fria e normal! Pergunte como ela descreveria a sensação de "azedo". Com algumas crianças, isso funciona muito bem! Teresa, a mãe de uma das famílias que trabalharam comigo, disse que sua filha de 2 anos ficou tão contente com a descoberta que, hoje, chama abacaxi de "azedo" e pede a fruta dizendo "Quero o azedo!"

Faça o treino com a salada de frutas. Mais tarde (no máximo alguns dias depois), sirva uma salada de frutas frescas que inclua pequenos pedaços de abacaxi. Eu geralmente recomendo usar ingredientes de que a criança gosta (como banana, maçã e uva). Converse sobre o contraste de sabores entre eles e explique como combinar frutas doces e azedas torna todas mais saborosas. Algumas crianças pequenas acham engraçado fazer "cara de azedo" depois de comer o abacaxi – tudo bem! Isso faz com que possam expressar sua reação aos sabores azedos, mas sem categorizá-los como "nojento" ou "desagradável".

Jogo 10:
O saco de surpresas (3 anos ou mais)

Mensagem principal: Nossas concepções sobre comida dependem da visão e do olfato, mas também do toque. Se não podemos ver o alimento, o sentido do tato pode nos pregar peças. Este jogo ajuda as crianças a refinarem seu sentido de toque e a habilidade de definir texturas, o que é importante para aprender a gostar de uma variedade maior de ingredientes.

Neste jogo, uma técnica francesa clássica da Educação do Paladar é usada para introduzir um elemento de surpresa à hora do lanche. É usada com frequência no sistema escolar francês: garotos do jardim da infância brincam disso na classe, e os professores usam até que os alunos tenham 9 ou 10 anos. Mas a garotada de todas as idades (até os adultos) adoram o jogo porque é surpreendentemente difícil de acertar!

Dica de segurança: Se jogar com crianças mais novas, certifique-se de que os alimentos possam ser ingeridos caso elas coloquem alguma coisa na boca.

Material necessário:
1 saco de papel opaco (que não seja transparente) com uma pequena abertura
Variedade de alimentos pequenos, incluindo ingredientes que seu filho já come e algumas novidades. Atenção: não encha completamente o saco! Recomendo incluir não mais que uma ou duas unidades do seguinte: tomate-cereja, uva, azeitona, cereais matinais, oleaginosas (castanha de caju, amêndoa, amendoim), uva-passa. Pense em outras combinações divertidas – use o que estiver à mão na cozinha!

O que fazer:
Esconda os alimentos no saco de papel. Coloque os ingredientes escolhidos no saco, *sem deixar que a criança veja quais são.*

Adivinhe o que tem aqui! Peça para a criança enfiar a mão no saco e descrever o que sente. Pergunte o que ela acha que há lá dentro. Então peça para retirar algo. Repita. (Lori, uma das mães que participou do jogo, disse que seus filhos acertaram a azeitona, mas não a uva – e eles adoram a fruta!)

Variação para crianças mais velhas: Encha os dedos de duas luvas de borracha para lavar louça com itens de texturas diferentes. Feche o topo com um elástico frouxo para que as crianças não possam olhar lá dentro, mas consigam enfiar as mãozinhas nas luvas. Eis algumas sugestões de "recheio":

- Pedrinhas ou cascalho (liso, duro, frio)
- Farinha de trigo ou bicarbonato de sódio (poeirento, seco)
- Massinha de modelar (macio, maleável)
- Pedaços de esponja dura (áspero, abrasivo)
- Pedaços de esponja macia (mole, maleável)
- Pedaço de tecido macio (acetinado, aveludado, dependendo do que você usar)
- Milho de pipoca, grãos de cuscuz marroquino, cevada, lentilha ou pequenas sementes (liso, duro)
- Areia (granuloso)

Peça para as crianças colocarem as mãos em cada luva e descrever o que sentem. Incentive a usarem palavras variadas (mais ou menos complexas, dependendo da idade) para descrever as diferentes texturas. Faça com que investiguem cada item pressionando os dedos de cada luva e pergunte o que sentem quando fazem pressão. Depois de conversar sobre as texturas, peça para adivinharem o que há dentro de cada dedo das luvas.

O Saco de surpresas é semelhante a muitos jogos de texturas propostos a crianças em idade pré-escolar. Pesquisas mostram que os mais novos não combinam a informação visual e o tato da mesma maneira que os adultos, e por isso podem reagir negativamente a certas texturas de alimentos.[19] Os estudos também dizem que a preferência por certas texturas pode ser conquistada, e muito influenciada, por meio da exposição, desde cedo, a uma variedade de consistências.[20]

Incluir alimentos no jogo é uma ótima maneira de ensinar às crianças que certas comidas têm texturas diferentes. Se brincarem com feijões secos hoje, um tomate escorregadio ou um pepino áspero vão parecer menos assustadores amanhã. As possibilidades são infinitas: você pode deixar seu filho tocar e brincar com arroz ou feijão secos (fique de olho, porém, para não colocarem na boca e sufocarem), farinha, açúcar e até – embora não para os fracos – gelatina!

Dicas preciosas de lanchinhos saudáveis

- **Estabeleça um cronograma** (como três refeições e um lanche à tarde, todos os dias) e então explique, de maneira firme e clara, a diferença entre "hora das refeições" e "fora da hora das refeições". A rotina pode variar, e você conhece seu filho melhor que ninguém. Três refeições e dois lanches por dia podem funcionar melhor para algumas crianças, enquanto outras se contentam com apenas um. O importante é criar uma rotina e se manter fiel a ela.
- **Livre-se dos petiscos.** Não carregue comida na bolsa ou no porta-luvas do carro! Será mais fácil para as crianças aceitarem a nova rotina se não souberem que você esconde petiscos nos bolsos. Tente programar os passeios de um jeito que não comprometa a rotina alimentar.
- **Seja firme: não deixe seu filho comer quando quiser.** Se você está mudando a rotina, dê uma explicação simples e mantenha-se firme. As crianças podem reclamar, no início, se antes você as deixava comer quando quisessem. Se perceberem que você está determinado, porém, elas *vão se acostumar*. E ainda vão adequar os hábitos alimentares, de maneira a comer mais durante as refeições.
- **As refeições devem ser reforçadas e nutritivas, para que as crianças comam bem e sintam menos fome nos intervalos.** Muita gente sabe que uma dieta balanceada e variada é o segredo da boa nutrição. Mas um fator igualmente importante (e muitas vezes negligenciado) é a necessidade de as crianças consumirem uma quantidade moderada de gorduras saudáveis para que possam absorver muitos nutrientes de maneira adequada. Uma pequena porção de gordura combinada a outros alimentos também ajuda seu filho a se sentir satisfeito por mais tempo (pão e manteiga de amêndoa em lugar de pão com geleia; iogurte integral ou queijo com biscoitos integrais). Incorporar gorduras saudáveis aumenta a sensação de saciedade e ajuda as crianças a não beliscarem entre as refeições.
- **Trate o lanche como uma minirrefeição.** Sirva alimentos reais e integrais que poderiam perfeitamente fazer parte de uma refeição (como frutas, hortaliças, grãos integrais e proteínas). Lanches saudá-

veis e satisfatórios são melhores. Evite os petiscos normais, geralmente ricos em calorias e pobres em nutrientes – esses são "guloseimas", não alimentos. Ensine seu filho a perceber a diferença.

- **Sirva água ou leite.** Bebidas doces (como sucos, refrigerantes ou isotônicos) devem ser tratadas como guloseimas e não aparecer na hora do lanche. Experimente fazer vitaminas com hortaliças e frutas (página 280). Melhor de tudo: sirva frutas e um copo de água.
- **Comece cedo.** Crie a rotina que você gostaria que seus filhos seguissem na idade adulta. A não ser que você precise lidar com recomendações médicas específicas, aos 5 anos (embora na França isso comece bem mais cedo, no máximo aos 3 ou 4 anos) a criança já se contenta com três refeições e um lanche por dia.

Segredo nº 4

Rotinas e rituais tornam
a alimentação saudável automática
(e divertida!)

Argumentos nutricionais não ajudam a convencer as crianças a comerem bem. Em vez de focar no assunto, a melhor maneira de fazê-las ingerirem alimentos saudáveis é criar rituais positivos para *quando* e *como* comer. Você conhece o velho ditado: "É possível levar um cavalo até o rio, mas não obrigá-lo a beber água"? O cavalo (seu filho) precisa *querer* beber. Se forem criadas rotinas e rituais para a hora das refeições, todos se beneficiam. A criança vai estar mais receptiva a aprender a gostar de novos ingredientes e a comer alimentos saudáveis – e vai ter vontade de fazer isso.

Por que as rotinas e rituais ajudam? Para começar, eles simplificam a vida dos pais. Criam limites e, portanto, não é preciso gastar tempo negociando ou impondo a autoridade. Por exemplo: quando um filho pede por um lanchinho vinte minutos antes do jantar, é possível lembrá-lo com carinho da rotina que a família segue (que pode ser algo como "nada de beliscar uma hora antes do jantar"). Bons limites – por exemplo, especificar claramente o que é "hora das refeições" e "fora da hora das refeições" – resultam em menos estresse.

Limites também estruturam melhor a vida. Isso, consequentemente, dá às crianças a sensação de segurança, e ninguém vai ter chilique – quase na hora de comer – se sentir um pouco de fome. Se hortaliças e frutas forem servidas a cada refeição, sem substitutos, as crianças vão comer normalmente as opções saudáveis.

O mais importante: essas rotinas liberam os pais e a família inteira para aproveitar a comida e a companhia uns dos outros durante as refeições. Rotinas (que devem ser entendidas como bons hábitos, e não como regras) significam menos trabalho e mais diversão para os pais.

Sei que pode parecer difícil de acreditar, então vou contar uma pequena história sobre duas mães – e melhores amigas – que decidiram tirar férias de verão juntas e transformar a viagem em uma experiência alimentar. Durante o período, as duas famílias (com cinco crianças menores de 10 anos) alugaram chalés vizinhos e dividiram a cozinha. Elas planejaram três refeições e um lanche por dia. Fizeram pratos simples e saudáveis que os pais comiam com prazer. Uma das refeições era comum a todos – nada de fazer pedidos de última hora. Se as crianças não quisessem comer, não eram obrigadas (mas precisavam experimentar, para ver se gostavam ou não), mas não havia nada para substituir as receitas. Os pais decidiram que não iam resmungar, insistir, repreender nem mesmo comentar a decisão das crianças. O foco era a diversão; afinal de contas, eram as férias *deles* também.

No começo, quase houve uma rebelião. As mais velhas ficaram infelizes e reclamaram; as mais novas logo seguiram seu comportamento. Mas os pais ficaram firmes. "Levou cerca de uma semana", uma das mães me contou. "Mas funcionou!" Quando perceberam que havia uma nova atitude em relação às refeições, as crianças sentavam-se à mesa e comiam o que tinha sido preparado. Menos tempo gasto em cozinhar pedidos de última hora significou mais descanso para os pais. Eles estavam felizes – e a felicidade era contagiante. No final da semana, os filhos estavam seguindo a rotina alimentar e experimentando tudo o que fosse colocado na frente deles. Experimentaram alguns alimentos novos – e, para surpresa deles mesmos, gostaram. Meses mais tarde, os pais relataram, contentes, que as crianças estavam comendo ainda melhor.

E que rituais funcionam melhor? Cada família é diferente, mas este capítulo resume algumas práticas que foram cientificamente testadas e aprovadas.

O ritual das "hortaliças (ou frutas) primeiro"

A maneira como comemos influencia que tipo de alimentos comemos? Eu nunca tinha pensado nisso antes de ter minhas filhas. Depois, porém – e lutando para descobrir como ensiná-las a comer bem –, aos poucos percebi que criar boas rotinas alimentares é um dos papéis mais importantes dos pais.

Talvez o ritual mais fácil e espantosamente eficiente que experimentei foi o de "hortaliças primeiro". *Parece bom*, você pode estar pensando, *mas meus filhos não adoram legumes e verduras*. Bem, se você adotar esta atitude, eles podem surpreender. Pesquisadores da Universidade da Pensilvânia estudaram os efeitos de servir uma entrada de cenouras e descobriram que não apenas as crianças comeram mais do que o costume como também aumentaram o consumo de outras hortaliças durante a refeição – comendo mais do que era oferecido na sequência (mesmo brócolis)![1]

De maneira intuitiva, isso faz sentido. Se você seguir o Segredo nº 3 (nada de beliscar durante o dia), seu filho vai estar com fome quando se sentar para jantar e mais propenso a comer as hortaliças servidas primeiro. Servir legumes e verduras como entrada também torna a ingestão dos ingredientes automática, e não um caso para negociação. Por que não há mais nada na mesa (ainda), a criança não fica afastando as hortaliças para a beirada do prato porque algo mais atraente também está disponível – e assim você evita o clássico "não tem sobremesa se não comer os legumes", o que apenas ensina a seus filhos que o jantar é "ruim" e a sobremesa é um prêmio. Ao contrário, você estabelece uma sequência lógica: "primeiro isso, depois aquilo". Até que a criança tenha terminado (ou pelo menos experimentado) o prato de hortaliças (primeiro ato), o prato principal (segundo ato) não aparece na mesa. Que fique claro: não é uma punição, mas uma sequência lógica. Se você mantiver a rotina, seus filhos vão saber que o prato de hortaliças não vai ser retirado e o principal não vai ser servido até que eles terminem. Assim, comem mais legumes e verduras – lembre-se da recomendação feita pelo USDA [Departamento de Agricultura dos Estados Unidos]: *metade* do que comemos por dia devem ser frutas e hortaliças. [O governo brasileiro também tem um Guia Alimentar para a população brasileira, que incentiva uma alimentação mais natural, com o consumo de frutas e hortaliças.]

Introduzir o ritual das "hortaliças primeiro" será mais difícil, é claro, se seu filho não for fã de quase nada que for servido (alguém falou em couve-flor?) Por isso, ensinar as crianças a gostarem de hortaliças (usando o método da Educação do Paladar descrito no Segredo nº 1: As crianças podem aprender a gostar de alimentos saudáveis) é o ponto de partida. Quando elas já estiverem familiarizadas com um grupo de legumes e verduras, os produtos podem começar a aparecer como entrada. As famílias que trabalharam comigo enquanto eu escrevia este livro descobriram que servir este primeiro prato faz uma grande diferença – e muitas das crianças não gostavam de hortaliças.

Quando começou a Educação do Paladar, o filho de 10 anos de Jon nem tocava a maior parte dos legumes e verduras. A filha de 2 anos e meio de Brandy não encostava em frutas, a não ser mirtilos (mas apenas com iogurte). Ao final do período de três meses do treino, ambos já comiam alimentos que antes recusavam: o filho de Jon descobriu que amava vagens, e a filha de Brandy devorava salada de frutas!

Em outra família, Jessica (mãe de Lucas, de 3 anos) percebeu que servir as refeições em etapas trazia resultados surpreendentes:

Nos últimos meses, venho praticando o ritual das "hortaliças primeiro" com Lucas. Estou adorando! Acredito que é a maneira mais eficiente de fazer com que ele coma legumes e verduras. Sempre começo com uma salada – verde, de pepino, de cenoura ou de tomates e outros legumes crus com vinagrete. Ele parece amar. Não preciso implorar para que ele comece a comer, o que é incrível! Tenho vergonha de contar que, antes, ele não comia hortaliças... zero. De vez em quando, eu conseguia fazer com que ele comesse um palito de cenoura com o almoço. Hoje, porém, ele sabe que as refeições sempre seguem uma determinada ordem e aceita isso. Não foi fácil no começo. Mas fiquei surpresa ao ver que, em pouco tempo, ele já começou a perguntar: "Onde está a entrada, mamãe?"

Jessica

Joy, outra mãe, faz o seguinte relato sobre as refeições com uma entrada apenas de hortaliças:

Nossa família de cinco pessoas (duas garotas de 7 e 3 anos, e um menino de 2 anos) passou a seguir uma rotina de refeições e a evitar os petiscos. As crianças definitivamente comem muito mais verduras e legumes. Servir esses alimentos primeiro, ao contrário do estilo americano de colocar tudo na mesa ao mesmo tempo, fez com que as crianças passassem a ingerir muito mais hortaliças e menos carboidratos, pães e massas. Estou adorando – e a garotada também!

Joy

Se essa ideia ainda parece assustadora, lembre-se de que as crianças tendem a reclamar menos diante de porções pequenas – raramente mais que ½ xícara (pense num ramequim), menor do que muita gente pensa (cerca de quatro vagens ou cinco tomates-cereja!) Para crianças de colo, bastam 2 colheres (sopa), três a cinco vezes ao dia! Ao comer essas pequenas porções primeiro, seus filhos saciam a fome e tendem a servir-se de uma quantidade razoável do prato principal quando ele chegar à mesa. Controle automático de porções!

O truque é oferecer essa pequena entrada a cada refeição. Crianças pequenas necessitam de apenas 2 xícaras (quatro porções) de frutas e hortaliças por dia – seria muito para servir em apenas uma receita, almoço ou jantar! Talvez a solução seja uma porção de legumes ou verduras como entrada no almoço, uma de frutas na hora do lanche e outra de hortaliças como entrada no jantar, seguida de uma sobremesa com frutas frescas. Para os mais velhos, é possível aumentar as quantidades aos poucos.

Ao servir uma refeição em etapas, o mais importante é que todos comam as mesmas coisas – nada de substituições ou pedidos de última hora. As crianças fazem o que os adultos fazem, e não o que dizem; servir como exemplo para o comportamento à mesa e para a escolha de alimentos saudáveis é uma das melhores maneiras de os pais ensinarem as crianças a comer bem.[2] (É maravilhoso saber que isso também ajuda a regular sua atitude.) Além disso, pense em quanto tempo você economiza ao não ter que preparar alimentos de última hora só para satisfazer seus filhos.

O ritual da refeição em etapas

Assim que o método das "hortaliças primeiro" entrar na rotina, por que não passar ao ritual de servir a refeição em etapas? Ao contrário dos norte-americanos, que colocam todos os alimentos juntos sobre a mesa, os franceses comem seguindo uma ordem – podem ser apenas dois pratos (hortaliças e prato principal), mas geralmente são quatro (hortaliças, prato principal, salada e queijo, sobremesa). Essa estratégia é maravilhosa para encorajar as crianças a ingerir alimentos saudáveis: você separa a refeição em quatro diferentes seções e começa com os ingredientes que seu filho deve comer mais (como verduras e legumes).

Antes de imaginar que essa é uma receita para obrigá-lo a passar a vida na cozinha, saiba que, em relação aos americanos, os franceses gastam apenas 18 minutos a mais por dia, em média, preparando refeições. (Assim como as mulheres francesas conseguem aparentar uma elegância impossível sem demorar mais tempo para se arrumar do que levaríamos para colocar um moletom. É irritante, eu sei.) Servir as refeições em etapas não significa gastar horas em frente ao fogão, mas sim servir os pratos em uma determinada ordem.

Talvez alguém se pergunte: *Quando meu filho terá idade suficiente para uma refeição em etapas?* Mais cedo do que se imagina. Quando têm 5 ou 6 anos, as crianças podem facilmente participar de uma refeição de três pratos, como os adultos, desde que as porções tenham o tamanho apropriado. Algumas começam ainda mais cedo. Você conhece seus filhos – mas lembre-se de que eles muitas vezes nos surpreendem com o que conseguem aprender.

Como, então, servir uma refeição em etapas? Isso apenas requer um pouco de planejamento. Antes de chamar todo mundo para o jantar, coloque tudo o que for necessário na mesa: pratos, talheres, guardanapos, copos, jarra de água, sal e pimenta-do-reino, uma tigela de salada, um pequeno prato de queijo e colheres de servir. Princípio básico: você precisa se levantar apenas duas vezes durante a refeição. Programe-se, tanto quanto possível, para ter à mão tudo de que precisa. Convide as crianças para ajudar a pôr a mesa – elas adoram fazer isso. Quando estiver pronta, todos se sentam para comer.

Entrada: *Cerca de cinco minutos.* Normalmente, uma tigelinha ou prato é colocado diante de cada pessoa, com uma porção de hortaliças ou – no inverno – uma sopa quentinha e saborosa (como a Sopa de tomate e pimentão assado, página 253). Quando todos terminarem, os pratos são retirados.

Isso não precisa ser chique! Minha sogra, às vezes, simplesmente corta um abacate ao meio, retira o caroço e recheia as cavidades com um pouco de Vinagrete clássico (página 336). Ele é servido ainda na casca, juntamente com uma colher. Fica elegante e requer cerca de trinta segundos de preparo por pessoa. *Voilà!*

Prato principal: *Cerca de dez a quinze minutos.* A parte principal da refeição, servida depois da entrada, geralmente consiste em um prato com uma proteína, um carboidrato e um acompanhamento de legumes. Como se trata de uma ocasião informal, panelas ou tigelas são trazidas à mesa e colocadas sobre descansos; a comida é servida diretamente nos pratos, para que cada um possa dizer que quantidade quer.

Nos fins de semana, quando você dispõe de mais tempo, uma clássica refeição familiar pode incluir Frango agridoce com mirtilo (página 289), batatas ou arroz e um legume cozido no vapor, como vagens. No meio da semana, ou se você estiver com pressa, experimente preparar algo simples com antecedência, como a Ratatouille (página 257), para servir com cuscuz marroquino. O segredo é todos comerem a mesma coisa, ao mesmo tempo.

Salada: *Cerca de cinco a dez minutos.* Para as famílias francesas (e italianas), é o terceiro prato de uma refeição comum. Sirva em tigelas individuais ou no mesmo prato que a proteína anterior (a não ser que haja um molho ou algo que possa interferir no sabor da salada). Para manter-se fiel ao estilo francês, coloque queijos em um pratinho à parte (cada um corta seus próprios pedaços). Normalmente, um ou dois tipos são servidos e as pessoas pegam uma fatia pequena (cerca de 2,5 cm quadrados) para mordiscar com a salada. Em vários países, como a França e a Itália, uma salada é servida na maioria das refeições. Isso tem um grande efeito sobre as crianças: lembre-se de que, se elas virem adultos felizes comendo alimentos saudáveis, é mais provável que aceitem os ingredientes! Segundo um estudo, quase 90 por cento das crianças francesas de 8 anos gostam de alface. Isso confirma minha impressão de que, para a garotada de lá, comer salada é tão normal quanto comer pão.[3]

Sobremesa: *Cerca de cinco minutos.* Frutas são boas escolhas para a sobremesa; ela pode ser uma simples pera, kiwi ou mexerica. Se quiser algo mais especial, acrescente um pouco de sorvete ou chocolate meio amargo ralado, mas o ingrediente principal deve ser a fruta. Nas escolas francesas, a regra é "frutas frescas quatro dias na semana e um docinho no quinto!"

Pode parecer muito trabalho, mas as famílias que me ajudaram neste livro descobriram que o ajuste à nova rotina não demora muito. No início, experimente uma vez por semana e trate a refeição por etapas como uma ocasião especial. Para tornar o momento ainda mais interessante, tente uma das divertidas atividades descritas no fim deste capítulo. Você vai ver que seu filho vai começar a esperar pelas refeições com a família reunida, e essas são ótimas oportunidades para apresentar alimentos novos.

O ritual do "não, obrigado": como recusar de maneira educada

Todos já viram a cena: uma criança que se encolhe ao ver determinados ingredientes, cobre a boca com as mãos e cospe se é obrigada a comer. (Essa é, na verdade, uma descrição bem fiel do comportamento de minha filha mais velha quando era pequena.) Ensinar um filho a dizer "não, obrigado" é uma arte delicada – mas que vai trazer benefícios incontestáveis (e não apenas nos livrar da vergonha quando estivermos jantando na casa de outra pessoa). As crianças podem recusar algum alimento (depois de experimentá-lo, se estiverem seguindo a regra). Se não gostarem, a atitude mais educada é não falar nada e deixar discretamente no canto do prato.

Há uma razão prática para ensinar seu filho a dizer "não, obrigado" de maneira educada: cientistas descobriram que a repugnância é altamente contagiosa. Crianças – mesmo as menores – são muito sensíveis ao que os adultos comem com prazer ou não.[4] Ao instituir regras básicas da educação na hora de recusar alimentos, evita-se que um irmão passe a rejeição aos outros.

Lembre-se: recusar a comida é uma ótima maneira de chamar a atenção – e ganhar. O desafio é *não dar* atenção a seu filho porque ele está sendo enjoado. Ao contrário, dê atenção quando estiverem comendo bem. O comportamento que você favorece é o que será desenvolvido.

Claro que o exemplo dado pelos pais é poderoso, mas não resolve tudo. Qualquer pessoa com filhos em idade escolar sabe que os colegas exercem uma forte influência. Isso acontece, na verdade, também com os menores: mesmo as criancinhas tendem a aceitar (ou rejeitar) um alimento de acordo com o que as outras falam ou comem.

Uma experiência demonstrou a influência dos colegas sobre preferências alimentares. Pesquisadores britânicos decidiram testar essa força entre crianças pequenas.[5] Criaram dois "novos" pratos que os garotos (entre 5 e 7 anos) nunca tinham provado: pão de batata e *quorn* (uma carne artificial), que foram tingidos de azul e batizados de "fodrick" e "gwark". Os novos alimentos (de nome assustador) foram servidos às crianças em pratos de papel ao lado de petiscos como uvas, queijo, pão e cenouras.

Os pratos foram servidos como parte de um dia de atividades especiais em que crianças mais velhas (alunos de outra escola, de 8 a 11 anos) estavam visitando a classe. Sem que os pequenos soubessem, os forasteiros haviam sido treinados pelos pesquisadores para incentivar (ou desencorajar) os menorzinhos a comer os novos alimentos. Elogiando o "fodrick" e o "gwark" com palavras previamente ensaiadas, metade das crianças mais velhas comeu as receitas azuis com prazer. Os pequenos que estavam com eles fizeram o mesmo. A outra metade se recusou a tocar os alimentos e fez comentários negativos; os menorzinhos colocados nas mesmas mesas evitaram o "gwark" e o "fodrick" como se fossem radioativos (e quem poderia culpá-los?) O mais impressionante é que a garotada que provou a comida azul mostrou-se mais disposta a experimentar outros novos ingredientes nas semanas seguintes à experiência – mesmo sem terem sido encorajadas novamente!

Isso sugere um ritual simples a ser seguido nas refeições: convide cada criança a dizer algo positivo sobre a comida. Comentários negativos devem ser evitados; isso ajuda a lembrar às crianças que a atitude mais educada diante de um alimento de que não gostem é simplesmente não falar nada (ou, pelo menos, não tratar como se fosse grande coisa). É importante respeitar o sentimento e o esforço de quem preparou a refeição.

Também é possível tentar exercer uma pressão positiva caso conheça uma criança (geralmente mais velha) que possa dar o exemplo. Se não houver filhos de vizinhos ou primos por perto, procure uma pessoa que se disponha a ajudar na próxima vez em que você tiver um compromisso. Em vez de deixar pizza para o jantar, prepare algo mais ousado que essa pessoa também aprecie. Ou uma criança mais velha, ou algum amigo, que possa ser um pouco enjoado, mas que adoraria ter a chance de agir como "adulto" e ajudar a influenciar seu filho. O mais velho, em contrapartida, pode ficar tentado a ousar mais – um benefício inesperado para seus pais!

A internet também ajuda, como o programa "Food dudes" (FoodDudes.co.uk) [em inglês], que dá recompensas a quem come os alimentos (frutas e hortaliças) preferidos dos super-heróis do *site* em sua luta contra os malvados Junk Punks, que tentam roubar a energia das crianças do mundo todo.[6] (O programa usa o "faz de conta" de maneira inteligente: as qualidades associadas a determinados ingredientes muitas vezes estão atreladas à personalidade do personagem que os consome.[7])

O ritual da conversa à mesa

Em minha casa, recentemente começamos a pedir a cada membro da família que conte uma história sobre o seu dia. O professor Brian Wansink, da Universidade Cornell, aposta em manter as crianças à mesa e tirar o foco da comida (e das brigas a respeito da alimentação) por meio de atividades. Cada integrante de sua família responde quatro perguntas: Qual foi o melhor momento do dia? E o mais desagradável? De quem ele (ou ela) mais gostou? O que você quer fazer? (Veja o Jogo 12: A rosa, o espinho e o botão, para usar uma estratégia semelhante.) Não há problema em falar sobre a comida, é claro, mas este não deve ser o assunto principal da refeição. (Atenção: a conversa flui muito melhor se você banir qualquer aparelho eletrônico da mesa. Isso vale não só para seus filhos, mas também para você!)

Interessantes conversas em família podem ter outro benefício inesperado: fazer com que as crianças passem mais tempo à mesa. Certifique-se de que estejam confortáveis (os menores precisam de um apoio para os pés, mesmo quando já deixaram o cadeirão). Experimente comprar talheres do tamanho adequado para elas e peça para ajudarem a colocar a mesa. Conte piadas e histórias ou apenas converse! Os pais geralmente são mais animados (e os filhos, encantados) em países em que as famílias dão prioridade às refeições (pense em todas as mesas de jantar de famílias italianas que você já viu nos filmes).[8] Se começar a contar algumas de suas histórias mais divertidas ou interessantes, seus filhos podem surpreendê-lo com atenção e a vontade de permanecerem à mesa.

Rituais comemorativos

Toda cultura tem refeições especiais de celebração. Nascimentos, mortes, festas religiosas e eventos históricos podem ser associados à comida. Por que não criar os próprios rituais comemorativos? Eles dão origem a ótimas lembranças familiares. Françoise, de uma família que trabalhou comigo no livro, contou a seguinte história:

> *Uma de minhas melhores amigas tem uma ótima tradição familiar. No aniversário de cada pessoa, eles fazem uma refeição juntos (os amigos comemoram em outro dia). As crianças escolhem e escrevem o cardápio. Os pais preparam os pratos. A única regra é que o menu deve variar a cada ano e incluir uma boa variedade de ingredientes. Os filhos sentem que estão no controle da festa e usam a criatividade. Também decoram o lugar do aniversariante com uma coroa de flores e um pequeno vaso com um buquê. E o homenageado ocupa a cabeceira! As crianças, hoje crescidas (têm 19 e 21 anos), dizem que aqueles momentos em torno da mesa estão entre os melhores de sua infância.*
>
> *Françoise*

Outras famílias compartilharam suas experiências na criação de regras cotidianas que tornaram as refeições especiais e mais prazerosas. Eis uma lista do que ouvi (algumas foram propostas pelas crianças, como você vai perceber!) O ritual de sentar-se à mesa deve ser para recarregar as baterias e agir de maneira positiva com os filhos, não uma fonte de estresse. Fique à vontade para escolher as regras que melhor se adaptem à sua família e lembre-se: essa lista serve apenas como inspiração.

- Espere para comer até que todos tenham sido servidos (minha madrinha chama isso de "a regra do garfo real" – as meninas adoram observá-la, esperando para ver quando ela leva o garfo à boca, antes de começar a comer!)

- Coloque o guardanapo no colo e use-o (apenas) para limpar a boca e os dedos.
- Toda criança deve usar os talheres de acordo com suas habilidades (bebês começam com colheres; as menores seguram garfos; os maiores aprendem a usar facas e garfos e quais talheres são mais apropriados para diferentes pratos).
- Faça comentários agradáveis sobre os pratos que mais gostar (e não diga nada sobre os que não agradarem).
- Coma com educação – sem barulho, sem engolir pedaços grandes demais, mastigando com a boca fechada, colocando pequenos bocados nos talheres.
- Apenas pedidos educados para repetir algum prato vão ser atendidos (uma consequência lógica de manter uma atitude positiva e educada).
- Adultos também devem se comportar exemplarmente: sem sermões e reclamações a respeito da comida servida.
- As crianças precisam esperar até que todos tenham terminado o prato principal antes de pedir licença para sair da mesa. (As menores podem sair quando tiverem terminado, mas depois não podem voltar para comer mais.)

Algumas famílias penduram essas regras na porta da geladeira como lembrete. Se você fizer uma lista, envolva as crianças no processo, para que colaborem desde o começo e adotem as ideias. Importante: não fique muito ansioso vigiando as boas maneiras. A longo prazo, elogiar o bom comportamento à mesa funciona mais do que recriminar os maus modos. As regras básicas de educação devem permitir à criança desfrutar da refeição ao lado dos pais e ensiná-la a ter consideração pelos outros. Mantenha esse objetivo em mente e tranquilize-se (não é fácil, eu sei); seu filho vai aprender a seguir o seu exemplo. No começo parece difícil, mas, com o tempo, o estresse diminui. Quando as crianças se acostumam com as novas rotinas, elas passam a esperá-las – e até se sentem orgulhosas quando ajudam a manter as coisas em ordem.

Claro que qualquer ritual escolhido deve ser divertido para sua família. Empenhe-se em transformar as refeições em momentos interessantes e descontraídos para todos curtirem juntos. Os dois jogos a seguir foram criados para ajudá-lo justamente nisso.

Jogo 11:
O rostinho feliz (1 ano ou mais)

Mensagem principal: Este é um dos jogos mais simples do livro, mas também um dos mais eficazes. As famílias que trabalharam comigo espantaram-se ao ver que mesmo as crianças mais velhas são receptivas aos rostinhos "desenhados" em pratos e sopas. Não faça isso todos os dias (ou o efeito se esgota logo), mas de vez em quando essa tática ajuda a lembrar que comer pode ser divertido. Para os menores, instituir o rostinho feliz como parte da rotina de refeições reforça a atitude de comer de modo saudável de maneira informal.

O rostinho feliz pode ser criado de muitas formas, mas eis um exemplo simples do que você pode fazer com hortaliças e servir como lanche ou entrada, na hora do jantar. Claro, é possível inventar uma fórmula própria – ou deixe seus filhos usarem a imaginação!

Material necessário (para cada rostinho feliz):
3 ou 4 tomates-cerejas
2 folhas de alface
1 cenoura baby
2 fatias pequenas de pepino

Para a boca: Corte os tomates-cerejas ao meio e disponha uma metade ao lado da outra, em um semicírculo.

Para o cabelo: Corte a folha de alface em tirinhas e disponha na parte superior do prato.

Para o nariz: Corte a ponta da cenoura (para um nariz maior!) ou corte ao meio e coloque no centro do rostinho.

Para os olhos: Use fatias de pepino, cortadas como você quiser, e arranje-as uma ao lado da outra.

As crianças também adoram rostinhos que "derretem" em sopas e purês. Use pedacinhos de manteiga (também é possível escolher outra decoração ou sopas e purês de cores contrastantes) para fazer os olhos, nariz, boca e cabelo. Observe enquanto seu filho devora o rostinho – rápido, antes que desapareça!

Jogo 12:
A rosa, o espinho e o botão (5 anos ou mais)

Mensagem principal: A hora da refeição é um momento para conversar sobre os acontecimentos do dia. Seus filhos comem melhor (e acham mais fácil permanecer à mesa por mais tempo) quando os assuntos são interessantes e os mantêm entretidos.

O jogo da rosa, do espinho e do botão é um dos preferidos de minha família. Cada pessoa deve contar sobre seu dia respondendo a três perguntas: "Qual foi a rosa?" (algo bom que ocorreu hoje), "Qual foi o espinho?" (algo desagradável que aconteceu) e "Qual foi o botão?" (algo que esperam com expectativa). Esse ritual simples evita as respostas simples para a questão "Como foi o seu dia?" (*"Bom"*) e ajuda as crianças a perceber que a vida é feita de bons e maus momentos – as rosas não existem sem os espinhos e há sempre algo a se esperar. Muitas famílias incluíram esse jogo como parte de seu ritual diário no jantar.

Dicas preciosas para comer bem de forma automática e divertida

- **Sirva primeiro as hortaliças no almoço, no jantar e no lanche.** Você vai perceber que seu filho começa a comer de maneira automática e prazerosa.
- **Use a pressão positiva!** Elogie seu filho quando ele experimentar ou aprender a gostar de algum alimento novo. Ensine-o a dizer "não, obrigado", de *maneira educada* – sem criticar a comida –, para que a recusa não afete as outras pessoas à mesa.
- **Converse: mantenha as crianças motivadas e interessadas.** Dessa maneira, elas permanecem mais tempo à mesa e se sentem animadas a participar da refeição. Faça perguntas e conte histórias.
- **Estabeleça regras.** Isso garante que todos se comportem e torna as refeições menos tensas e mais felizes.
- **Adote um lema.** "Uma família, uma refeição!" (Ou, meu preferido: "Há duas opções de cardápio: pegar ou largar!")
- **Crie tradições em família.** Pode ser uma vez por semana ou uma vez por ano – seu filho terá boas memórias associadas a refeições especiais.

Segredo nº 5

Crianças não precisam
de “comida de criança”

A variedade é o tempero da vida? O Japão (uma das nações com maior índice de longevidade e menor de obesidade no planeta) acredita que sim. A tradição japonesa enfatiza a importância de uma alimentação variada. O governo aconselha as pessoas (crianças e adultos) a ingerir trinta ingredientes diferentes por dia e cem diferentes por semana![1] As crianças aprendem esses números mágicos em aulas de nutrição. Um tradicional almoço nas escolas do Japão inclui arroz cozido com pelo menos duas hortaliças frescas, peixe e frutas – bem diferente dos clássicos norte-americanos (pizza no café da manhã?)

Uma das trágicas ironias do sistema alimentício moderno e industrializado (que sabe muito bem distribuir grandes quantidades de comida) é ter diminuído a quantidade de alimentos que consumimos, apesar de aparentemente podermos fazer escolhas cada vez maiores. Muitas crianças ingerem relativamente poucos alimentos diferentes. Metade das hortaliças consumidas pela garotada nos Estados Unidos, por exemplo, são batatas – fritas. Uma grande parcela come principalmente a "comida de criança".

A "comida para crianças" pode viciar?

Será que esses tipos de alimentos são uma porta de entrada para a extrema dependência da comida processada durante a adolescência e a idade adulta? A doutora Dina Rose, socióloga e consultora de alimentação familiar, acredita que sim. Ela argumenta que os altos índices de sal, açúcar e gordura em muitos alimentos direcionados às crianças fazem com que elas sintam muito mais vontade de comer algo semelhante quando adultas.[2] Esses desejos podem aumentar com o tempo. Em um trabalho recente, pesquisadores descobriram que crianças que tomam sorvete regularmente precisam de cada vez mais quantidades para obter a mesma sensação de satisfação (chamada de "pico" pela cobertura jornalística).[3] David Kessler, ex-diretor da FDA, argumenta até que comer alimentos repletos de gordura, sal e açúcar (particularmente na combinação usada pela indústria) muda a química de nossos cérebros, literalmente criando condições para o vício em *fast-food*.[4] As crianças, diz ele, correm mais risco: sua química cerebral é mais "plástica" (suscetível) e, portanto, mais vulnerável, e comer *fast-food* quando pequenas pode programá-las para serem consumidoras desse tipo de alimento ao longo da vida.[5]

A doutora Rose resumiu o tema em um *post* para o *site Psychology Today*, dizendo que as "comidas adequadas para crianças" causam tanto vício quanto as drogas.[6] Ela ressalta o fato de que muitos desses produtos são criados com um "toque a mais" de sabor que não encontra correspondência nos alimentos naturais. As crianças se viciam nisso e pedem mais. Quando já foram fisgadas, é difícil acabar com o hábito – como qualquer pai que tentou fazer isso sabe muito bem. Os marqueteiros também sabem disso: enquanto produtores tradicionais de brócolis e milho observam queda nas vendas, inovações geneticamente modificadas, como *Finest Supersweet Broccoli* [O Melhor Brócolis Adocicado] e *Sunshine Sweet Corn* [Milho ensolarado], chegam às prateleiras com a intenção de suprir nosso condicionamento cada vez maior aos sabores doces.[7]

Por que isso é um problema? Especialistas argumentam que dar comida sem gosto aos bebês tende a produzir crianças com paladares limitados. Como resultado, algumas ficam "presas" a uma variedade restrita de sabores e acabam preferindo coisas suaves e texturas simples. Bebês alimentados com cereal de arroz branco, por exemplo, têm mais tendência a preferir pão branco.

Os pais caem no hábito de dar "comida de criança" a seus filhos por várias razões. Talvez acreditem que a implicância faz parte da personalidade da criança, e não de que seja uma fase temporária, por isso não persistem com delicadeza e não os ajudam a superar esse período difícil. Ou são muito ocupados e é apenas mais fácil dar aos filhos os mesmos alimentos. É bem capaz de você conhecer pelo menos um menino ou menina que não come frutas e hortaliças. Muitos vivem de uma "dieta bege", que consiste em pão branco, macarrão, biscoitos e cereais processados (admito que a alimentação das minhas filhas era assim, antes de nossas experiências na França abrirem meus olhos). Como eu disse no Segredo nº 2: Fazer propaganda dos alimentos saudáveis realmente funciona!, o resultado é a deficiência na educação alimentar; nossos filhos sabem cada vez menos sobre comida e parecem dispostos a comer cada vez menos ingredientes, aumentando o risco de ter deficiências de micronutrientes, obesidade e problemas de saúde associados a isso. Esse é um problema para famílias de todos os âmbitos socioeconômicos: a subnutrição (não ingerir comida suficiente) permanece uma preocupação séria, mesmo em países desenvolvidos, mas a má nutrição (não ingerir comida nutritiva suficiente) está mais disseminada.

Nem tudo, porém, são más notícias! Crianças expostas a uma variedade maior de alimentos estão mais aptas a seguir uma dieta saudável; a Educação do Paladar programou-lhes o cérebro para que sejam receptivas a isso. O mesmo vale para os adultos: o Iowa Women's Health Study [Pesquisa de Saúde Feminina de Iowa] (criado para testar os efeitos da alimentação saudável no câncer de mama) descobriu que, com o tempo, mulheres que começam a seguir uma dieta saudável com "comida de verdade" desenvolveram aversão a *fast-food* e aos alimentos processados de que gostavam.[8] As crianças *podem* se desacostumar da "comida de criança" – foi o que Jon, um dos pais que trabalharam comigo, descobriu:

Já tínhamos tentado servir frango "de verdade" para Sarah, de 8 anos, mas ela sempre foi resistente. Imaginamos que ela tivesse nascido enjoada e passamos a oferecer outras coisas no jantar. Ela adora nuggets, que comia de duas a três vezes por semana. Nós comprávamos grandes pacotes no mercado e mantínhamos no freezer – agora não mais, pois decidimos que essa não é uma opção para ela. Na noite passada, preparamos o Frango agridoce com mirtilo (página 289) e, quando servi, comentei que era deliciosamente adocicado. O irmão de 15 anos nem havia falado nada quando Sarah raspou as frutas, experimentou um pedacinho e disse que era docinho. Então terminou aquela porção e pediu mais um pedaço, que comeu também. Tudo sem muita discussão a respeito da comida! Minha mulher e eu nos olhamos sem falar nada, pois não quisemos correr o risco de estragar o momento. Nosso filho também repetiu. Foi um marco para Sarah – que sempre se recusou a comer frango se não fosse na forma de nuggets.

Jon

O relato de Jon contém muitos ensinamentos: se servir uma comida de maneira apetitosa, até mesmo as crianças mais enjoadas podem aprender a gostar dela; até as menores conseguem saborear receitas supostamente "adultas". E, talvez o principal, adultos e crianças devem comer as mesmas coisas – principalmente alimentos "de verdade". As crianças simplesmente não vão consumir ingredientes saudáveis enquanto não aumentarmos a oferta deles e diminuirmos a quantidade de *fast-food* e produtos processados. O bônus é que, com o tempo, eles vão começar a preferir (e até a pedir) as opções mais saudáveis. Isso traz muitas vantagens:

- **Menos trabalho.** Você prepara apenas uma receita para a família inteira (e evita pedidos de última hora).
- **Menos dinheiro.** Faça as contas: bolo caseiro *versus* misturas prontas cheias de substâncias químicas. Se não acredita, visite o sensacional *blog "100 Days of Real Food"* [100 dias de comida de verdade] (100daysofrealfood.com) [em inglês], com a história de uma família de quatro pessoas que por cem dias se alimentou apenas de alimentos "reais", sem serem processados – tudo por menos do que normalmente se gasta com comida.
- **Seus filhos (e você também) vão comer melhor.** As crianças são imitadoras por natureza, copiando tudo o que o pai ou a mãe fazem. Se o pai se senta à mesa para comer salada, o filho provavelmente vai fazer o mesmo. Se o pai fica beliscando biscoitos em pé, na cozinha, adivinhe o que acontece?

Servir "comida de verdade" traz outro benefício, que é uma verdadeira arma secreta: o paladar infantil também pode ser treinado para desgostar de *fast-food*. Um bom exemplo é Antoine, amigo de nossas meninas e filho de pais franceses que se mudaram para Vancouver. Aos 3 anos, ele já se recusava a comer o tipo de bolo de aniversário comprado pronto, enfeitado com coberturas repletas de gordura. "O gosto não é bom", ele dizia (em minha opinião, ele estava certo). Sua mãe me contou essa história, orgulhosa, certa de que a Educação do Paladar que ela promovia em casa permitia a Antoine detectar – e desprezar – o sabor de alimentos "falsos" produzidos em escala industrial.

Mas você deve estar pensando: o que é "comida de verdade"? Existem milhões de especialistas dando conselhos sobre dietas, atitudes e truques. Gosto da definição de Michael Pollan: "Não coma nada que sua avó não reconheceria como comida". Ou seja: barrinhas de cereais não valem, frutas secas valem. (Há mais exemplos no final deste capítulo.)

Uma atitude que beneficie a "comida de verdade" sugere que devemos limitar a quantidade de alimentos processados (como açúcar) que as crianças adoram. Isso é obviamente importante para a saúde, mas também é uma questão de gosto. Lori, uma das mães que trabalharam comigo, deu a seguinte explicação para seus filhos:

Disse às duas meninas que o açúcar é como o lápis preto em uma pintura. Um pouco, tudo bem. Mas se você pintar um desenho lindo e então passar lápis preto por cima de tudo, não consegue ver mais nada. É isso o que faz o açúcar: um pouco, não tem problema. Em muita quantidade, ele esconde os outros sabores. Se você comer muito açúcar, o tempo todo, sua língua não consegue mais reconhecer nenhum outro sabor. A vida fica muito chata. Adoro o fato de essa explicação não falar que o açúcar faz mal, mas que pode resultar em um paladar chato e monótono. E é verdade! Acho que as crianças realmente entendem essas explicações relacionadas ao paladar.

Lori

Como se livrar da "comida de criança": Faça uma lista

Fazer um inventário é uma ótima maneira de começar a mudar os hábitos de sua família. Comece preparando uma lista de todas as "comidas de criança" que você tem em casa. Para cada item, relacione uma comida "de verdade" equivalente. Dica: se você não conseguir pensar em nada similar, talvez seja mais inteligente eliminar o produto de sua lista de compras. Da próxima vez em que for ao mercado, tente comprar apenas alimentos "reais" e limitar o restante. É importante limitar a "comida de criança", e não proibir, porque você não quer que a tática se volte contra você, incentivando o desejo infantil pelos produtos vetados.[9] Em lugar de vigiar, a melhor estratégia é desviar a atenção de seus filhos (sempre tendo frutas frescas e saborosas à mão, por exemplo).

Sei que parece desafiador. Pense da seguinte maneira: em culturas gastronômicas tradicionais, não existe "comida de criança". Na verdade, também era assim em países onde a "comida de criança" hoje é mais disseminada (e onde, não por coincidência, as taxas de obesidade infantil são maiores). A garotada comia o mesmo que os adultos, e desde pequena – muitas vezes, tão logo que conseguissem mastigar ou levar a colher para perto da boca. As crianças são programadas para comer assim e são mais que capazes de fazer isso.

Quando fizer sua lista do que comer (e do que limitar), lembre-se de que as crianças fazem o que nós fazemos, e não o que dizemos para fazerem. Se você comer diversas frutas e hortaliças, seus filhos tendem a imitar. Ao demonstrar um prazer verdadeiro com esses ingredientes, você aumenta as chances de eles gostarem também. Se experimentar novos alimentos com entusiasmo, eles se interessam mais por dar uma mordida. Explicar por que as crianças devem consumir alimentos saudáveis funciona com algumas delas (e, moderadamente, não faz mal), mas para muitas vai ser mais fácil aprender pelo exemplo dos pais.[10]

Inventário de alimentos

"Comida de criança"	Alternativa "real"
Cereais matinais com açúcar	Mingau de aveia
Pão branco	Pão integral ou multigrãos
Potinhos de iogurte com sabor	Iogurte natural com um pouco de geleia
Sucos industrializados	Vitaminas ou limonada caseira (página 318)
Bananada	Frutas frescas
Nuggets de peixe	Peixe fresco
Queijo processado	Cubos ou fatias de queijo fresco
Barrinhas de cereais	Granola (experimente regar com um pouco de mel)

Acabar com o hábito da "comida de criança" leva tempo, mas vale a pena. Basicamente, é preciso implantar a Educação do Paladar de maneira inversa, incentivando o gosto por alimentos saudáveis em vez do gosto por nocivos. Pense nisso como uma reabilitação do paladar de seus filhos! Quando você fizer o inventário da comida consumida por sua família e incluir novas opções na despensa, há três atitudes que podem ser tomadas: substituição gradual, a regra do "um novo alimento por dia" e a regra da "rotatividade".

Substituição gradual

Assim que fizer o inventário, comece gradualmente a substituir a "comida de criança" por alimentos reais. As combinações sugeridas a seguir permitem que você comece a fazer a transição para produtos saudáveis; com o tempo, reduza os ingredientes processados.

- Troque o pão branco para pão de fermentação natural, e então para multigrãos.
- Experimente fazer molho para massas "meio a meio": metade comprado pronto e metade caseiro.
- Misture macarrão integral com o normal e arroz integral com o branco.
- Sirva cereais saudáveis no café da manhã (como mingau de aveia) e use os processados como um tipo de cobertura.

Recentemente, fizemos um rodízio com diferentes tipos de cereais e convencemos nossas filhas que o mingau de aveia é delicioso. Agora, elas nem pedem cereais com açúcar. Comeram há pouco tempo na casa de amigos e perceberam que não parecia tão satisfatório ou saboroso. Sucesso!

A longo prazo, você pode estabelecer como objetivo fazer a transição para uma dieta mais saudável. Eis algumas sugestões de metas que você pode escolher para sua família.

- **Coma principalmente cereais 100 por cento integrais** (como pão 100 por cento integral, e não pão branco; o mesmo vale para cereais de café da manhã).
- **Faça com que metade da dieta seja composta por hortaliças e frutas.** Lembre-se: frutas e hortaliças devem corresponder à metade do consumo alimentar dos adultos – seus filhos, portanto, devem ter isso como meta. Servi-los em *primeiro lugar* a cada refeição é uma maneira simples de ajudar as crianças a adotar essa proporção com o tempo.
- **Consuma gorduras saudáveis e evite as artificiais.** Não coma glucose de milho (não compre cereais com açúcar, refrigerantes, coberturas de bolo artificiais – a substância está presente em vários produtos!) e nada feito com gorduras hidrogenadas ou trans. Atenção: a gordura não processada (como azeite de oliva e manteiga) não apenas pode ser consumida com moderação como também é necessária! As crianças precisam delas para seu desenvolvimento e algumas vitaminas são solúveis em gordura. Além disso, um pouco de gordura aumenta a sensação de saciedade e ajuda a combater a fome entre as refeições. Pesquisadores da Harvard Medical School descobriram que quantidades moderadas de gordura saudável ajudam a perder peso e manter-se na linha.[11]
- **Tudo com moderação.** Um pouco de gordura não processada, como azeite de oliva e manteiga, tudo bem. Um pouco de sal, tudo bem.

Um pouco de chocolate, sem dúvida tudo bem. Um pouco de "comida de criança" de vez em quando, tudo bem. Você entendeu!

- **Ensine a seus filhos a diferença entre alimentos (para comer sempre) e guloseimas (para comer de vez em quando).** Tanto nas refeições quanto nos lanches, sirva alimentos. Guloseimas – incluindo doces, bolos, biscoitos, batata frita e refrigerante – são permitidas apenas de vez em quando. Um exemplo: comemos batata frita em festas ou quando alguém vem jantar conosco, mas de outra maneira elas não aparecem em nossa casa. Isso também evita a taxar os alimentos de "bons" ou "ruins" – o que não deve ser feito, já que pode provocar associações emocionais (como culpa) e causar distúrbios alimentares nas crianças.
- **Ofereça água para seus filhos.** Suco é para ocasiões especiais. Se as crianças quiserem frutas, devem comer frutas.
- **Substitua "besteiras" por guloseimas caseiras.** Boas opções são iogurte natural com uma colherada de geleia de frutas, picolés de suco de frutas, pequenas quantidades de chocolate de boa qualidade, frutas frescas e secas, pipoca e bolos caseiros.

A regra da "rotatividade"

Agora que seu filho começou a comer versões saudáveis de seus alimentos preferidos, é hora de começar a introduzir mais variedade em sua dieta. Isso não significa extrapolar. Assim como os adultos, as crianças têm suas preferências, e o gosto individual deve ser respeitado.

Muitos adultos tendem a variar as refeições. Se você comeu macarrão no jantar de ontem à noite, dificilmente vai querer a mesma coisa na noite seguinte. Entretanto, é comum entrar na rotina de dar a seu filho as mesmas coisas caso ele seja pouco receptivo a novos alimentos. Você pode começar a introduzir variedade fazendo um rodízio do que serve nos pratos da criança. Por exemplo, se ela gosta de queijo com macarrão, sirva parmesão ralado em um dia e cheddar em outro. Ou, se gosta de cenoura crua, prepare também cozida. Use os gostos familiares para incorporar outros sabores (a técnica do "sabor amigo" apresentada no Segredo nº 1: As crianças podem aprender a gostar de alimentos saudáveis). Nunca é cedo demais para acrescentar mais variedade à alimentação de seu filho (com bebês menores de 1 ano, porém, espere alguns dias antes de acrescentar um novo ingrediente, para ver se a tolerância é boa).

Mais variedade tem benefícios psicológicos: as crianças não ficam presas a receitas e alimentos preparados de uma maneira específica. Aprendem a esperar por novidades – e a gostar delas! Minha cunhada francesa alterou deliberadamente o calor da mamadeira de seus filhos para que não se acostumassem e exigissem apenas uma temperatura. (Bem, ela fez isso de propósito com o primeiro filho, mas quando o segundo chegou foi apenas uma estratégia de sobrevivência, algo na linha "a vida é assim".) Também é possível adaptar essa estratégia quando fizer escolhas no dia a dia: "Comi uma maçã no almoço, então agora vou comer uma laranja". A variedade torna tudo mais divertido – e, se a alimentação for menos chata, as crianças participam mais.

A regra do "um novo alimento por dia"

Introduzir algo novo funciona melhor nas refeições tranquilas, em família – de preferência, à noite, quando você tem tempo para conversar sobre a comida e não pressiona as crianças a comerem porque precisam sair rápido para a escola. Se não for possível reunir todos em volta da mesa, no jantar, tente conseguir mais tempo de manhã, para um café mais sossegado. A variedade pode estar presente também no café da manhã: diferentes tipos de frutas, novos sabores de vitaminas caseiros e outros cereais.

As estratégias da Educação do Paladar vistas na página 41 ajudam também aqui, caso você já não as tenha adotado. Lembre-se: é normal ter algumas preferências. Todos nós temos. Diferenças de paladar individuais são reais e, até certo ponto, inatas. Isso não significa que as crianças não possam aprender a gostar de ingredientes novos.

Aumentando a variedade: mantenha o otimismo

Quando apresentadas a algo novo, as crianças muitas vezes respondem "não" à pergunta "você gostou dessa comida?" Mas como podem não ter gostado se não a conhecem? O que elas querem realmente dizer é que não estão familiarizadas com o sabor. É sua tarefa mostrar os ingredientes novos, da maneira mais gentil e divertida possível. (Veja as ideias simples da página 41.) Um dos melhores jeitos de ajudar as crianças a sentir curiosidade por receitas novas é familiarizá-las primeiro. Pense que é como incentivá-las a fazer novos amigos (cada pessoa tem uma personalidade própria). Introduza os ingredientes como se fossem novos e interessantes conhecidos. Faça com que os menores "conheçam" primeiro as hortaliças cruas. Os maiorzinhos podem ajudar a lavar e os mais velhos, a cozinhar! Praticar isso com regularidade – e, com os mais resistentes, *antes* de oferecer os novos alimentos – permite às crianças superarem a resistência. Às vezes, é preciso ser criativo nas receitas, como contou uma das mães que testaram essas técnicas:

> *Se meus filhos não gostam muito de algum ingrediente, a exemplo de berinjela, tento servir de diferentes maneiras. Isso me dá mais chances de fazer uma receita que eles gostem. E se eles dizem "não gosto de berinjela", posso responder "mas você nunca experimentou desse jeito. Acho que esse é o prato que vai transformar a berinjela em seu alimento preferido!" Isso quase sempre aguça a curiosidade e eles acabam pelo menos dando algumas mordidas. Trocar as técnicas culinárias também faz com que comam o ingrediente algumas vezes, até que simplesmente se acostumem ao sabor. Isso funcionou perfeitamente com meu filho de 7 anos, que hoje come tudo o que "odiava" três anos atrás, incluindo berinjela. Com os outros filhos, comecei mais cedo, e hoje até os de 3 e 5 anos comem verduras amargas, como rúcula, radicchio e dente-de-leão, sem reclamar.*
>
> *Roberta*

Pense no que seu filho comeu essa semana no almoço. No Japão (onde as crianças já usam *hashis* com destreza quando ainda estão na pré-escola), elas comem peixe e arroz todos os dias. No Peru, mingau de quinoa. Na China, pode ser acelga temperada com pimenta ou sopa de macarrão picante. Na França, pratos como salada de rabanete, peixe assado e gratinado de couve-flor aparecem regularmente nos cardápios escolares. Por mais espantoso que possa parecer, as crianças realmente *comem* tudo isso. A razão é simples: elas aprenderam a gostar das receitas. Na verdade, foram ensinadas a gostar – pelos pais e o restante da família, amigos e colegas, professores.

Algumas culturas são melhores que outras ao expor suas crianças às hortaliças e ao encorajá-las a desenvolver um paladar mais amplo. Pais e escolas chinesas tradicionalmente exigem uma atitude de respeito; os adultos desaprovam quando seus filhos demonstram aversão às receitas.[12] Na França, manifestar desprezo por qualquer prato à mesa é visto como um indício sério de má educação.

As crianças têm mais prazer em comer hortaliças, e aumentam a quantidade ingerida, se precisam prová-las regularmente (não podem apenas olhar, mas devem *realmente experimentar*).[13] O efeito se amplia caso exista, em casa, uma grande variedade de frutas e hortaliças.[14] Isso funciona até com bebês: um estudo descobriu que quem foi alimentado com hortaliças diferentes, todos os dias, durante uma semana, estava mais apto a gostar de um novo ingrediente – vagens, nesse caso – quando ele foi oferecido.[15]

Os pais e as escolas francesas costumam oferecer o máximo de variedade; por isso, as crianças esperam por novidades. As escolas até oferecem aos pais sugestões de cardápios para o jantar, para ajudá-los a simplificar a tarefa de não repetir nada que foi servido no almoço daquela semana. "Comemos frango na segunda-feira, portanto hoje teremos peixe", seria uma consideração comum a pais franceses. O hábito norte-americano de servir os mesmos alimentos – com exatamente o mesmo gosto – dia sim, outro também, aumenta a possibilidade de as crianças terem um paladar mais restrito e rígido.

Variedade natural: (re)descubra os alimentos sazonais

Uma maneira simples de ampliar a variedade e a oferta de novos alimentos é simplesmente seguir o calendário. A cada estação, novos produtos estão disponíveis. Isso acontecia naturalmente: as crianças conheciam diversos ingredientes porque passavam mais tempo com os adultos, que não apenas preparavam as receitas, mas plantavam, cultivavam e colhiam os produtos. Meus tios e tias, que cresceram em uma grande família de agricultores, ainda falam sobre o gosto fresco das primeiras espigas de milho no verão, a excitação que sentiam quando as frutas vermelhas amadureciam e o sabor dos tomates cultivados por eles.

Não quero romantizar esse tipo de vida ou minimizar o exaustivo trabalho que ainda existe na agricultura em muitas partes do mundo. Meus parentes também se lembram do cansaço profundo que sentiam com a lida sem fim durante as colheitas, da preocupação com o clima e das oportunidades perdidas quando as crianças eram tiradas da escola ainda jovens para ajudar na fazenda. Tampouco a alimentação era especialmente variada (laranjas eram consumidas uma vez por ano, no Natal). Mas a indústria alimentícia moderna – com sua conveniência e seu alcance global – quebrou os elos entre a sazonalidade e as refeições em família, suprindo os desejos (e mesmo incentivando) do limitado repertório alimentar infantil.

Você acha que estou exagerando? Um artigo recente da publicação *Appetite* mostra que os pais não apresentam aos filhos alimentos de que eles próprios não gostem, o que pode piorar a implicância com a comida. Por quê? Porque, em longo prazo, isso reduz a aceitação daqueles ingredientes e afeta negativamente o que os cientistas chamam de "aprendizado do sabor". Os pesquisadores concluíram: "para promover a variedade na dieta infantil, os pais deveriam dar exemplos saudáveis, introduzindo alimentos novos e antes desprezados por eles mesmos, mesmo que não gostem".[16] Os estudiosos listaram hortaliças que não costumam aparecer nas listas de preferências da garotada: couve-de-bruxelas, berinjela e repolho.

Leia outra vez: couve-de-bruxelas. Berinjela. Repolho. Será que *você* gosta dessas hortaliças? Como *você* reagiu quando viu a lista? É provável que você não goste de pelo menos uma delas. Agora pense em outros legumes e verduras de que não gosta. Quantos deles já foram oferecidos a seus filhos?

O legume que sempre "amei odiar" é a couve-flor – eu nunca comprava e sempre me surpreendia ao ver alguém comendo –, mas desenvolvi uma receita de que gosto (Gratinado de couve-flor, página 235). Quando minhas filhas viram que eu sentia prazer ao comer, passaram a gostar também. Uma sente mais entusiasmo que a outra, mas nenhuma rejeita o ingrediente, que hoje é um dos preferidos de nossa família.

Às vezes, nossas experiências na Educação do Paladar surpreenderam até a mim mesma! Claire, minha filha de 5 anos, é um bom exemplo. Outro dia ela estava comigo, mergulhando alguns bastões de legumes em homus caseiro. Acidentalmente, pegou um pequeno pedaço de alho cru (acho que não bati direito no processador). "Opa!", ela gritou, mostrando a língua e cuspindo o pedacinho de alho em seu prato, olhando para ele com desconfiança. "Beba um pouco de água", eu disse. Mas ela pegou uma fatia de tomate e comeu. Meu marido e eu não falamos nada, pois aprendemos a não fazer comentários demais quando as crianças passam por uma nova experiência. "Estava ardendo, mas o tomate deixa o gosto melhor", ela disse, curiosa. E, acreditem ou não, ela pegou o pedacinho de alho e o colocou novamente na boca. Então comeu outra fatia de tomate. (As crianças mexicanas aparentemente passam por um processo semelhante quando começam a comer molho apimentado em todas as refeições, mais ou menos na mesma idade.)

Apenas para esclarecer: o objetivo deste livro não é fazer com que seu filho goste de alho cru – nem posso ter certeza se Claire será uma amante do ingrediente. A meta é fazer com que as crianças estejam abertas para novos alimentos e sensações gustativas – mesmo as que aparentemente sejam desagradáveis.

Antes de começar, lembre-se do fator mais importante a respeito da Educação do Paladar: é preciso acreditar que seus filhos *podem* e *vão* comer de tudo. Não suponha que eles não vão gostar de algo que não lhe agrada ou que tenha um gosto forte. Explorem juntos os sabores, como se estivessem em uma divertida aventura gastronômica familiar.

Jogos divertidos que introduzem mais variedade à dieta de seu filho

Com os três jogos a seguir, você apresenta seu filho a uma variedade maior de texturas e cores e os ajuda a entender como a diversidade "artificial" pode ser produzida por meio de corantes alimentícios. Os jogos são particularmente divertidos, já que todos "enganam" as papilas gustativas. (As receitas deste livro, que começam na página 203, foram criadas para incentivar dietas variadas, pois apresentam quatro maneiras diferentes de preparar hortaliças e frutas comuns.)

Jogo 13:
As texturas extraordinárias (3 anos ou mais)

Mensagem principal: Crianças muitas vezes demonstram resistência a novos alimentos porque sentem uma estranheza na boca. Este jogo apresenta uma série de texturas e permite a seus filhos desenvolver um vocabulário para descrevê-las. Também ajuda a reconhecer diferentes sensações sem a pressão que podem sentir à mesa do jantar.

Espere até que seu filho esteja com um pouco de fome (mas não muita) para jogar. Explique que é uma "experiência do paladar", ou um "divertido jogo de degustação". Faça com que seja agradável!

Material necessário:
Escolha dois alimentos: um de que seu filho goste (1) e outro que estão aprendendo a comer (2). O segredo é variar as texturas. Por exemplo, se a criança gosta de maçã, você pode preparar (para cada participante do jogo):

1 fatia de maçã fresca *(crocante)*
1 copo pequeno de suco de maçã *(suculento)*

1 fatia de maçã desidradata *(resistente)* (asse fatias de maçã por 30 minutos no forno a 180 °C)
1 crisp de maçã *(crocante)* (deixe as fatias de maçã desidratadas por mais 20 minutos no forno, ou até secar completamente)
1 colherada de purê de maçã *(macio)*
1 pequeno pedaço de casca de maçã, de preferência orgânico e sem cera *(liso)*

Faça o mesmo com o alimento que estão "aprendendo a comer". Imagine que seja tomate:
1 fatia de tomate verde *(firme)*
1 fatia de tomate maduro *(macio)*
1 copo pequeno de suco de tomate *(suculento)*
1 tomate seco *(resistente)*
1 colherada de molho de tomate *(macio)*

Se seu filho não gostar de maçã, pense em algum outro ingrediente que possa ser preparado em diversas texturas. Para algumas crianças, é possível usar um cereal matinal amolecido (macio) e outro seco (crocante). Batatas também dão resultado (crua, chips, cozida, frita). Use algo de que seu filho goste e que possa variar de textura, para você adaptar à experiência.

O que fazer:
Prove o alimento 1. Experimente cada amostra, uma de cada vez. Converse sobre as palavras que você usaria para descrever cada textura. Peça para a criança relacionar outros ingredientes com texturas semelhantes – inclusive alguns de que ela não gosta.

Descreva as texturas. Peça para seu filho identificar as texturas que agradam. Então, as que não agradam.

Prove o alimento 2. Siga os passos acima: prove cada amostra, uma de cada vez. Converse sobre as palavras que você usaria para descrever cada textura. Peça para a criança relacionar outros ingredientes com texturas semelhantes – inclusive alguns de que ela não gosta.

Descreva as texturas. Peça para seu filho descrever as texturas usando tantas palavras quanto puder. Você também deve experimentar as amostras e falar sobre as diferentes texturas. Em muitos casos, a curiosidade natural da criança vai estimulá-la a provar os alimentos (ou apenas lamber, no início). Seja paciente!

Você também pode usar as texturas para deixar as refeições mais divertidas. Um exemplo: quando minha filha mais nova (então na pré-escola) começou a implicar com cenouras cruas, comprei um pacote da versão baby e cozinhei metade (imersas em água fervente, para manterem a cor laranja intensa) e deixei o restante cru. Então misturei as duas texturas, coloquei em um prato e levei à mesa, na hora do lanche. Ofereci a meu marido e à filha mais velha. Passamos um bom tempo tentando adivinhar se nossas cenouras fariam um estalo crocante ou se não haveria barulho. Depois de nos ver dar risadas por alguns minutos com o "jogo da cenoura crocante", a mais nova se juntou a nós. E adorou produzir o barulho mais alto de todos!

Variação: Enganando as papilas gustativas
Crianças mais velhas podem ser divertir com esta versão do Jogo das Texturas Extraordinárias.

Material necessário:
1 batata crocante
1 maçã crocante
1 venda

O que fazer: Antes de começar, *sem que seu filho veja*, descasque e corte a maçã e a batata em fatias bem finas, se possível de um tamanho idêntico. Cubra e chame a criança para jogar.

Primeiro, coloque a venda na criança. Em seguida, peça para que ela tampe levemente o nariz. Explique que você vai lhe oferecer algo de comer e coloque uma fatia de batata ou maçã em sua mão.

Solicite que a criança morda e identifique o alimento. Então coloque uma fatia do outro ingrediente em sua mão e novamente peça para ela morder e identificar. Pergunte: "era a mesma comida ou coisas diferentes?" Muitas crianças têm dificuldade em distinguir os dois produtos porque maçãs e batatas têm a textura semelhante e prender o nariz dificulta o trabalho do paladar. Crianças mais velhas adoram convidar adultos que nunca jogaram para participar da experiência.

Variação: Testando a textura

Uma versão do jogo envolve experiências com texturas.[17] Se você tiver filhos pequenos, talvez seja melhor começar dessa maneira. O objetivo é envolver a criança em uma atividade sensorial com texturas, que desempenham um papel importante na maneira como sentimos o gosto da comida e afetam nossa percepção do quanto ela é satisfatória.[18] O jogo deixa a criança menos desconfiada das texturas e dá mais ideias – e vocabulário – a respeito da relação entre textura e sabor. Eis alguns de meus itens favoritos para a brincadeira:

- bicarbonato de sódio e água
- feijões grandes
- arroz
- areia
- grãos pequenos (como lentilhas)

Coloque cada item em um copo e deixe-os em uma superfície onde seu filho possa despejar, mexer e manusear os alimentos – então afaste-se e deixe-o brincar à vontade!

Se a criança ficar interessada, você pode também tentar manipular as texturas com o calor. Por exemplo: modifique a textura (mais o sabor e a cor) da manteiga de amendoim aquecendo ou resfriando (ou assando). Ou espere que o sorvete derreta e congele novamente.

Crianças mais velhas podem se interessar em aprender sobre os aditivos que alteram a textura dos alimentos, tais como a goma guar e a goma xantana. Da próxima vez em que estiver no supermercado, peça para seu filho ler os rótulos de alguns produtos e procurar pelas substâncias.

Jogo 14:
Confusão de cores (6 anos ou mais)

Mensagem principal: Essa atividade simples mostra que as cores podem influenciar no sentido do paladar (é por isso que alimentos processados muitas vezes usam corantes artificiais para aumentar o apelo visual). Também ensina que é preciso prestar atenção em como nossos sentidos podem ser enganados por meio do uso de cores artificiais.

Material necessário:
5 copos idênticos (de vidro ou plástico transparente)
Água
5 colheres (sopa) de açúcar
Corante alimentício vermelho

O que fazer:
Prepare a experiência. Sem que seu filho veja, coloque ½ xícara de água em cada copo e acrescente 1 colher (sopa) de açúcar, mexendo até dissolver. Agora junte o corante vermelho a cada copo: 1 gota no primeiro, 2 no segundo, 3 no terceiro, 4 no quarto e 5 no quinto. Você deve obter diversos tons, do rosa claro ao vermelho escuro. Cada copo precisa parecer diferente dos outros; se for necessário, acrescente um pouco mais de corante. Disponha os copos sobre a mesa. Você está pronto para começar!

Observe os copos. Peça que a criança observe os copos. Converse sobre a presença das cores em seu dia a dia. De que tom é o quarto dela, por exemplo? Quais são suas cores preferidas? Então pergunte sobre a relação entre os tons e o humor. Crianças mais velhas podem estar familiarizadas com o uso das cores em propagandas (as empresas sabem que muitas vezes, implicitamente, associamos certas cores a certas emoções). Por exemplo: o verde supostamente ajuda a acalmar (pense em hospitais e salas de espera).[19] O vermelho traz ardor e energia. O azul é associado à tristeza. Pergunte se seu filho consegue pensar em emoções associadas às cores.

Prove e classifique as amostras. Peça para a criança provar o líquido de cada copo, *dizendo que alguns são mais doces que os outros*. Ela deve tomar um gole de cada e classificar os copos pelo grau de doçura. Anote os resultados.

Eu te enganei! Revele a verdade: os cinco copos tinham a mesma quantidade de açúcar. É muito possível que seu filho tenha considerado o líquido mais escuro como o mais doce. Quando você contar que todos eram iguais, discuta os motivos do engano. Pergunte quais alimentos processados eles podem comer, ou já viram alguém comendo, que usam as cores para intensificar o sabor.

Jogo 15:
O jogo do iogurte (6 anos ou mais)

Mensagem principal: Essa atividade simples reforça a ideia de que nosso paladar pode ser enganado pelas cores (particularmente, por corantes artificiais).

Material necessário:
Iogurte de baunilha
Corante alimentício amarelo (ou laranja)
2 tigelas pequenas

O que fazer:
Prepare o jogo. Sem que a criança veja, coloque quantidades iguais de iogurte em cada tigela. Acrescente 1 ou 2 gotas de corante a uma delas e mexa bem (deve ficar com uma cor atraente e bem diferente do iogurte sem corante).

Prove um pouquinho. Peça a seu filho para provar os dois tipos de iogurte e dizer qual é o sabor de cada. Muitas crianças acertam ao identificar o iogurte de baunilha, mas então sugerem "damasco", "laranja" ou "mel" para o conteúdo da segunda tigela.

Eu te enganei! Depois de revelar a verdade, pergunte à criança por que ela pensou que cada iogurte tinha um sabor diferente. Converse sobre o uso de corantes artificiais nos alimentos. Que impacto isso pode ter em nossa experiência quando comemos esses produtos? Da próxima vez em que estiver no mercado, sugira que seu filho leia a etiqueta de algumas de suas marcas preferidas para verificar se acrescentaram corantes artificiais. Talvez eles se surpreendam: esses aditivos são usados por muitos fabricantes.

Crianças mais velhas podem se interessar pela diferença entre cores artificiais (as mais comuns incluem o vermelho #40 e o amarelo #5 e #6) e naturais (de fontes como suco de beterraba, cúrcuma e betacaroteno). Também é possível conversar sobre a relação entre corantes artificiais e a saúde. Foi provado que alguns aditivos são carcinogênicos potenciais.[20] Alguns estudos descobriram uma ligação entre corantes artificiais e a hiperatividade infantil, levando a British Food Standards Agency a aconselhar os pais de crianças com Transtorno do Déficit de Atenção com Hiperatividade a retirar de sua alimentação todos os produtos que usam corantes artificiais.[21] Em 2008, o Parlamento Europeu aprovou uma lei exigindo que os alimentos contendo corantes artificiais fossem identificados com rótulos advertindo para seu impacto potencial no comportamento infantil. Nos Estados Unidos, a FDA promoveu uma investigação, em 2011, e levou algumas marcas (como Frito-Lay e Kraft Dinner) a substituir os corantes artificiais por fontes naturais, como suco de beterraba, cenoura e repolho-roxo.[22]

Variação: Uma versão divertida dessa experiência usa refrigerantes de diferentes cores. Compre dois ou três produtos de sabores bem distintos – como cereja ou limão – e também um pouco de água com gás. Coloque um pouco de refrigerante em cada copo e acrescente um pouco de corante alimentício laranja à água com gás. Peça para seu filho experimentar cada um. Muitas crianças dizem que a bebida cor de laranja (que não tem gosto) tem sabor de "laranja"!

Dicas preciosas para comer alimentos de verdade (e não de criança)

- **Faça um inventário familiar.** Isso ajuda a identificar que tipo de "comida de criança" você quer eliminar de sua despensa. Leve a lista quando fizer compras!
- **Use substituições graduais para substituir a "comida de criança" por "comida de verdade".** Em lugar de radicalizar, esse método mais suave funciona melhor, principalmente com crianças mais velhas.
- **Estabeleça metas saudáveis de longo prazo.** Mas seja modesto – você precisa alcançar o objetivo!
- **Use a regra da "rotatividade".** Aumente a variedade de alimentos de que seu filho já gosta.
- **Use a regra do "um alimento novo por dia".** Faça com que a dieta de seu filho seja mais variada. Para as crianças mais desconfiadas, experimente algo novo uma vez por semana.
- **Apresente a criança aos alimentos novos *antes* de servi-los.** Seu filho pode ajudar a colher, limpar e cozinhar os novos produtos. Os menorzinhos podem apenas observar a versão crua antes de você fazer suas mágicas na cozinha!
- **Use a sazonalidade a seu favor.** É uma maneira fácil e divertida de garantir o máximo de variedade ao longo do ano.

Segredo nº 6

Participar é melhor do que pressionar

Seu filho seria um bom jogador de futebol se apenas recebesse lições sobre o jogo sentado na sala de aula e vendo o professor falar sobre as partidas? Sua filha aprenderia a dirigir com segurança se apenas assistisse a vídeos dizendo como é importante "tomar cuidado"? Informações são necessárias, mas não são tudo! Nossos filhos precisam sair e treinar, até que tenham desenvolvido as habilidades físicas e mentais necessárias para dominar alguma atividade.

O mesmo acontece com a comida. As crianças precisam praticar, da mesma maneira que treinariam um esporte (com você no papel de técnico). Quanto mais se guiarem pelos próprios interesses e sentirem que têm o controle do aprendizado ("definido pela criança", no linguajar parental), mais entusiasmadas se sentem. Deixar que participem e se responsabilizem faz com que desenvolvam autonomia, perícia e prazer, segredos de uma vida inteira de hábitos alimentares saudáveis.

Este capítulo explica algumas atividades simples e divertidas que você pode usar para desenvolver o aprendizado definido pela criança a respeito da alimentação saudável. As famílias que testaram as técnicas deste livro comigo saíram-se muito bem. As atividades vão de jardinagem ao planejamento das refeições, entre outras, sempre com um objetivo em comum: encorajar o envolvimento das crianças na alimentação, e não controlar o que estão comendo. Isso se baseia na premissa simples de que a garotada está mais disposta a comer o que ajudou a preparar, seja na colheita, compra, preparo, cozimento ou criação do cardápio.

O controle excessivo dos pais geralmente sai pela culatra em algum momento. E pode ter consequências negativas em longo prazo: os pais que controlam abertamente o comportamento alimentar dos filhos (impedindo de comer algumas coisas ou dizendo frases como "Pare agora, você já comeu o suficiente" ou "Continue, você ainda não comeu tudo") têm mais chances de colaborar com o surgimento de distúrbios alimentares, como a compulsão ou a mania de fazer dietas.[1] Várias pesquisas mostram que as crianças geralmente demonstram sua independência fazendo exatamente o contrário do que foi aconselhado pelos pais. Minha preferida: em um estudo, os pais foram orientados a proibir os filhos de comer uma atraente guloseima vermelha – quando os pais saíram da sala, a maioria das crianças pulou sobre o doce e comeu mais do que os filhos de pais que não emitiram opinião.[2]

Ofereça escolhas adequadas à idade

Uma estratégia simples é permitir que a criança faça escolhas apropriadas à sua idade. Um exemplo: se seu filho tiver idade pré-escolar, pergunte se ele prefere cenoura ou vagem como acompanhamento no jantar. Ou que tamanho de porção ele gostaria de comer. Crianças que podem determinar quanto querem comer aprendem a reconhecer a própria fome e a sensação de saciedade – portanto, podem começar a comer quando sentem fome e parar quando estão satisfeitas. Você não está ensinando o desperdício, e sim a não continuar comendo depois de saciado. Sirva pequenas porções e deixe que repitam.

Crianças em idade escolar apreciam quando seus sentimentos em relação a novos ingredientes são respeitados. Embora você possa pensar que as está encorajando, às vezes as múltiplas tentativas de "forçá-las" a comer é vista como pressão. É um equilíbrio delicado. Lembre que, apesar de os pais decidirem o que, quando e como os alimentos são servidos, as crianças podem escolher *se* e *quanto* comer – mas só depois de experimentar tudo o que foi servido.

Pedir para crianças maiores ajudarem a criar o cardápio é uma ótima maneira de elas sentirem que suas escolhas são levadas em conta. As escolas francesas fazem isso regularmente; a criança cujo menu foi selecionado para todas as classes fica muito orgulhosa! Isso é fácil de fazer em casa.

Outra estratégia é solicitar que seu filho fale sobre hábitos alimentares (e não sobre nutrição) *e marketing*, para que entenda os motivos existentes por trás da rotina de consumo familiar. Deixar que ele faça as compras no supermercado (por exemplo, escolhendo as beterrabas "dele") e envolver outras crianças no preparo das receitas (que os adultos devem comer com prazer!) também dá resultados maravilhosos, como descobriram Roberta e Stacy – duas mães que trabalharam comigo neste livro:

> *Envolver meus filhos (de 3, 5 e 8 anos) nas compras e no preparo das refeições é ótimo. Eles adoram a quitanda e me ajudam a escolher frutas e hortaliças. Quase sempre eu os deixo pegar uma "fruta engraçada" para*

trazer e experimentar. Essa é uma parte divertida e excitante das compras e um prazer para eles: os garotos procuram frutas ou hortaliças que nunca experimentaram (ou que comem raramente) e que parecem engraçadas ou estranhas. Eles se sentem orgulhosos de encontrar as mais diferentes. Geralmente é algo exótico e tropical (como pitaia ou figo-da-índia) e muitas vezes acabam gostando do sabor. Às vezes não gostam, mas isso não tem muita importância – é a surpresa que conta. Como são eles que escolhem as frutas, estão no comando da experiência e ficam loucos para prová-las (nunca aconteceu de recusarem uma "fruta engraçada", por mais estranha que fosse por dentro). Isso ajudou demais a abrir a mente dos meninos e deixá-los dispostos a experimentar ingredientes novos.

Roberta

Envolver as crianças é fundamental. Na noite passada, preparei um bufê de saladas. Coloquei sobre a mesa uma grande vasilha de verduras ao lado de tigelinhas com frutas (amoras, manga, uvas verdes fatiadas e uvas-passas), croûtons caseiros em forma de estrela e molho. (Usei frutas de propósito no lugar de legumes, pois achei que seria menos assustador para eles; também fiz os croûtons como estrelinhas para deixá-los mais divertidos.) Apenas um de meus filhos come salada normalmente. Mas nessa noite todos vieram correndo para a mesa e começaram a se servir. Mesmo o de 7 anos, que não gosta de amoras e manga, colocou algumas em seu prato. Fiquei sem fala! Por que não pensei nisso antes? Mas eu não estou reclamando. Ver que eles estavam com vontade de comer salada, e de maneira tão entusiasmada, me deixou extremamente feliz. Os gêmeos de 4 anos até pediram para eu repetir a dose, hoje. Meu marido, porém, é que estava cozinhando, e não quis fazer de novo. Ele colocou um pouco de salada de verduras com molho no prato de cada criança, sem frutas. O de 7 anos não tocou na comida. Os gêmeos deram umas mordiscadas. No geral, eu diria que a salada convencional não funcionou.

Stacy

Claro que cozinhar pode ser divertido para as crianças. Quem não gosta de misturar a massa ou espremer o suco das frutas? Você pode praticar com elas em casa ou, se tiver sorte, encontrar alguma organização que se disponha a organizar aulas de culinária na escola – como o Projeto CHEF, em Vancouver.

Já para a cozinha!

Você consegue imaginar alunos do quarto ano tomando sopa de couve – e felizes por isso? Difícil, não? Mas essa é a realidade das classes que o Projeto CHEF visita em minha cidade, Vancouver. Criado por Barb Finley (chef e ex-professora), o Projeto CHEF (Cooking Healthy Edible Food) [Cozinhando alimentos saudáveis] trabalha com escolas públicas promovendo aulas práticas a crianças do ensino fundamental. Recentemente, tive o prazer de acompanhar uma classe que participou do programa educativo de Barb. Que delícia! Barb e sua equipe transformaram a sala de aula em uma cozinha que tinha até um mascote de papelão em tamanho natural (um chef francês!)

Quando cheguei, as crianças estavam sentadas em mesas, cada uma com uma placa de fogão elétrica, área de preparo (incluindo facas, raladores e outros utensílios) e uma bandeja cheia de hortaliças cruas que os estudantes – divididos em equipes de cinco alunos e um pai voluntário – transformariam em uma deliciosa refeição.

No dia de minha visita, a receita era minestrone – mas não um minestrone qualquer. A receita incluía couve fresca da horta da escola, ervas e uma impressionante relação de legumes e verduras das feiras orgânicas, incluindo acelga. *Como será que eles vão se sair?*, me perguntei.

Barb começou a aula discutindo os ingredientes da receita, fazendo várias perguntas que fizeram os estudantes erguerem as mãos, ansiosos para darem respostas. "Quantas hortaliças colocaremos na sopa?" fez com que todos começassem a contar atentamente. As respostas (que iam de 8 a 17) provocaram risos, e Barb explicou gentilmente que definimos "hortaliça" como uma planta comestível (ou parte de uma planta comestível) sem sementes – geralmente o talo, raiz ou folha. (Isso explica por que tomate e abacate são, tecnicamente, frutas!)

As crianças prestaram ainda mais atenção quando Barb começou a preparar a sopa, picando a cebola e os outros ingredientes em sua mesa de demonstração, incluindo algumas cenouras monstruosas que fizeram as crianças suspirarem e gargalharem.

"O que ela está fazendo? Dançando tango?", perguntou Barb, mostrando uma cenoura nodosa de três talos, e em seguida completou: "Gostamos de hortaliças com personalidade, como essa. Elas têm mais sabor!" Enquanto a chef picava e provava a cenoura ("Um bom cozinheiro experimenta os ingredientes!"), a classe não tirava os olhos dela: o silêncio era tanto que poderíamos ter escutado uma gota de água caindo no chão.

Quando ela colocou as cebolas no azeite de oliva e a frigideira começou a chiar, a reação da classe me deixou surpresa.

"Isso é *tão* legal!", gritou um menino.

"E o cheiro é *tão* bom!", disse uma garota em minha mesa.

Enquanto Barb continuava com a receita, eles aprenderam tudo: desde "medidas e estimativas" até o segredo para refogar as cebolas com sucesso. Dava para perceber que estavam ansiosos para agir, seguindo as dicas da chef.

"Como cortar a sálvia?", ela perguntou. "Com as mãos – o melhor instrumento do cozinheiro!" Ela ofereceu as folhas a duas crianças e as encorajou: "Agora, cheirem as mãos!" Trinta pares de mãos pegaram a sálvia das mesas, e reparei que os pais voluntários fizeram o mesmo.

À medida que o delicioso aroma da sopa de Barb enchia a classe, as equipes em cada mesa começaram a cozinhar as próprias receitas. E foi muito mais tranquilo do que eu esperava, já que cada criança tinha um papel definido (que mudava a cada dia, durante a semana de aulas): preparar, prover, lavar, secar e dirigir. Assim como em um restaurante, cada aluno tinha suas responsabilidades – uma ótima maneira de evitar brigas a respeito de quem faz o que e de encorajar o trabalho em equipe.

Admito que fiquei preocupada ao vê-las picando os alimentos. Trinta crianças de 8 anos manipulando facas afiadas? Mas me tranquilizei, pois elas tinham sido treinadas no que Barb e sua equipe chamaram de "a garra": uma técnica segura para lidar com os utensílios. Para cortar tudo – de cebola e alho a cenoura e tomate –, as crianças dobraram os dedos e esconderam o dedão em uma "garra" que possibilitava segurar as hortaliças com segurança. Impressionante!

Logo, sete sopas estavam sendo cozidas enquanto os alunos se sentaram para preencher formulários. Barb então me contou alguns segredos do sucesso de seu projeto culinário. Logo no primeiro dia, as crianças devem se comprometer com o lema: "Mente aberta, boca aberta!" Eles prometem experimentar tudo, e o cardápio da semana é criado para que provem novos alimentos a cada dia.

Barb explicou que a pressão positiva exercida pelos colegas e a excitação de preparar a comida faz com que as crianças se sintam motivadas a experimentar novos ingredientes. Ela me mostrou os diversos planos de lições que desenvolveu – tudo de acordo com nosso currículo educativo. O interesse foi tão grande que as aulas de Barb agora ocorrem cinco dias por semana, em nove meses do ano. Em algumas escolas, sua equipe chega para passar um mês e treinar os alunos do ensino fundamental em técnicas culinárias apropriadas para sua idade. Quando o Projeto CHEF se despede, os professores têm novas ideias para incorporar temas relacionados aos alimentos e ao ato de cozinhar em matérias tão distintas quanto inglês e ciências, arte e geografia.

Enquanto Barb e eu conversávamos, as crianças lavaram, secaram e guardaram os utensílios (prontos para serem usados na aula seguinte) e sentaram-se para estudar o que aprenderam. Quando terminaram, arrumaram as mesas com tigelas de porcelana e talheres. Hora de servir a sopa! Como estava perto do almoço, todos tinham um pouco de fome. Do lado de fora, alguns rostinhos curiosos de crianças que saíam para o recreio espiavam pela porta para ver o que estava acontecendo. Pela fisionomia delas, era possível afirmar que adorariam ter se juntado a nós.

Sentei-me a uma mesa com minha tigela e observei a garotada ao meu redor. Muitas crianças, explicou Barb, não se sentam para comer com a família. Pesquisas sugerem que 70 por cento das famílias norte-americanas não fazem juntas as refeições regularmente. Meninos e meninas fazem as refeições na frente do computador e da TV, ou no quarto. Fazer refeições com a família, ela enfatiza, é uma das melhores maneiras de garantir que os filhos aceitem – e gostem – de alimentos saudáveis. Onde eu estava, parecia ser o caso. Três alunos limparam o prato e pediram mais. Mesmo os mais desconfiados deram conta de pelo menos metade de suas tigelas. E ninguém recusou a sopa. Olhei em torno da sala e isso parecia acontecer em todos os cantos. Sucesso!

Enquanto comiam, as crianças conversavam sobre o "tema da refeição" (oficialmente, eram "hortaliças de outono", mas logo passamos a falar sobre *videogames* – pelo menos todos dialogavam alegremente!) Barb então se levantou para mostrar aos alunos um pacote de sopa instantânea e ler seus ingredientes ("Corante artificial! Como eles fazem? Colocam um giz de cera aqui dentro?") antes de perguntar por que preparar a sopa em casa era uma boa atividade. Os garotos tinham várias respostas: é mais gostoso! Custa menos! É mais saudável! É mais divertido! Posso colocar tudo o que gosto! Estava claro que lições valiosas tinham sido aprendidas.

Limpar tudo foi rápido: as crianças jogaram as sobras no cesto de compostagem (que, mais tarde, levariam à pilha de compostagem da escola, ao lado do jardim). Tigelas foram empilhadas; talheres, colocados em grandes recipientes com água e sabão. Então todos foram brincar.

Como várias organizações locais dedicadas ao ensino da alimentação, o Projeto CHEF existe por causa da dedicação de um pequeno grupo de pessoas. Mas, como a equipe de Barb mostrou, basta pouca gente para fazer uma enorme diferença.

Eis algumas dicas para quando você tentar cozinhar com seus filhos em casa:

- **Escolha o momento certo.** De preferência, quando todos estiverem descansados e sem fome.
- **Escolha uma receita apropriada.** Com crianças menores, escolha algo simples. Para as novatas, comece com algo familiar, para que elas associem o ato de cozinhar a algo de que já gostem.
- **Não se preocupe com a bagunça.** As crianças, na verdade, são ótimas na hora de limpar – peça ajuda! As mais novas gostam especialmente de esfregar, varrer e limpar a mesa e o chão.
- **Encontre um "segundo chefe".** Convide um amigo ou parente para participar também. Todos (principalmente você) vão ficar menos estressados se houver alguém para ajudar a olhar as crianças e arrumar a cozinha.
- **Mantenha-se otimista.** Elogie seu filho pelas tarefas que desempenharem. Se a receita falhar, dê risada! Lembre a criança que comemos diversas vezes ao dia e que cada uma delas nos dá a chance de começar outra vez e aprender algo novo. Seu filho aprenderá uma boa lição: é possível aprender com os erros e "não adianta chorar pelo leite derramado" – principalmente na cozinha.
- **Simplifique.** Minha filha mais nova adora misturar a salada com o vinagrete antes do jantar. Isso a mantém envolvida no preparo da refeição e definitivamente a encorajou a comer salada. Um conselho, a partir da minha experiência: se a criança quiser mexer a salada, coloque apenas um pouquinho em uma vasilha bem grande!

Deixe os relutantes no comando

A mágica operada pelo Projeto CHEF mostra como o simples ato de cozinhar pode ser poderoso. Comer é uma experiência sensorial, e as crianças (mais, até, que os adultos) são sensíveis às impressões e sensações físicas. O som da cebola fritando na panela deixa boa parte da garotada excitada – mesmo aqueles que normalmente seriam indiferentes ou reagiriam com desgosto se o ingrediente aparecesse na sopa. O simples ato de lidar com as hortaliças ajuda as crianças a "domá-las" e considerá-las menos assustadoras. E as crianças ficam orgulhosas de seu trabalho! Basicamente, elas se dispõem muito mais a experimentar uma receita para a qual contribuíram – tanto faz se estiverem envolvidas em escolher, cheirar, tocar, cortar ou cozinhar. (Bebês, é claro, também podem brincar, mesmo que simplesmente batendo em panelas com uma colher de pau, para mantê-los ocupados.)

As famílias francesas sabem disso e usam o fato para ajudar a criança a conquistar os ingredientes de que não gostam. Ouvi muitas avós francesas contarem, orgulhosas, sobre os desafios culinários que desenvolveram para seus netos. Uma delas foi a mãe de nossa amiga Remi, que explicou a inteligente estratégia utilizada quando seu neto de 9 anos disse que não gostava de abobrinha. O que ela fez? Saíram juntos e compraram alguns quilos de abobrinha no mercado local, e então ela ajudou o garoto a planejar um cardápio com base no legume para uma refeição em família (que incluiu salada de abobrinha em fatias na entrada, quiche e bolo de abobrinha para a sobremesa!) Todos gostaram e, apesar de sua relutância, o neto admitiu: "Talvez não seja tão ruim". Nunca mais ele falou que não gostava de abobrinha.

Uma das famílias que trabalharam comigo neste livro teve uma experiência inspiradora, parecida com essa. Durante certo tempo, as duas filhas de Lori demonstraram aversão a "salada", palavra que usavam para descrever todas as verduras. A mãe, porém, estava determinada a acabar com a resistência das garotas à alface. Ela começou pedindo ajuda para preparar salada de espinafre, retirando os talos e rasgando as folhas em pedaços pequenos. Para surpresa de Lori, as meninas cortaram em bocadinhos, bem menores do que ela estava acostumada a fazer. Eureca! Lori também descobriu que as filhas não gostavam de muito molho na salada. Começou a servir o vinagrete à parte e até pediu para que as duas ajudassem a fazer molhos caseiros em sabores de que gostavam. Isso acabou se transformando em um exercício: "faça sua própria salada". A família então criou uma versão da "salada das meninas" (com tangerina, amêndoas tostadas e até rabanete em fatias). Adaptei essa ideia para um dos jogos no fim deste capítulo. *Merci*, Lori!

Aprenda a cultivar

Outra tática boa, se for possível, é cultivar os próprios alimentos (o "programa *gourmet* do dedo verde", como eu o chamo). A jardinagem (em casa ou na escola) ajuda as crianças de várias maneiras: elas não apenas aprendem a reconhecer mais frutas e hortaliças, como sentem-se menos dispostas a acreditar que hortaliças têm gosto ruim – portanto, comem mais legumes e verduras e uma variedade maior dos produtos.[3]

Pesquisadores acreditam que isso acontece porque as crianças acabam se familiarizando com as hortaliças; a exposição repetida as deixa confiantes e desperta sua curiosidade. Atenção: a jardinagem pode ser tão simples quanto cultivar tomate-cereja e alface em floreiras na janela, para que seus filhos possam criar a própria salada. A pesquisa sobre os efeitos do "dedo verde" é tão impressionante que incluí uma seção a esse respeito em meu *site* (**GettingToYum.com**).

Encontrando o equilíbrio: que decisões as crianças podem tomar?

Algum tempo atrás, tivemos um jantar com nossas filhas, que tomaram sopa de tomate e couve seguida de peixe assado e batatas com uma de nossas receitas preferidas, Cenouras vício (página 229). Conversamos e falamos sobre nossos dias, e passamos cerca de trinta minutos à mesa. Meu marido e eu não precisamos agir como patrulheiros da refeição e ninguém se estressou. Minhas filhas (principalmente Claire, que acabou de fazer 5 anos) apenas foram lembradas que precisam comer de boca fechada e usar os talheres de maneira adequada.

Essa parece ser uma cena comum, certo? Quando as refeições em família correm bem, isso *deveria* ser normal – mas muitas vezes não é. Em minha casa, certamente não era. Algum tempo atrás (quando nossa filha mais velha, Sophie, tinha 5 anos), o jantar era muitas vezes interrompido por chiliques a respeito da "comida nojenta", constantes pedidos de macarrão ou torradas com manteiga, recusa em comer e até o abandono da mesa. As refeições eram um dos momentos mais temidos do dia. Meu marido e eu acabávamos exaustos. Quanto mais pressão fazíamos – para elas se sentarem à mesa, comerem o que havíamos preparado, comportarem-se com bons modos –, mais as meninas resistiam. Havíamos criado um campo de batalha e não sabíamos muito bem como mudar a situação.

O segredo para mudar a situação parece ser o contrário do imaginado: menos pressão, menos confusão. Sem coerção e, certamente, sem uso de força. Relaxe. Sei que parece um conselho frustrante quando os filhos estão pulando da mesa, colocando guardanapos na cabeça, xingando uns aos outros ou se engasgando de propósito com a comida que você insiste que provem ou quando anda atrás deles pela casa oferecendo "só mais uma mordida". Mas, acredite: não existe outra saída.

Pense no seu papel de pai como o de um técnico esportivo. Observe, aconselhe e ajude seu filho a comer. Não leve para o lado pessoal as escolhas que ele faz. Tente minimizar ou mesmo evitar brigas; assim, comer não se transforma em uma guerra de forças, mas se torna parte da rotina – como escovar os dentes. Fique indiferente, mas otimista. Não bajule, não cerque, não ceda a alimentos especiais. Acima de tudo, se seu filho se recusar a comer, tire o prato sem fazer muitos comentários e não troque por algo que ele pediu, por mais difícil que seja. Ele vai estar com mais fome na refeição seguinte, e isso age a seu favor.

Elizabeth Satter, uma das mais conhecidas escritoras sobre alimentação infantil dos Estados Unidos, chama isso de "divisão de responsabilidades": os pais determinam quando e o que os filhos comem; as crianças decidem se comem, ou quanto, algum item em particular. A única coisa que eu acrescentaria é a ideia de que é preciso *experimentar* tudo o que for servido, mesmo que não precisem comer tudo. Essa atitude, claro, traz a questão das preferências: como fazer com que as crianças *gostem* desses alimentos? É fundamental expô-las a hortaliças repetidamente; essa estratégia foi discutida em detalhes no Segredo nº 2.

Há outro papel importante que os pais devem desempenhar: ajudar as crianças a desenvolverem uma motivação interna para *quererem* alimentos saudáveis. Seus filhos devem aprender a gostar de comer bem porque *querem*, não porque você *obriga*. Mas o segredo do sucesso é fazer isso em um ambiente sem pressão – tema do próximo capítulo. Antes, porém, eis alguns jogos divertidos para encorajar a participação da criança na construção de hábitos alimentares saudáveis.

Jogos para envolver as crianças

Para muitas crianças, os jogos não são necessários: basta que se divirtam ajudando você na cozinha. Mas as brincadeiras listadas abaixo ajudam a tornar tudo ainda mais interessante. E alguns jogos vão ser úteis para os mais relutantes. O Jogo 16, por exemplo, foi criado para ajudar quem não gosta de misturar alimentos de texturas diferentes.

Jogo 16:
Misturando tudo (2 anos ou mais)

Mensagem principal: O que fazer se seu filho não quer misturar os alimentos nem deixar que eles se encostem no prato? Deixe-o no comando. Melhor ainda: proponha um jogo! Essa brincadeira ensina a criança a apreciar diferentes consistências permitindo que ela mesma misture a comida. Também desenvolve habilidades para que ela coma texturas diferentes com mais facilidade.

Nota: O jogo deve ser praticado em dias consecutivos. Se você deixar passar mais de uma semana, melhor voltar um passo.

Dia 1: Misturando tudo. Comece com um jogo simples que não precisa envolver alimentos que serão consumidos em seguida. Dê a seu filho pelo menos duas tigelas, cada uma com um ingrediente. Algumas ideias simples: duas variedades de arroz (branco e integral); duas cores de arroz (use corante alimentício diluído para tingir o arroz branco; espere secar!); dois tipos de grãos (feijão e grão-de-bico). (Fique de olho para a criança não colocar muito na boca e sufocar.) Forneça uma terceira vasilha, um utensílio para pegar os ingredientes e uma colher para mexer. Então deixe que seu filho faça a própria combinação! Enquanto ele mistura os alimentos, mostre como o resultado dá origem a novas cores e efeitos. Encoraje a criança a tocar os produtos com as mãos. Pergunte qual é a sensação.

Dia 2: Misturando a receita preferida. Separe os ingredientes para fazer um prato de que a criança gosta (por exemplo, macarrão com queijo ou panquecas). Mostre como você combina os produtos para preparar a receita. Se possível, solicite que ela adicione os ingredientes à panela e mexa. Na hora de servir, lembre-se de anunciar que seu filho ajudou a misturar os produtos da receita. Você também pode perguntar se ele gostaria de ajudar a servir as outras pessoas à mesa.

Dia 3: Misturando no lanche. Aos poucos, introduza a atividade no lanche. Arrume a mesa com tigelas de alimentos de que seu filho gosta. Uma sugestão simples é iogurte natural com geleia de morango (ou outro sabor da preferência dele). Coloque uma colher em cada tigela e dê para a criança uma terceira vasilha, vazia, e uma colher. Solicite que prove cada ingrediente separadamente e então incentive-a a misturar ambos para criar um iogurte de frutas.

Dia 4: Misturando uma nova receita. Prepare uma receita de que seu filho gosta (como purê de maçã ou macarrão com queijo). Escolha um ingrediente extra que mude um pouco o prato, mas não demais (como, por exemplo, ¼ de colher (chá) de canela em pó ao purê de maçã ou 1 colher (chá) de salsinha seca ao macarrão com queijo). Peça para a criança acrescentar e misturar o ingrediente extra, mexendo e servindo como normalmente é feito.

Dia 5: A refeição do "misture você mesmo". Agora que a criança tem alguma confiança em sua habilidade, por que não oferecer uma refeição "misturada"? Escolha um prato que seja fácil de montar. Por exemplo: pão sírio com tigelas de ingredientes gostosos (o que seu filho gostar – se for amoras e requeijão, por que não?) Deixe que cada um recheie seu pão. Eles vão se animar mais a comer se puderem participar.

Jogo 17:
Você é o chef (4 anos ou mais)

Mensagem principal: As crianças podem aprender a amar salada se puderem ter o controle do prato. Aviso: isso pode dar origem a receitas muito estranhas!

Material necessário:
1 pequeno pé de alface
3 frutas ou hortaliças frescos da preferência de seu filho

O que fazer: Explique que vocês vão criar uma salada personalizada. Peça para a criança listar três frutas e hortaliças de que gosta. Quando for ao mercado, leve seu filho e deixe que ele escolha esses ingredientes. Em casa, peça ajuda para preparar os itens (os mais novos podem lavar; os mais velhos, descascar e picar). Dê-lhe algumas folhas de alface para lavar e rasgue-as em pedaços pequenos, para formar a base da salada. Então deixe que a criança disponha as frutas e hortaliças por cima. O resultado será algumas receitas estranhas e maravilhosas, mas pelo menos você vai poder dizer que seu filho gosta de salada!

Opcional: o molho também é escolha dele. Uma sugestão é o Vinagrete clássico (página 336).

Dicas preciosas para deixar seu filho no comando

- **As escolhas devem ser feitas de acordo com a idade.** Dar liberdade total às crianças na cozinha quase nunca é uma boa ideia, mas deixar que façam determinadas escolhas ("Você prefere morangos ou manga em sua salada?") as deixa motivadas.
- **Cozinhe.** Envolva as crianças em atividades como mexer, raspar, despejar – funciona em todas as idades. As mais velhas, principalmente, vão se animar mais a comer o que ajudaram a preparar.
- **Coloque os relutantes no comando.** Se o seu filho não gosta de algo em particular, pode se beneficiar de um desafio: peça-lhe para encontrar uma receita que torne esse ingrediente apetitoso e sirva para toda a família.
- **Pratique a "divisão de responsabilidades" em família.** Os pais decidem quando comer e o que é servido; as crianças escolhem se querem comer, e quanto. Isso funciona bem para os menorzinhos; à medida que crescem, é melhor envolvê-los mais (ajudando a planejar o cardápio de um jantar por semana, por exemplo).
- **Experimente a jardinagem.** Cultivar e colher frutas e hortaliças exerce um efeito maravilhoso sobre muitas crianças enjoadas. Se não tiver um jardim, visite algum ou comece a cultivar na escola de seu filho ou em sua comunidade. Feiras orgânicas também são ótimos lugares para apresentar hortaliças à garotada. Descubra uma próxima de você em www.idec.org.br/feirasorganicas.

[illegible]

[illegible] contexto

[illegible] Universidade [illegible]

[illegible]

[illegible] responsabilidade [illegible]

[illegible]

Segredo nº 7

Comer com consciência opera mágicas

O Prêmio Ig Nobel (uma brincadeira patrocinada pela revista científica de humor *Society for the Annals of Improbable Research* [Sociedade para os Anais da Pesquisa Improvável]) é um dos mais icônicos – e irônicos – dados a pesquisadores. Professor de *marketing* de pesquisa na Universidade Cornell e vencedor do troféu, Brian Wansink certamente produziu estudos que, segundo a revista, "faz as pessoas darem risada e depois pensar".

A experiência que rendeu o prêmio a Wansink era de uma aparente simplicidade enganosa.[1] Ele pediu aos voluntários (adultos) que entrassem em uma sala arrumada como se fosse um restaurante e tomassem uma tigela de sopa de tomate. Os participantes – quatro por mesa – conversavam, tomavam a sopa e deixavam a sala quando terminavam de comer. Isso era tudo, acreditavam eles.

Mas o experimento não foi tão simplório. Mais tarde, Wansink os chamou de volta para contar quanto haviam comido e revelar o truque usado à mesa: o que os participantes não sabiam era que duas tigelas estavam ligadas a tubos sob a mesa e, lentamente (bem lentamente), eram por eles reabastecidas. Quem comeu nessas "tigelas sem fundo" tomou até 73 por cento mais sopa que os outros – mas, mesmo assim, não disseram que estavam mais satisfeitos em comparação aos outros voluntários.

"A pesquisa mostra que comemos com os olhos, e não com o estômago", disse Wansink. "As informações à nossa volta têm uma enorme influência não apenas sobre o que comemos, mas também a respeito do quanto comemos e quando nos sentimos saciados."[2]

Wansink, que estudou nosso comportamento alimentar por décadas, tem muita experiência para provar a audiências incrédulas que comer em excesso é quase sempre inconsciente. Como mostra em seu livro *Mindless Eating: Why We Eat More Than We Think* [*Por que comemos tanto*, Campus, 2006], somos induzidos a comer demais por diversos fatores, do tamanho da embalagem, pratos e recipientes aos nomes e marcas dos alimentos, iluminação e cores, formatos e cheiros e a organização das prateleiras em nossas despensas. As crianças servem-se de 74 por cento mais refrigerante quando usam copos pequenos e largos e as pessoas comem mais sorvete quando se servem em tigelas grandes.[3]

Mas o trabalho de Wansink também mostra como podemos virar o jogo: tendo consciência das escolhas que fazemos. Estratégias simples – como usar pratos e tigelas menores ou reorganizar a despensa para esconder alimentos prejudiciais no fundo das prateleiras – dão resultados impressionantes para quem deseja perder peso. Ou seja: tornar as escolhas pobres mais inconvenientes ajuda na alimentação saudável.[4]

Alguns alimentos – apenas por estarem presentes na fila da lanchonete ou sobre a mesa – funcionam como um gatilho que encoraja as crianças a consumir mais frutas e hortaliças saudáveis.[5] Em uma experiência feita por pesquisadores britânicos (que condiz com os sabores familiares discutidos no Segredo no 1: As crianças podem aprender a gostar de alimentos saudáveis), colocar uma fruta conhecida (como a banana) perto de uma novidade (uma goiaba) tornava a garotada mais disposta a experimentar o produto desconhecido.[6] Mudar o ambiente é outra tática importante (muito compreendida por marqueteiros e pela indústria alimentícia).[7] O uso da iluminação, pratos grandes, embalagens gigantes e nomes atraentes – tudo isso nos estimula a comer mais. Podemos virar isso de cabeça para baixo, diz Wansink, e tornar a alimentação "consciente" desenvolvendo rotinas que permitem comer a quantidade correta de alimentos saudáveis sem pensar muito nisso (nem ficar obcecado). Por exemplo: servir ingredientes novos em tigelas pequenas (ou mesmo na colher) para que a criança não se assuste. Usar toalha de mesa ou jogos americanos geralmente faz maravilhas, já que todos percebem que estão parando para fazer uma refeição, e não comendo às pressas.

Muitas dessas táticas foram pensadas para promover o comportamento saudável "automático", como Wansink sugere. Como as famílias que trabalharam comigo descobriram (e as pesquisas reiteram), são estratégias úteis para aperfeiçoar os hábitos alimentares de sua família. Mas há mais para ser feito.

Comer às pressas *vs.* comer com consciência

"Comer com consciência" pode parecer um pouco "new age", mas veja só. O ato de comer devagar e conscientemente não é uma redescoberta ocidental da filosofia oriental. É a redescoberta de algo que nossos bisavôs faziam – e que alguns povos (como os franceses) não esqueceram.

A comida é extremamente sensual. Quando comemos algo, nosso prazer é estimulado pelos sentidos do olfato, tato, visão, paladar e até audição. Não acredita? Experimente comer um pedaço de seu bolo preferido com o nariz tampado ou com tampões nos ouvidos. Ou morda e engula devagar, sem mastigar. Comer devagar, usando todos os nossos sentidos, é o segredo para descobrir o prazer nos alimentos. Os franceses, na verdade, basearam nisso o currículo gastronômico de suas escolas: aproveitar os alimentos com todos os sentidos faz das pessoas consumidores mais conscientes – e, portanto, melhores. Assim é possível compreender melhor a sensação de saciedade e apreciar os sutis sabores dos alimentos (sem procurar satisfação em produtos com muito sal, açúcar e gordura).

Mas comer não é apenas um ato físico, nem diz respeito apenas à nutrição. É também uma atitude social e, por isso, emocional. O prazer do sabor é importante, mas compartilhar os alimentos (ou comer sozinho) também nos afeta emocionalmente. Na América do Norte, a diferença entre os alimentos preferidos dos homens (bife, macarrão, hambúrguer) e das mulheres (cookies, chocolate e sorvete) indica as conexões *emocionais* com a comida. Como observa Brian Wansink, "os homens preferem se reconfortar com alimentos mais substanciais porque fazem com que se sintam especiais e bem cuidados. As mulheres, por outro lado, *não veem* esses alimentos como reconfortantes. Eles lembram o trabalho de cozinhar e limpar. Portanto, preferem a conveniência de algo rápido. Comer sorvete direto da embalagem significa que ninguém terá de cozinhar e limpar".[8]

Como criar associações positivas com alimentos saudáveis? Refeições em família são uma de nossas melhores ferramentas. No mundo todo, as pessoas celebram reuniões formais – comemorações e festividades, batizados e funerais – juntando-se para compartilhar comida. Isso acontece porque as refeições fazem com que nos sintamos bem – tanto emocionalmente quanto fisicamente. Sabe a maravilhosa sensação de relaxamento que se tem depois de um almoço ou jantar comemorativo em família? Imagine sentir isso todos os dias! Não por comer demais, mas porque a vida corrida que levamos parou por alguns minutos e foi possível sentar-se e desfrutar dos alimentos, do prazer de estar junto com a família. Isso parecia irreal antes de eu passar um tempo em um país onde a cultura gastronômica familiar é uma prioridade: para os franceses, as refeições em família equivalem ao que os budistas chamam de "prática". Na França, fazer uma boa refeição é como sair para correr, curtir uma massagem ou fazer uma ótima aula de ioga. Eles se sentem relaxados e satisfeitos, física e emocionalmente. Os franceses tentam transmitir isso a seus filhos. Eis um trecho inscrito na prefeitura da cidade de Versalhes (perto de Paris) que descreve a filosofia local a respeito do almoço nas escolas:

A hora das refeições é um momento particularmente importante no dia a dia das crianças. Nossa responsabilidade é fornecer um almoço saudável e balanceado; desenvolver o senso de paladar; ajudar as crianças a fazer boas escolhas alimentares sem sofrer a influência de modismos, da mídia e do marketing, *complementando o que aprendem em casa; e instruí-las a respeito da relação entre bons hábitos alimentares e saúde. Acima de tudo, porém, procuramos dar às crianças momentos alegres de convivência para que aprendam o savoir-vivre ["a arte de viver"], para que se comuniquem e troquem experiências, e para que aprendam as regras da vida em sociedade – podendo, assim, cultivar os amigos.*

Comer é (quase) como fazer terapia em família

As famílias precisam ter vida social e cultivar amizades. Os familiares precisam passar momentos alegres juntos e criar oportunidades para conversar. Comer, em outras palavras, é um pouco como fazer terapia em grupo. Por que todas as pesquisas mostram que as crianças têm melhor desempenho quando as famílias fazem as refeições juntas, com rotinas e rituais positivos? Porque comer é uma maneira de reafirmar a intimidade e o relacionamento. Nem sempre isso é feito. Trata-se de encontrar o equilíbrio correto entre amor e limites. Trata-se de fazer o melhor e deixar a culpa de lado quando, às vezes (e inevitavelmente), cometemos erros. Trata-se de procurar um "equilíbrio zen" próprio durante as refeições em família: aceitar o momento dos filhos e persistir na educação, sem fazer julgamentos. Entender os momentos quando menos é mais: menos pressão, menos bagunça, menos pressa, menos escolhas e (às vezes) menos elogios – mostrar indiferença e calma, mostrar desapego suficiente para agir em lugar de reagir. Mais importante: trata-se de amor. Alimentar é desempenhar o papel de pai e mãe: as crianças devem ter suas necessidades emocionais atendidas (e o equilíbrio correto entre "amor e limites") para se alimentar corretamente.

Depois de cozinhar durante anos, comecei a entender um princípio básico: tudo diz respeito ao "amor". Minha filha sempre fala do amor nas receitas. Ela olha para um prato de polenta com camarão cozido e pergunta, sem rodeios: "Ei, papai, você se lembra do amor?" Em nossa casa, "amor" não é apenas uma maneira de dizer que nos preocupamos com a alimentação das crianças. É ter a certeza de servir algo que eles queiram comer. É a habilidade de um chef que sabe vender o que prepara – como anunciar, apresentar o prato e fazê-lo brilhar.

Jason Hammel[9]

Jason (um chef profissional) sabe de maneira intuitiva o que as pesquisas confirmam: se a comida é preparada com amor e servida em um ambiente afetivo, as crianças têm mais chance de comê-la. Isso é verdadeiro sobretudo quando se está lidando com ingredientes novos.[10] Se mostrar que alimentos saudáveis são fontes de alegria e prazer, seus filhos vão considerá-los reconfortantes.

Não estou dizendo que o amor vai resolver imediatamente todos os problemas de seus filhos! E certamente não o estou acusando de não demonstrar amor suficiente à mesa. É apenas para lembrar: além de educar e apresentar os alimentos saudáveis, encorajar de maneira gentil é o principal ingrediente. É difícil de pensar nisso diante de uma criança de lábios cerrados na hora do jantar, eu sei. Mas tente não esquecer.

Ao falar em amor, também não quero dizer que você deva evitar os conflitos (o que leva alguns pais a se levantarem para preparar algo de última hora, deixando os filhos comerem o que quiserem). Criar uma cultura alimentar saudável em família requer um pouco de firmeza até todos chegarem ao ponto de fazer as refeições com alegria, juntos. A cultura da indústria alimentícia criou novos desafios para as famílias, muito diferentes do que as gerações anteriores encontraram: uma abundância de produtos supercalóricos e pouco nutritivos, sem que tenhamos controles inatos para responder com moderação (muita pressão, na verdade, faz exatamente o contrário).[11] E esse não é um problema apenas dos países mais ricos. Lugares tão distantes quanto o México, a Índia e a China lidam com questões semelhantes. Problemas na família muitas vezes se manifestam por meio do comportamento alimentar infantil. A boa notícia: é possível reagir!

Claro que, provavelmente, não será rápido. Criar uma cultura alimentar saudável para a família leva tempo e requer o estabelecimento de valores fundamentais que vão contra os hábitos da cultura do *fast-food*[12] – e o comprometimento com eles. É possível que haja dificuldades a curto prazo, mas a longo prazo os ganhos valem a pena. Você vai habilitar seus filhos com valores e motivação para comer bem – a vida inteira –, ensinando-os a serem consumidores responsáveis e autônomos (sem subornos, recompensas, reclamações e outros incentivos externos). Esses valores mudam de família para família. Para algumas, comer bem significa saúde. Para outras, pode estar relacionado à preocupação com o meio ambiente. Ou com espiritualidade, ao tratar o corpo como um templo ou seguir preceitos religiosos.[13] Encontrar e compartilhar esses valores com seus filhos à medida que crescem é uma das melhores maneiras de fazer com que a cultura alimentar de sua família seja uma permanente fonte de alegria.

Conte piadas

Provavelmente você já ouviu (muitas vezes) que fazer refeições em família é a melhor medicina preventiva para seus filhos. As crianças que comem com os pais de maneira regular estão menos propensas a ter sobrepeso e sofrer de depressão e mais inclinadas a se sair bem na escola. O desafio para muitos de nós – inclusive a minha família – é que a vida é realmente muito, muito corrida. Se os dois pais trabalharem fora (meu caso), sem ajuda em casa (também meu caso), as refeições podem muitas vezes se transformar numa bagunça estressante ao final do dia.

Para ser honesta, as refeições nem sempre são tão divertidas mesmo para quem tem tempo. Entre irmãos implicando uns com os outros, reclamações sobre a escola, pais estressados e os comentários usuais a respeito da comida ("não gosto disso!"), o jantar pode se tornar muito deprimente.

Como, então, recuperar a diversão? Em nossa casa, descobrimos que brincar um pouco traz ótimos resultados. Claro que "brincar" tem diferentes significados para as pessoas. Atitudes distintas funcionam para crianças de idades distintas. Para algumas, "brincar" talvez seja contar piadas (as famílias que trabalharam comigo no livro se divertiram contando piadas sobre tomates durante o tempo em que testaram receitas com o produto). Outras podem querer apenas promover jogos simples. Seu objetivo é criar uma atmosfera leve, de confiança, aceitação e comprometimento. Não preciso dizer que as crianças adoram piadas, principalmente as que conseguem aprender e contar sozinhas. Se as refeições andaram tensas, é possível neutralizar o clima quase imediatamente contando uma piada – mesmo que seja boba.

As piadas não precisam ser brilhantes. Na verdade elas podem até ser um pouco velhas, e vão das óbvias:

P: Quem é o rei da horta?
R: O REIpolho.

P: Quem é a mãe da horta?
R: A MÃEdioca

... às sutis...

P: O que o açúcar disse para o leite?
R: Nos vemos no café.

... até às mais arriscadas:

P: Qual é a receita que liga e desliga?
R: O estrog-On-OFF.

Por que ir devagar = sucesso

Quais são as vantagens de comer devagar? Isso dá mais tempo às crianças para definir suas reações aos alimentos (um dos elementos mais importantes na Educação do Paladar). Encoraje seus filhos a, em lugar de dizer "nojento!" ou "não gosto disso", descrever as sensações que experimentam: "azedo" ou "escorregadio" ou "áspero". Ao conversar sobre a comida, eles aprendem a superar as primeiras reações, muitas vezes provocadas por sentimentos de desconfiança ou cautela.

Comer devagar traz outra vantagem: permite que os sinais de saciedade emitidos pelo estômago cheguem ao cérebro (isso demora cerca de vinte minutos). É uma maneira natural de evitar comer em excesso.[14] Outro bom método é pedir para a criança dimensionar a saciedade. Os pais franceses perguntam aos filhos "você ainda está com fome?", e não "você está satisfeito?" – uma diferença sutil, mas importante.[15] É uma lição importante para ensinar às crianças, algo que ajuda naturalmente a resistirem contra porções enormes, que aumentaram muito nos últimos anos. (Em meados da década de 1970, o tamanho médio das bebidas açucaradas era de 368 ml; hoje, está perto de 566 ml. Caramba![16])

Quantas crianças comem apressadas no carro, a caminho de atividades depois das aulas, ou engolem o almoço na escola antes de sair para brincar no recreio? Ao fazer isso, nossos filhos aprendem que a comida é combustível, que não importa o que é ingerido desde que mate a fome, que alimentar-se é uma interrupção nas atividades do dia e uma distração em relação às coisas produtivas, interessantes e divertidas. Que lição! Considere livrar-se, você mesmo, do pensamento de que "comida é combustível" ao comprometer-se com pelo menos uma refeição lenta, em família, por semana – mesmo que seja um preguiçoso café da manhã no sábado ou domingo.

Mudar os hábitos alimentares de sua família é um processo lento, portanto é melhor aproveitar a jornada. Lembre que, embora as mudanças sejam graduais, elas são produtivas. Nossa família é um bom exemplo. Hoje, minhas duas filhas comem bem, mas não foi sempre assim. Principalmente Sophie, a mais velha, que tinha uma lista de "proibições" quando era menor, incluindo sanduíches, macarrão com queijo e qualquer coisa branca e cremosa (sim, até sorvete). Os esforços que fizemos para introduzir esses alimentos foram fortemente rejeitados, para falar de uma maneira gentil. Com a irmã mais nova, Claire, não foi muito diferente.

Hoje, se alguém pronunciar a palavra "roquefort" para Claire, ela fica feliz como se alguém tivesse oferecido sorvete (e ela *ama* sorvete). Ela dá uma mordidinha no queijo, coloca-o na boca e o saboreia lentamente, tendo óbvio prazer com o gosto salgado, cremoso e intenso. Quanto mais maturado e mofado, melhor. Uma vez encontramos sobras de queijos suspeitas na geladeira, brilhando de umidade, com o agradável odor de meias molhadas há muito tempo esquecidas. Claire, destemida, provou delicadamente, declarou que era "delicioso" e pediu mais. Eu me surpreendo com isso, mas meu marido e meus sogros, franceses, além de parentes e amigos, não veem nada de mais. "Ela gosta de roquefort? *Mais bien sur!*", eles dizem, encolhendo os ombros. "*C'est normal!*"

Muitas crianças francesas adoram todo o tipo de laticínios; a França, afinal, inventou mais de trezentas variedades de queijo. Na verdade, lá a garotada come queijo todos os dias no almoço da escola (em vez de beber leite). Em uma nação amante do produto, uma menina a mais a gostar de roquefort não desperta a atenção de ninguém. Quando tentei explicar a meus sogros que eu não comia nada além do cheddar brilhantemente cor de laranja enquanto crescia, e que eu vinha de um país onde vender comida mofada (principalmente dar isso para as crianças) podia ser considerado crime, ganhei olhares indiferentes.

Hoje sei que isso não é resultado de um milagre. Minha filha gosta de roquefort por um motivo simples: ela foi *ensinada* a gostar de roquefort.

Ou, mais precisamente, ela ganhou as habilidades necessárias para ensinar a si mesma a gostar do queijo. Ninguém a forçou. Muitos pais sabem que forçar, na verdade, é um tiro que pode sair pela culatra. Mesmo as crianças menores podem demonstrar uma vontade de ferro quando confrontadas com algo que decidiram não colocar na boca. Pesquisas sugerem que forçar a alimentação resulta, mais tarde, em menor consumo de hortaliças e maior incidência de distúrbios. Em alguns estudos, meninos e meninas que são *menos* pressionados comem *mais*, e quem é forçado pode desenvolver aversão pelos alimentos até a vida adulta.[17]

Pais que dão bons exemplos tendem a obter mais êxito. Comece se perguntando as seguintes questões: *Por que* você come? Qual é a razão de comer – para você e também para seus filhos? Você faz as refeições de maneira apressada? No carro? Em pé na cozinha? Em que medida a comida é prioridade na sua vida? Se você pensar nas refeições como interrupções, aborrecimentos ou algo secundário, seus filhos vão absorver essa mensagem.

Agora pense nisso: e se você comer devagar, apreciando os alimentos e falando sobre eles, em vez de apenas ingerir tudo de maneira apressada? E se as refeições (de preferência em família) fossem um dos principais momentos do dia? E se preparar os alimentos juntos propiciasse momentos de convivência e diversão, e não uma correria às seis da tarde quando você oferece petiscos para enganar a fome das crianças enquanto se preocupa com o que vai colocar mais tarde na mesa? E se experimentar ingredientes novos for uma aventura para dividir em família, e não uma batalha de vontades?

Tudo isso pode ser resumido em uma fórmula simples:

Menos pressão + menos estresse + mais diversão à mesa = sucesso

Essa fórmula leva em conta que o comportamento enjoado à mesa é, parcialmente, uma guerra de forças. Claro que algumas crianças apresentam distúrbios alimentares. Para a maioria, porém, a resistência aos alimentos saudáveis é psicológica, e não fisiológica. Pode parecer inusitado, mas colocar seus filhos no comando da alimentação saudável, em atividades adequadas para a faixa etária, pode neutralizar a resistência e eliminar o cabo de guerra. Esse é o zen da alimentação em família – para crianças de todas as idades.

Jogo 18:
Comendo devagar (6 anos ou mais)

Mensagem principal: Este jogo ajuda seu filho a aprender que o ritmo com que se come influencia nosso prazer ao fazê-lo. Em geral, quanto mais devagar, melhor.

Material necessário:
Um alimento macio de que seu filho goste, como um bolo ou pudim.

O que fazer:
Educação do Paladar com pressa. Escolha um momento tranquilo durante o dia (o lanche ou a sobremesa depois do jantar), quando não é preciso sair às pressas para nenhum lugar. Ofereça uma colherada do alimento a seu filho e peça-lhe que engula sem mastigar. Pergunte qual é a sensação.

Educação do Paladar sem pressa. Ofereça depois outra colherada e diga-lhe que mastigue devagar. Peça-lhe que compare a diferença no sabor depois de mastigar e engolir. Muitas crianças descobrem que mastigar libera o sabor dos alimentos. Lembre-as da relação entre olfato e paladar. Pergunte "como mastigar pode liberar o aroma que influencia a maneira como você sente os sabores?"

Converse. Fale com seu filho sobre os momentos em que ele come depressa. Pergunte por que comer devagar pode ser bom também por outros motivos (para a convivência social ou para evitar perigos). Pergunte se sua família precisa ser lembrada de comer devagar e como isso pode ser feito. Crianças pequenas podem gostar de estabelecer uma palavra secreta ou um sinal para isso! Com as mais velhas, explore o conceito da consciência ao comer, como discutido anteriormente neste capítulo.

Jogo 19:
Três é melhor (4 anos ou mais)

Mensagem principal: Essa é uma experiência maravilhosa que uma das leitoras de *Crianças francesas comem de tudo* criou para divertir os filhos ao apresentá-los a uma maior variedade de ingredientes. É um jeito de conversar sobre comida – de onde vem e de que formas diferentes pode ser consumida. A ideia é preparar um alimento de três maneiras. Neste exemplo, foi usado espinafre.

Nota: o movimento Slow Food também usa essa ideia em suas aulas de educação de paladar, mas a instituição pede às crianças para provarem três tipos de maçã, ou três tipos de chocolate, e descrever a aparência, sabor, textura e aroma. Você não precisa fazer isso com espinafre – escolha o que quiser!

Eis o que Stacy, autora da brincadeira, comentou sobre sua experiência:

Uns dias atrás, decidi propor este jogo com espinafre – um dos alimentos rejeitados por meus gêmeos de 4 anos, Jamie e Reese. Preparei uma vitamina verde com um punhado grande de espinafre, uma banana, algumas colheradas de iogurte de baunilha, leite integral e gelo. Depois, cortei fatias de baguete e as untei com pesto de espinafre e nozes (que eles gostam como molho de macarrão, mas que nunca tinham experimentado com pão). Em cada prato, coloquei uma folha fresca da verdura. Também acrescentei outra fatia de baguete com manteiga (queria ter certeza de que haveria uma de que gostassem).

Quando chamei os gêmeos para a mesa, Jamie chegou primeiro. Ele olhou para o prato e disse: "Oh, que delícia!" (não estou brincando!) Reese, que veio logo atrás, sentou-se sem dizer nada – positivo ou negativo. Achei que era um bom sinal. Jamie começou pegando a verdura e perguntando "O que é isso? Salada?" Respondi que era espinafre e disse que faríamos uma experiência de degustação. Ele colocou a folha na boca e Reese fez o mesmo. Depois vieram as vitaminas. Ninguém falou nada enquanto bebia, mas ambos pareciam contentes. Então expliquei a parte principal da atividade: eu havia servido espinafre de três maneiras diferentes: uma folha simples, transformado em purê, no pesto, e batido, na bebida. "Viram como essa vitamina é verde? É por causa do espinafre!" Ainda acrescentei, olhando direto para Jamie: "Você diz que não gosta de espinafre. Mas gosta!" Ele respondeu: "Sim, você está certa!" Finalmente, a baguete com pesto. Era a receita que me deixava mais cética. Mesmo que comessem o pesto com macarrão o tempo todo, achei que podiam rejeitar dessa maneira. Nada – estava errada de novo.

Sempre tenho sucesso ao promover o jogo "Três é melhor". Acho que eles gostam pelo fato de ser uma "experiência", sem pressão. Meus filhos nem sempre comem de tudo, mas geralmente experimentam os alimentos sem que eu precise insistir.

Stacy

Material necessário:
Escolha uma das frutas ou hortaliças do capítulo de receitas, na terceira parte deste livro. Cada ingrediente aparece de várias maneiras; prepare duas receitas. Recomendo que você pegue abobrinha italiana e faça Purê de nuvem (página 213) e Abobrinha assada com cominho (página 214); reserve um pouco do legume para servir em finas fatias cruas.

O que fazer:
Escolha um momento em que a criança não esteja muito cansada nem faminta, mas com algum interesse em comer; a hora do lanche costuma funcionar. Diga que vocês vão fazer uma experiência e convide-a a se sentar à mesa. Tenha as três versões do alimento prontas e peça para seu filho experimentá-las, na ordem em que quiser. Use as ideias da Educação do Paladar do Segredo nº 1: As crianças podem aprender a gostar de alimentos saudáveis (página 27) para encorajá-lo a descrever e então provar as receitas. Peça para escolher a preferida; geralmente, mesmo a criança mais desconfiada fica tentada pelo desafio. Os mais relutantes se incentivam ao ver que você também come. Lembre-se: trate cada recusa com a maior indiferença possível.

Jogo 20:
O sabor local (6 anos ou mais)

Mensagem principal: Este jogo apresenta o conceito do *terroir*, uma palavra francesa que significa "sabor local". *Terroir* é a relação entre a cultura gastronômica, o clima e a paisagem: diferentes lugares produzem diferentes tipos de alimentos. Você pode dar exemplos de sua região ou falar de casos conhecidos de outros lugares: xarope de bordo de Vermont, salmão do noroeste do Pacífico, o queijo da Serra da Canastra e o açaí da Amazônia.

Material necessário:
Uma ou mais hortaliças ou frutas maduras em duas versões: uma de uma região diferente da que você mora e uma de produção local (é mais fácil fazer isso no verão, quando várias frutas estão maduras para a colheita).

O que fazer:

Introduza o conceito de *terroir* com uma explicação simples. Diga às crianças que vocês vão experimentar frutas ou hortaliças de perto e de longe.

Visite uma feira (opcional). Caso tenha a oportunidade, leve seu filho a uma horta ou feira orgânica local e deixe que ele escolha as frutas ou hortaliças para este jogo; converse com os produtores. Então vá ao supermercado e compre os mesmos produtos, de outra região (ou até de outros países). Boas escolhas incluem tomates, pêssegos, ameixas, ervilhas, feijões ou pimentões.

Experimente. Lave as duas frutas ou hortaliças e descasque ou fatie, conforme o caso. Coloque em pratos separados (é uma boa ideia usar pratos de cores diferentes para diferenciar os alimentos). Peça para a criança provar os alimentos e comparar cor, textura, aroma e sabor.

Converse. Fale sobre os motivos de os dois produtos serem diferentes. Crianças mais velhas podem se interessar em aprender que há mais nutrientes em alimentos cultivados localmente do que naqueles que foram transportados de longe ou guardados por longos períodos de tempo. Isso resulta em mais frescor e sabor, assim como mais nutrientes e menos impacto ambiental. Continue a experiência preparando uma receita que use apenas ingredientes locais. É um divertido projeto de verão para as crianças – principalmente se você colocá-las no comando!

Dicas preciosas para comer "zen" em família

- **Diminua o ritmo.** Quanto mais devagar comemos, mais saborosos são os alimentos. Em geral, comer sem pressa favorece o consumo moderado e evita o exagero.
- **Descontraia.** Estabeleça uma rotina de contar piadas à mesa; um clima alegre favorece o comer bem.
- **Procure comer com consciência.** Use as técnicas descritas neste capítulo para encorajar as crianças a terem consciência do que comem; isso aumenta o vocabulário e suas habilidades alimentares!

- **Cultive seus alimentos – ou procure quem faça isso.** Cultivar a comida acalma, inspira e traz benefícios para toda a família. Hortas escolares ou comunitárias, ou um quintal próprio, são bons lugares. Plantas em vasos ou floreiras (um jardim de ervas, com tomates no verão) são uma opção divertida que não dá muito trabalho.
- **Alcance o equilíbrio entre amor e limite.** Durante as refeições, ser firme com gentileza traz ótimos resultados a longo prazo.
- **Durante as refeições, reforce os laços familiares.** As crianças tendem a comer mais alimentos saudáveis se suas necessidades emocionais são supridas. A mesa do jantar em família é um dos melhores lugares para fazer isso – em uma atmosfera relaxada.

Estratégias passo a passo para crianças de todas as idades

Bebês: o máximo de variedade com o mínimo de confusão

Nos Estados Unidos, todos parecem acreditar que as crianças desprezam hortaliças de maneira inata. Mas as mães francesas acreditam que elas vão gostar – e elas gostam! Acredito que o paladar e o apetite por alimentos saudáveis e a curiosidade por uma variedade de ingredientes podem ser ensinados, e quanto mais cedo, melhor. Mesmo o pediatra ficou surpreso ao ver que Pablo (18 meses) come hortaliças de todas as cores e, por isso, não precisa de suplementos de vitaminas.

Hélène

Quando Hélène Garcia, uma mãe francesa que vive em Los Angeles, começou a dar alimentos sólidos a seu bebê, Pablo, agiu naturalmente. Imaginou que ele teria tanto interesse em comida quanto ela. Em vez de encarar isso como uma tarefa difícil, ela se concentrou na ideia de que alimentá-lo era uma maneira maravilhosa de criarem laços e simplesmente se divertirem juntos.

Ela também sabia algo importante: quanto mais um pai expõe seu filho a uma variedade de sabores e texturas, mais a criança é capaz de crescer apreciando diversos alimentos saudáveis.[1] Ou seja: se você oferecer papinha de arroz branco, ele se desenvolve gostando de pão branco. Mas, como Hélène fez, se preparar alho-poró e agrião (6 meses), depois salmão e purê de couve (12 anos), seu filho vai adorar alho-poró com salmão gratinado (18 meses) – como Pablo.

Não apenas os franceses agem assim, é claro. Ao contrário dos Estados Unidos, Inglaterra e Canadá, pais de diversos outros países ousam mais na alimentação dos filhos. Crianças mexicanas e indianas comem pratos apimentados desde cedo![2] E os italianos dão *brodo*, um delicioso caldo de legumes (página 335), a seus bebês.

Esses pais sabem que introduzir a maior variedade de alimentos possível (adaptada às preferências e ao tipo de seu filho – veja mais abaixo) com o mínimo de incômodo ajuda as crianças a começar bem. Por sorte, muitos bebês são naturalmente curiosos e tratam a comida como mais uma maneira de explorar o mundo. Sei que introduzir variedade pode parecer intimidante, mas lembre-se de que os hábitos que seu bebê aprende nos primeiros anos influenciam a maneira como ele se alimenta o resto da vida – e isso afeta a saúde física e mental.[3] O que você ensinar a seu filho a comer vai influenciar as escolhas dele quando for uma criança de colo e, por consequência, quando estiver em idade pré-escolar, o que determina seus gostos na adolescência e idade adulta. Aprender a gostar de novos alimentos nem sempre é um processo simples, mas o esforço despendido – eu garanto – vale a pena.

Alimentar seu bebê precisa ser divertido. É uma maneira ótima de ensiná-lo a interagir com o mundo. Pense nisso como uma forma de aprendizado – a respeito de novos sabores, cores e texturas –, os alicerces de uma relação com a comida. Quanto mais entusiasmado, porém relaxado, você estiver, mais tranquilo é o processo.

Lembre-se de que, ao introduzir variedade agora, você poupa tempo e estresse mais tarde. Quanto mais cedo o bebê for colocado à mesa durante as refeições, comendo versões infantis (com ingredientes em purê, amassados ou picados) dos alimentos saudáveis preparados para os adultos (sem o acréscimo de sal e conservantes), menos trabalho você terá. "Uma família, uma refeição" é um bom lema para ser adotado, e as receitas deste livro dão ideias de como você pode apresentar o mesmo produto em versões adequadas para cada faixa etária, mas que podem ser apreciadas por toda a família.

Quando comecei a pedir, por meio de minha página no Facebook, que os leitores mandassem suas histórias, Catherine escreveu para descrever como ela diversificou a comida dos filhos pequenos. Por trabalhar fora o dia inteiro, ela resolveu cozinhar nos fins de semana e congelar as refeições para serem reaquecidas de segunda a sexta-feira. Quando cada menino tinha 6 meses, Catherine começou a preparar purês de toda hortaliça que pudesse encontrar: vagem, couve-flor, cenoura, abobrinha italiana, alho-poró, alcachofra, brócolis, abóbora, batata, batata-doce, até chicória! Ela acrescentava um pouco de batata ou leite para que o sabor das hortaliças não fosse muito intenso. E fez a mesma coisa com purê de peixe, portanto seus filhos aprenderam a gostar do ingrediente desde cedo. Os garotos passaram pela típica fase do "não", aos 2 anos, mas Catherine se manteve firme (não é fácil fazer isso todos os dias!) e a implicância passou – cerca de 6 meses, com um dos meninos, e quase 1 ano depois com o outro. Quando me escreveu, Catherine disse que eles "comiam como adultos". Mas isso não significa que comiam de tudo (ainda)! Um dos filhos, hoje com 13 anos, ainda não gosta de iogurte; seu irmão, de 10 anos, não come queijo ou manteiga. Não há problema: a mãe os encoraja e diz que um dia eles vão aprender a gostar. Catherine resumiu sua filosofia:

> *É claro que nenhum de nós escolheria abobrinha, espontaneamente, em lugar de um bolo de chocolate. Mas podemos aprender a nem sempre escolher o bolo, e também podemos aprender a gostar de abobrinha. A menos que tenham nos ensinado que sempre podemos ficar com o bolo de chocolate.*
>
> *Catherine*

Por sorte, como Catherine descobriu, seu bebê joga no mesmo time que você. Muitos vão experimentar quase qualquer sabor que você apresente quando são pequenos. Eles são naturalmente curiosos: da mesma maneira que engatinham em direção a um novo brinquedo, procuram a cor inédita no prato. Isso não significa que vão comer! Talvez seja preciso apresentar o alimento várias vezes antes de eles aceitarem. Lembre-se: a variação é normal. O que e quanto seu bebê vai querer comer pode se alterar de um dia para o outro. As preferências também mudam. Crianças podem ter um novo alimento preferido durante uma semana ou duas e depois se recusar a tocá-lo. Claire, minha filha mais nova, adorou mingau de aveia durante meses, não podia nem ver o prato por algum período depois disso e então começou a devorar a receita outra vez. Ofereça os ingredientes novamente, de tempos em tempos, e eles voltam à lista dos favoritos. Isso pode trazer ainda o benefício de aumentar o interesse da criança por comida, já que o amor natural pelas novidades vai ser estimulado.

Com que alimentos começar?

A pergunta de 1 milhão de dólares para pais de recém-nascidos é: "Quais são os primeiros alimentos que devo oferecer a meu filho?" A ciência não tem uma resposta. A mais recente posição de importantes cientistas americanos diz apenas que "não há evidência sobre o benefício de introduzir alimentos em qualquer sequência ou ritmo específicos. Entretanto, geralmente recomenda-se que os primeiros pratos sólidos sejam compostos de apenas um ingrediente e que sejam oferecidos, um de cada vez, em intervalos de dois a sete dias. A ordem de introdução de alimentos complementares não é crucial, a não ser pelos nutrientes que fornecem. Combinações de produtos podem ser dados a bebês mais velhos depois que a tolerância pelos ingredientes individuais tiver sido estabelecida".[4]

Traduzindo? Uma mistura de intuição e senso comum será seu melhor guia. Neste capítulo, darei algumas sugestões baseadas na atitude dos franceses (como recomendado pelos pediatras de lá), pois eles enfatizam a variedade mais que outras culturas gastronômicas. Veja que eu não concordo com tudo o que os franceses fazem. Por exemplo, apesar de todas as pesquisas que demonstram as vantagens da amamentação, a França tem um dos índices mais baixos entre os países industrializados; se as mães francesas amamentam, param tipicamente aos 2 meses. A maneira como promovem a variação gastronômica para os bebês, porém, é algo que muitos pais ao redor do mundo podiam aprender, e tratarei disso aqui.

Enquanto você decide como alimentar seu bebê, sugiro uma combinação de sua herança cultural com o senso comum (depois de uma conversa com o médico de seu filho). O doutor Jatinder Bhatia (chefe de neonatologia da Georgia Health Sciense University e membro da American Academy of Pediatrics Committee on Nutrition) argumenta que as diretrizes americanas e canadenses contêm um desvio cultural que não reflete nossa diversidade étnica.[5] Ele recomenda alimentar os bebês com curries suaves.

Talvez você fique feliz de saber que as crianças recebem informações sobre sabores desde antes de começar a ingerir alimentos sólidos – e mesmo antes de nascer![6] Os produtos consumidos pelas mulheres grávidas dão sabor ao líquido amniótico e influenciam o paladar dos bebês.[7] Filhos de mães que comem verduras de sabor intenso (como rúcula) durante a gravidez tendem a gostar dos mesmos ingredientes. (Hoje vejo que meu amor por sanduíches de queijo quente – uma das únicas coisas que conseguia comer sem vomitar, na primeira gravidez – não foi provavelmente um bom fator para criar garotas felizes que aceitam tudo!)

O que a mãe consome também influencia o leite materno e, por isso, os bebês continuam a encontrar sabores novos desde cedo. Alguns estudos mostram até que variar o sabor da fórmula (para as mamadeiras) pode aumentar a aceitação de alguns alimentos mais tarde.[8] O que isso significa? De maneira simples, apesar de nascermos com algumas preferências, nossas experiências são profundamente importantes para determinar o que gostamos de comer.[9] A melhor época na vida das crianças para definir suas preferências alimentares é antes dos 2 anos, quando chegam à fase do "não" e, muitas vezes, desenvolvem neofobia (medo de alimentos novos) temporária. Sabendo disso, os pais franceses (assim como vários outros ao redor do mundo) procuram desenvolver o gosto de seus filhos por uma grande variedade de alimentos *antes* dos 2 anos.

Os franceses têm até mesmo uma frase para isso: *l'éducation du goût* (a educação do paladar). E falam de uma maneira bem poética a respeito do *"debut de la diversification"* (começo da diversificação alimentar), com a mesma emoção que os pais de várias culturas reservam para o momento em que seus filhos dão os primeiros passos ou vão para a escola. Quando uma criança começa a ingerir alimentos sólidos, está partindo para uma longa e interessante jornada. Nada mais diferente que o prosaico e insípido equivalente inglês: *"starting solid foods"* [ingerindo alimentos sólidos]!

Como a diversificação desde cedo funciona na prática? Veja o caso de Hélène, a mãe francesa que vive em Los Angeles. Quando começou a oferecer sólidos ao filho, Pablo, ela preparava purês de hortaliças. E por que hortaliças? Adiar as frutas por pelo menos um mês, para que os bebês se acostumem ao sabor menos adocicado das verduras e legumes, é uma recomendação de praxe dos pediatras franceses. Nem todos os pais franceses seguem essa regra, mas parece fazer sentido incluir tanto hortaliças quanto frutas no cardápio do bebê. Hélène introduziu os seguintes alimentos, um depois do outro, esperando três ou quatro dias entre cada um para ver se Pablo mostrava algum sinal de reação alérgica (o que não ocorreu). Aos 8 meses, eis o que ele comia:

- Abóbora cozida no vapor, em purê
- Abobrinha cozida no vapor com um pouco de batata, em purê
- Agrião cozido no vapor com um pouco de batata, em purê
- Alho-poró (apenas a parte branca) cozido no vapor com um pouco de batata, em purê
- Aspargos (verdes) cozidos no vapor com um pouco de batata, em purê
- Batata-doce cozida no vapor, em purê
- Brócolis cozidos no vapor, em purê
- Cenouras cozidas no vapor, em purê

- Couve cozida no vapor com um pouco de batata, em purê
- Couve-de-bruxelas cozidas (para que fiquem menos amargas) com um pouco de batata, em purê
- Couve-flor cozida no vapor, em purê
- Endívias cozidas no vapor com um pouco de batata, em purê
- Ervilha cozida no vapor, em purê
- Pepino cozido no vapor com um pouco de batata, em purê
- Salsão de raiz cozido no vapor com um pouco de batata, em purê
- Vagens cozidas no vapor, em purê

É uma lista e tanto! Mas nada incomum para as mães francesas. Na prática, os pais franceses introduzem uma hortaliça nova a cada três ou quatro dias. Um estudo recente descobriu que, em média, eles deram aos filhos seis novos ingredientes no primeiro mês de alimentos sólidos e quase metade dos bebês que participaram da pesquisa experimentaram entre sete e doze hortaliças nesse mesmo período.[10] As mães também fizeram um rodízio diário e semanal de produtos: em média, dezoito ou mais substituições dos ingredientes servidos (às vezes, até 27 substituições!) O resultado? Os bebês franceses estão comendo muito mais alimentos quando chegam aos 2 anos, bem quando a fase de implicância começa – e gostando deles. Quando atingem a idade escolar, muitos já deixaram de ser enjoados. Claro, ainda estão aprendendo a gostar de uma variedade de produtos ainda maior, mas poucos sobrevivem da "dieta bege" tão comum na América do Norte.

A lista das "primeiras hortaliças" recomendadas pela Sociedade Francesa de Pediatras (FSP) pode surpreender muitos pais. De acordo com o guia da instituição, bebês de 5 ou 6 meses podem ser introduzidos aos seguintes produtos (em qualquer ordem) em forma de purês (podem ser misturados a um pouco de batata, mas elas devem ser apresentadas antes, e sozinhas, como fez Hélène): cenoura, vagem, espinafre, abobrinha italiana (sem casca ou sementes), alho-poró (parte branca), abóbora, endívia baby e acelga baby (em quantidades limitadas) e ervilha (bem macias, em pouca quantidade; os franceses acreditam que ervilhas exigem muito do sistema digestivo e geralmente só as servem aos bebês maiores). Pediatras franceses acreditam que essas hortaliças são mais fáceis de digerir do que outras e mais adequadas a bebês a partir de seis meses.

Se você acha impressionante, espere para ver o que a FSP recomenda a partir dos 9 meses: repolho, nabo, cebola, aipo, salsão, ervilha, tomate, alcachofra, pimentão, berinjela e salsinha. Se o bebê aceitar, é hora de partir para outras hortaliças, incluindo erva-doce, couve-flor, brócolis e beterraba. (Hélène parece ter pulado algumas etapas.) Qualquer um desses produtos pode ser, agora, combinado a peixes. Aos 9 meses, Pablo comia purês com linguado e pepino, salmão e azedinha, bacalhau e acelga! Nessa idade, os purês podem ser mais densos e ter pequenos grumos ou incluir macarrão miudinho (como orzo).

Quando as carnes aparecem no cardápio, as refeições se tornam ainda mais interessantes. Com 1 ano, Pablo estava acostumado com frango *jardinière* (com cenoura, nabo, vagem e salsinha), vitela e aspargos (apenas as pontas) e (meu preferido) cordeiro e purê de rabanete (em uma versão mais sólida, com pedacinhos mastigáveis). O menino também passou a comer com as mãos.

Eis uma amostra das refeições diárias de Pablo quando ele tinha 13 meses. Veja que tanto o almoço quanto o jantar seguem a estrutura tradicional, com quatro pratos: entrada, principal, queijo e sobremesa.

Café da manhã
Mingau de aveia
Frutas vermelhas
Iogurte grego natural polvilhado de germe de trigo
Suco de laranja

Almoço
Entrada: salada grega (pepino ralado, tomate, queijo feta)
Principal: purê de carne ratatouille [com legumes]
Queijo: gouda
Sobremesa: iogurte e fatias de damasco fresco

Lanche
Compota de maçã e pera

Jantar
Entrada: salada de endívia e vagem com queijo de veios azuis
Principal: costelinha de porco assada (pequenos pedaços das porções de seus pais), purê de brócolis com ervas
Queijo: petit basque, feito com leite de ovelha
Sobremesa: iogurte grego natural

No "aniversário" de 18 meses, o cardápio do almoço de Pablo foi o seguinte:

Entrada: salada de abobrinha italiana fria (cozida), hortelã e queijo feta
Principal: fígado de vitela com vagem (com alho e salsinha)
Queijo: italiano cremoso com veios azuis
Sobremesa: iogurte natural com frutas frescas

No lanche da tarde, Pablo comeu sementes de caqui; o jantar incluiu abóbora assada e sopa de coco, filés de linguado com quinoa e camembert! Hélène explica que o filho simplesmente come o mesmo que os adultos, adaptado de maneira apropriada (por exemplo: ela corta o peixe em pedacinhos, para ter certeza de que não há espinha). A partir dos 18 anos, a FSP sugere que os bebês podem se alimentar de quase tudo que os adultos comem (mas recomendam esperar para servir feijões até que possam mastigar direito, para não correr o risco de sufocarem).

Quando Keith Dixon, repórter do *New York Times*, experimentou essa alimentação com a filha de 8 meses, Gracie, ficou surpreendido com os resultados. Com a ajuda de um passa-verduras, a garotinha devorou, feliz, ravióli com manteiga de sálvia, queijo pecorino e folhas crocantes de sálvia. Feijões brancos amassados com azeite de alecrim e cebola também fizeram sucesso. Keith e a mulher tentaram dar a Gracie muito do que eles próprios comiam: lentilha moída com cebola caramelada e rúcula refogada ou lascas de peixe branco, acrescentando frutas maduras e frescas (como peras), água ou gorduras saudáveis (como óleo de linhaça) para obter uma consistência agradável. Keith consultou-se com o doutor Bhatia, que gostou da ideia de os pais compartilharem os alimentos com a filha, já que dar aos bebês uma variedade de produtos os encoraja a serem mais destemidos à mesa.[11]

Essa atitude pode não ter a aprovação de todos. A Academia Americana de Pediatria (AAP) adverte os pais contra ingredientes como espinafre e algumas papinhas caseiras:

Ao preparar o alimento de seu filho, saiba que espinafre, beterraba, vagem, abóbora e cenoura não são boas escolhas no começo da vida. Podem conter grande quantidade de nitratos, substâncias químicas capazes de causar um tipo incomum de anemia (alteração no sangue) em bebês pequenos.
Legumes preparados de maneira comercial são mais seguros porque os fabricantes testam os produtos em busca de nitratos. Ervilha, milho e batata-doce são escolhas melhores para quem cozinhar em casa o alimento dos bebês.[12]

As recomendações da AAP são muito cuidadosas, principalmente a respeito de hortaliças. O primeiro alimento que mencionam no *site* HealthyChild.org é o cereal infantil. Citam alguns produtos (abóbora, ervilha, milho, cenoura), mas não fornecem uma lista específica (e não dividem os ingredientes por faixa etária). Quando sugerem um cardápio para bebês de 8 a 12 meses, mencionam apenas "hortaliças amarelas ou cor de laranja" e "hortaliças verdes". Em minha opinião, não são específicos o suficiente para ajudar. O que dizer das hortaliças vermelhas ou roxas?

Em resumo, os conselhos das associações de pediatras francesa e americana são contraditórios e nem os médicos americanos concordam uns com os outros sobre a melhor maneira de alimentar bebês. (A orientação oficial da AAP destoa da FSP e também da visão do doutor Bhatia, membro do comitê de nutrição da AAP!) Confuso, eu sei. Mas comparar as duas recomendações sugere que você provavelmente pode ambicionar mais, em termos de diversificação, do que orienta de modo minimalista o grupo americano. Meu conselho: pesquise e converse com seu pediatra sobre o que funciona melhor para sua família. Ele será capaz de falar sobre as descobertas recentes a respeito de alergias e alimentos que você pode esperar para introduzir, como ovos, frutos do mar, mel sem ser pasteurizado, nozes e frutas cítricas.

Quaisquer que sejam os primeiros alimentos que você *efetivamente* servir a seu filho, lembre-se de que é melhor esperar alguns dias depois de cada novidade para ver se não há reações alérgicas. Quando atingirem os 9 meses, as crianças podem começar a ingerir as receitas de purês presentes neste livro a partir da página 203. Se você introduzi-las de forma progressiva, seu filho vai consumir uma boa variedade de hortaliças quando fizer 2 anos.

Vale notar que pesquisadores e pediatras cada vez mais questionam a atitude norte-americana a respeito da alimentação infantil, particularmente a ênfase em limitar a quantidade de produtos no primeiro ano e a escolha do cereal de arroz processado como primeiro alimento do bebê. O doutor David Ludwig, diretor do Optimal Weight for Life Program [Programa do Peso Ideal] no hospital Boston Children's (um dos principais centros de pesquisa sobre obesidade no país) argumenta que o cereal infantil de arroz branco – que tem boa parte das vitaminas e nutrientes eliminados durante o processamento – equivale nutricionalmente ao açúcar de mesa.[13] Ele diz que esse tipo de produto aumenta o nível de açúcar e de insulina no sangue sem fornecer nutrientes (a não ser o ferro, adicionado pelo fabricante).[14] Em outras palavras, o cereal de arroz – um dos pilares da dieta norte-americana – pode ser um dos piores alimentos para bebês.

Como é possível que algo tão decadente em termos nutricionais tenha se tornado um alicerce de nossa alimentação infantil? Talvez porque alguns cereais de arroz sejam fortificados com ferro, e a deficiência dessa substância seja uma das poucas espalhadas pelos Estados Unidos.[15] Há outras maneiras de consumir ferro, porém, principalmente por meio de alimentos ricos nesse elemento (como o espinafre), desde que sejam servidos com um pouco de vitamina C (encontrada em tomates, por exemplo) para ajudar em sua absorção.

Será que as diretrizes para a alimentação infantil na América do Norte, que muitas vezes levam ao consumo de calorias na forma de cereal de arroz altamente processado e outros carboidratos, inadvertidamente influenciam as crianças na preferência de produtos nocivos e processados?[16] Alguns médicos acreditam que sim. O conhecido pediatra Alan Greene argumenta que a atitude norte-americana ensina as crianças a preferir alguns tipos de comida, como pão branco, biscoitos e macarrão.[17] Aos 18 meses, poucos bebês americanos comem grãos integrais todos os dias. O doutor Greene encoraja os pais a servirem cereais de arroz integral (ou purê de arroz ou de hortaliças caseiros) e até lançou a campanha WhiteOut (drgreene.com/whiteout), para por um fim à recomendação de alimentar as crianças com cereais processados – principalmente arroz. Talvez seja razoável reavaliar o consumo desse produto.

Quando devo começar a educar o paladar do meu filho?

Assim que ele começar a ingerir sólidos! Isso é relativamente fácil nesse estágio, já que muitos bebês têm uma curiosidade natural em relação a alimentos novos (assim como sentem interesse por brinquedos novos). Na verdade, muitas crianças colocam qualquer coisa na boca, seja comida ou não (minha filha mais velha até experimentou pedras, cascalho e sujeira!)[18] Tire vantagem dessa curiosidade natural para fazer com que provem diferentes sabores – e não apenas os neutros!

As recomendações a respeito de quando introduzir alimentos sólidos variam de acordo com o lugar e com a época em que foram escritas. No momento, 6 meses parece ser a idade preferida (antes dos 4 meses, o risco de alergia pode aumentar). Em alguns países, pediatras também desaconselham alguns ingredientes (como mel sem pasteurização) até os 12 meses ou mais. Confira as orientações que lhe pareçam relevantes e então converse com o pediatra para discutir, especificamente, que alimentos podem representar risco alérgico para seu filho. Quando começar, seu objetivo deve ser tirar vantagem da curiosidade natural do bebê e introduzir variedade antes dos 2 anos, quando a maioria das crianças passa pela fase da implicância.

Saiba, entretanto, que não existe uma idade mágica. Alguns bebês demonstram interesse mais cedo, outros não. Aos 4 meses, minha filha mais velha manifestava grande simpatia pela comida; a mais nova demorou mais tempo e, como seus dentes não nasceram logo, levou mais tempo para começar a mastigar os sólidos.

Cada bebê se desenvolve de uma maneira – seu filho será seu melhor guia. Ele vai demonstrar quando estiver pronto! Algumas crianças podem levar as mãos ao rosto, imitando os pais quando comem. Outras emitem grunhidos, fazem gestos ou até tentam alcançar os alimentos. Há bebês que, quando começam a comer, têm problema em manter a comida na boca. Nessa idade, seu reflexo natural de extrusão pode fazer com que empurrem os alimentos para fora com a língua. É um mecanismo inato de proteção que desaparece depois de algumas semanas ou meses.

Nos primeiros dois meses, atenha-se a receitas simples, com um único ingrediente, e depois comece a experimentar combinações interessantes. Aos 9 meses, os bebês podem ser introduzidos a ervas e especiarias – por esse motivo as receitas de purês deste livro contêm ingredientes como canela, orégano, cominho e manjericão. *Delícia!*

Preciso de algum equipamento especial?

Pessoalmente, acredito que menos é mais. Provavelmente ajuda ter uma cadeira alta, tigela e colheres inquebráveis, babadores e pelo menos um aparelho para bater os alimentos: passa-verduras, processador, liquidificador ou mixer. Máquinas como a BebeCook cozinham no vapor e fazem os purês ao mesmo tempo – até descongelam! É possível obter os mesmos resultados (e purês mais lisinhos) com um simples acessório para cozinhar no vapor e um liquidificador.

Quando e como alimentar o bebê?

Na hora de ensinar seu filho a comer bem, não há fórmula mágica nem regra que sirva para todos, mas algumas dicas funcionam para a maioria das famílias.

Crie uma *rotina*. Pode ser variável e flexível, mas crie algum tipo de planejamento que inclua três refeições ao dia, servidas mais ou menos na mesma hora em que os pais comem. Acrescente lanches, também programados. A FSP recomenda um lanche por dia (no meio da tarde) e a AAP fala em três (no meio da manhã e da tarde e na hora de dormir). Eis o exemplo de um planejamento simples, diário: café da manhã entre 8h e 9h, almoço entre 12h e 13h, lanche às 15h30 e jantar entre 17h30 e 18h30. Cochilos, doenças, brincadeiras e outras ocorrências (planejadas ou não) significam que é preciso alterar um pouco os horários. Não se preocupe! Qualquer que seja a rotina adotada, o mais importante é distinguir a hora de comer das outras.

Não tente *controlar* o que seu bebê come. Sua tarefa é planejar as refeições e fornecer uma boa variedade de alimentos em uma atmosfera tranquila e confortável. É o bebê que decide se come, e quanto. Não insista para que ele repita se estiver satisfeito, não peça para comer o que está recusando e, acima de tudo, não force seu filho.

Preste atenção em riscos de *sufocamento* e na *temperatura* quando reaquecer a comida. É melhor oferecer purês a bebês pequenos. Entre os 10 e 12 meses, quando começarem a ingerir alimentos sólidos, ofereça com cuidado. Quando fizer a transição entre as duas texturas, cozinhe os ingredientes até poderem ser amassados facilmente com um garfo. Corte em pedacinhos do tamanho de uma uva-passa. Regra geral: qualquer alimento que o bebê leve à boca deve poder ser engolido como está, sem que ele precise mastigar.

Promova a *variedade* fazendo rodízio dos alimentos. Se os bebês se acostumarem com novidades desde cedo, será mais difícil restringirem as preferências quando crescerem (só panquecas no café da manhã, só macarrão no almoço, e assim por diante). Introduza a maior variedade possível, tanto em cores quanto em sabores. Faça com que seu filho acredite que variar é normal.

Não se preocupe se seu filho fizer *bagunça*. Claro que os bebês às vezes fazem uma bagunça enorme. Você delimita o quanto vai tolerar, mas isso não deve ser um problema. Também é possível ensiná-los a comer sem sujeira. Observar os bebês franceses me fez ver que eles podem aprender a comer de maneira relativamente asseada, desde o começo. Para início de conversa, eles não podem brincar com a comida! Por exemplo: se jogarem os alimentos, o prato é retirado da mesa (de uma vez por todas!) e mesmo os menorzinhos aprendem rápido que, se tiverem fome, é melhor não jogar purê de cenoura no chão.

Prepare papinhas *caseiras*. Isso pode ser fácil e rápido se você se organizar. Congelar purês economiza tempo – e você pode misturar receitas caseiras com papinhas prontas para obter mais variedade de sabor. Ao se comprometer com o preparo caseiro das refeições, você vai ter muitas frutas e hortaliças em casa – aproveite para comê-las também. Se estiver preocupado com o tempo que vai deixar de passar com o bebê, coloque-o no cadeirão, no meio da cozinha, e dê algumas panelas e colheres para que ele possa brincar. Assim seu filho se diverte e "cozinha"!

***Coma* tudo o que seu filho comer!** Pesquisas mostram que as crianças se sentem muito mais estimuladas a experimentar algo novo se os pais provarem primeiro – com prazer evidente. Se não for gostoso para você, pode também não ser para seu filho. Tente combinações diferentes; às vezes, o bebê está pronto para sabores mais interessantes, o que reforça o interesse pela comida.

Não acrescente muito *sal* à comida do bebê. Se quiser servir à criança uma porção da refeição dos pais, separe-a antes de temperar com sal. Lembre-se de que, em média, os bebês têm muito mais papilas gustativas que os adultos! Eles apreciam o sabor natural dos alimentos sem o sal.

Sempre que possível, cozinhe os alimentos *no vapor*. Para carnes e peixes, qualquer técnica de cozimento que retenha a umidade (cozinhar o peixe em água, por exemplo) é uma boa aposta, já que permite ao bebê mastigar e engolir com mais facilidade.

Varie o *método de preparo* para ganhar diversidade. Cozinhar no vapor é a melhor maneira de reter nutrientes, mas você também pode refogar os ingredientes em um pouco de manteiga, azeite de oliva ou óleo de canola (abobrinha italiana e pimentão vermelho ficam deliciosos). Assar é fácil, mas leva tempo e intensifica os sabores (principalmente de inhame, abóbora e batata-doce). O método também permite que você prepare porções para adultos e crianças ao mesmo tempo – corte os legumes em pedaços grandes, junte água e asse no forno a 190 °C até ficarem macios. Tempere, sirva sua parte e bata o restante para transformar em purê. *Voilà!*

Não caia na *mesmice*. Quando preparar os purês, não se preocupe caso a quantidade do ingrediente-base varie. Se a papinha tiver um sabor um pouco diferente a cada vez, melhor! Assim o bebê se acostuma com mais novidades.

Ofereça alimentos para o bebê *comer com as mãos* assim que conseguir segurá-los entre o indicador e o polegar, por volta dos 10 a 12 meses. Corte os alimentos macios (como uva ou tomate-cereja) em pedaços pequenos, para evitar que o bebê sufoque. Legumes e frutas pequenas (ervilhas e mirtilos) são ótimos.

Não se oponha a usar um pouco de *gordura*. Crianças precisam ingerir uma quantidade moderada de gordura saudável para otimizar o crescimento e o desenvolvimento. A gordura ajuda na absorção de alguns nutrientes. E ainda acrescenta sabor! Um pedacinho de manteiga no purê de espinafre faz com que fique muito mais gostoso. Também é possível usar óleos de boa qualidade (como azeite de oliva) com parcimônia.

Mantenha seu filho sentado *à mesa* nas refeições É um bom hábito, nem que seja por segurança: as crianças sofrem menos risco de sufocar se comerem sentadas e mastigarem com calma.

Coma no *mesmo horário* que seu filho. Os bebês são imitadores naturais e a experiência de sentarem com você à mesa é educativa. Ao verem os pais e os irmãos mais velhos experimentando novos alimentos, eles se animam a fazer o mesmo.[19]

Mantenha um *calendário* do que seu filho come e anote suas reações. Isso ajuda você a planejar o que introduzir na próxima vez e a incluir variedade – também garante que você perceba padrões de "gosto/não gosto".

Não permita que seu filho faça *caretas* à mesa. As crianças são muito sugestionáveis; se um irmão ou adulto declarar que não gosta de alguma coisa, é provável que o bebê faça o mesmo. Ensine os outros membros da família a não dizer nada ou recusar algo com educação dizendo "não, obrigado".[20]

Não *imagine* que seu filho não vai gostar de alguma coisa. Deixe que ele decida. Se for seguro para comer, ele pode experimentar. E não pense que as preferências da criança serão iguais às suas. Dito isso, seu filho irá recusar alguns alimentos, portanto prepare-se para o inevitável.

O que fazer quando o bebê se recusar a experimentar algo novo?

Recusas são um dos aspectos mais frustrantes com que pais e mães têm que lidar. Elas aumentam nossa ansiedade e muitas vezes se parecem com rejeições. O mais importante (e sei que é difícil): não pressione o bebê de jeito nenhum. Simplesmente retire a comida sem dizer nada e não ofereça um substituto. Não caia na armadilha de preparar algo de última hora e não reforce as recusas. Tente oferecer o mesmo alimento depois de alguns dias ou semanas.

Alimentar seu filho é como conversar. Quando percebe que você entende os sinais que ele emite, ele ganha confiança. Assim você não cria associações emocionais com a comida, e o bebê aprende a comer num ritmo próprio.

Lembre-se de que o paladar dos bebês é aguçado. Em média, eles têm mais papilas gustativas que os adultos. Podem distinguir diferentes tipos de açúcar – mesmo em concentrações baixas.[21] Alguns dias depois de nascidos, conseguem até diferenciar o leite da mãe de outro leite materno! São muito capazes de experimentar e gostar de diversos sabores (mas pode ser que precisem de algumas tentativas antes de se acostumar) – mais uma razão para não dar a eles apenas comida neutra.

Seguir a regra da rotatividade também ajuda a lidar com as recusas. Variar as hortaliças com frequência mantém as coisas mais interessantes (e, posteriormente, quando os bebês crescerem um pouco, haverá menos tensão à mesa, principalmente se você servir alimentos de que a criança gosta entre outros mais "assustadores"). Claro que, quanto maior for a variedade, mais ingredientes vão agradar e vai haver menos chances de você se envolver em um verdadeiro cabo de guerra (veja página 119).[22] Lembre-se de que, em matéria de aprender a gostar de hortaliças, a prática faz a perfeição.

Outro ponto para levar em conta: enquanto cada bebê tem um estilo diferente de se alimentar, alguns padrões de desenvolvimento são comuns a todos. De 1 a 3 anos, muitas crianças demonstram reações negativas à comida, tornam-se mais distraídas ao comer (parece familiar?) e, com o tempo, desenvolvem padrões de apetite mais previsíveis.[23] Acredita-se que o surgimento das reações negativas seja um padrão normal do desenvolvimento, quando os bebês começam a entender do que gostam (e não gostam) à medida que a dieta começa a ficar mais variada.[24] A distração aumenta aos 2 anos, quando o crescimento fica mais lento e o apetite diminui.[25] Nessa fase, você provavelmente irá reparar que o apetite de seu filho se torna cada vez mais previsível (com intervalos regulares de fome), pois ele começa a se adaptar ao ritmo alimentar da família.

Ao mesmo tempo, você começa a aprender mais sobre o estilo que seu filho tem ao se alimentar, o que é evidente mesmo em bebês de 6 meses.[26] Assim como os adultos, eles tendem a apresentar uma das três características:

1. **O tranquilo.** Este tipo (cerca de três em cada dez bebês) tem um apetite mais previsível e fica menos distraído durante as refeições – está mesmo interessado na comida, ansioso para experimentar, e não deixa nada atrapalhar a sua fome. Geralmente, não é irrequieto e mostra-se aberto a novas experiências alimentares. Muitas vezes também tem baixas reações emocionais; são crianças calmas. Meu sobrinho Damien é desse tipo: concentra-se intensamente em conseguir a maior quantidade de comida no menor tempo possível. Com Damien (e às vezes com outras crianças dessa mesma categoria), comer demais talvez venha a ser um problema.

2. **O cabeça-dura.** Este tipo tem apetite previsível, mostra-se um pouco (mas não muito) distraído durante as refeições e tem preferências claras: gostos e recusas que aparecem cedo e podem se intensificar com o tempo. Presente em cinco ou seis bebês em um grupo de dez, esse comportamento pertence a crianças às vezes difíceis, que reagem negativamente diante dos alimentos novos, mas que em geral se acostumam com eles com o passar do tempo. Minha filha mais nova, Claire, exibe essa atitude – contente ao comer, mas sem medo de dizer do que gosta ou não.

3. **O reagente.** Estas crianças (cerca de um ou dois a cada dez bebês) reagem fortemente aos alimentos e tendem a uma quantidade restrita de preferências. Muitas vezes estão distraídas durante as refeições e têm padrões de apetite menos previsíveis; podem mostrar-se ansiosas em relação à comida e exibir mais reações emocionais (não apenas às receitas). São as mais propensas a demonstrar neofobia (medo de alimentos novos) quando crescem um pouco; leva mais tempo e persistência para ajudá-las a manter uma dieta variada. Se é o caso de seu filho, saiba que eu simpatizo com você: minha filha mais velha, Sophie, era reagente. Já vão longe os dias em que ela fazia a "dança da comida maluca" (virava os olhos, batia os pés e até pulava ao ver-se diante de algo que não gostava de comer), mas foi um período difícil.[27] Como às vezes acontece com as crianças enjoadas, fazer Sophie comer o suficiente era motivo de preocupação. (Por quanto tempo alguém consegue sobreviver de vitaminas e torrada com manteiga?)

Seu filho apresenta a própria "personalidade alimentar", com características tão duradouras quanto outros aspectos de seu caráter. Sua tarefa é descobrir o estilo dele e encorajá-lo a expandir o paladar sem desrespeitar as diferenças individuais. Alguns bebês evoluem de forma mais lenta que outros, mas não perca a esperança! Você *pode* ensinar seu filho a comer – com a quantidade certa de amor e limite, persistência e visão, encorajamento e bom senso.

Crianças de colo: prevenindo e resolvendo desafios comuns

Alimentar crianças de colo ou em idade pré-escolar é muitas vezes frustrante. Ansiosos para garantir que seus filhos consumam os nutrientes necessários, muitos pais se deparam com as fortes preferências das crianças – que querem comer a mesma coisa quase todo dia (geralmente o que há de menos saudável no repertório familiar).

Os pais sabem o que dar aos filhos de colo (normalmente, mais frutas e hortaliças), mas não sabem *como* fazer com que eles gostem disso. Muitas crianças preferem alimentos neutros (feitos com farinha branca refinada, como biscoitos e pão) a qualquer outra coisa. Tenho conhecimento de causa: aos 2 anos, se eu deixasse, minha filha mais velha só comeria macarrão e torrada com manteiga. Muitas famílias que trabalharam comigo neste livro disseram a mesma coisa. Isso, claro, é normal: enquanto bebês gostam de explorar e ainda estão muito apegados aos pais, as crianças de colo estão se tornando pequenos indivíduos – às vezes resistindo aos pais à medida que descobrem a individualidade e a recém-descoberta noção de poder.

Como resultado, poucas crianças de colo ou pré-escolares comem as cinco porções de frutas e hortaliças recomendadas ao dia. Seu comportamento alimentar é muitas vezes imprevisível; podem parecer famintos numa hora e, na outra, demonstrar desinteresse total pela comida. A recomendação do USDA [Departamento de Agricultura dos Estados Unidos] para que *metade* do prato seja composta de frutas e hortaliças (em cada refeição!) faz muita gente dar risada diante do gosto volúvel e enjoado dos pequenos.

Apesar disso tudo, continuo pedindo: *não se preocupe*. Se a altura e o peso de seu filho estiverem dentro dos padrões normais, de acordo com o pediatra, e se ele parecer saudável, feliz e cheio de energia, o comportamento enjoado provavelmente não passa de uma fase normal do desenvolvimento. Existem, porém, alguns sinais em que é preciso ficar de olho. Se a criança parece ter problemas ao mastigar, recusa os alimentos com frequência, não apresenta movimentos intestinais regulares (sem que evacue de maneira fácil pelo menos uma vez a cada um ou dois dias), urina menos de quatro vezes ao dia, não dorme de dez a doze horas por noite e não come todos os dias pelo menos um item de cada grupo principal – frutas, hortaliças, grãos, proteínas (carne bovina, peixe, feijão, nozes e sementes), laticínios (ou substitutos) e gorduras saudáveis –, é preciso consultar um médico.

Em muitos casos, os hábitos implicantes de seu filho são completamente normais. Sua preocupação (e, muitas vezes, frustração) a respeito dos hábitos alimentares dele também é normal. Muitos pais se afligem porque a criança consome muitos alimentos nocivos (como farinha branca refinada, açúcar e comida processada), não ingere produtos saudáveis o suficiente (hortaliças, proteínas e grãos integrais dominam essa lista) ou simplesmente não come como deveria, ponto. Você não está sozinho! Mostrar-se enjoado ao comer faz parte do desenvolvimento, e muitas crianças precisam de orientação para superar a fase. Lembre-se: você pode ensinar seu filho a comer da mesma maneira que ensina a ler – mas ele precisa praticar regularmente sob sua orientação.

Criar limites saudáveis – usando as rotinas e regras simples descritas nos Sete Segredos – é uma importante parte dessa orientação. *Como* e *quando* as crianças comem (por exemplo, com uma rotina estruturada de três refeições e um ou dos lanches por dia) ajuda a determinar *o que* elas comem. Lembre-se de seu planejamento e atenha-se a ele.

Lembre-se das rotinas!

A melhor época para estabelecer práticas saudáveis é quando a criança tem de 1 a 3 anos. Algumas sugestões:

- Planeje as refeições e os lanches (e atenha-se ao plano).

- Sirva as refeições à mesa, e em nenhum outro lugar (não ande atrás da criança pela casa toda com uma tigela e uma colher na mão – mesmo porque, isso pode provocar acidentes).
- Não exerça pressão à mesa: nada de preparar alimentos sob demanda, forçar, subornar, adular, instigar.
- As crianças comem o mesmo que os adultos: não substitua nem cozinhe nada de última hora.
- Siga a regra da "variedade": introduza um alimento novo por dia (ou por semana, ou no período de tempo que for melhor para sua família). Acredite: a novidade trabalha a seu favor, e não contra. Esse é o jeito de dar a seu filho a chance de aprender a comer novos ingredientes.
- Siga a regra da "rotatividade": sirva os alimentos favoritos de uma nova maneira, todos os dias.
- Os pais dão, os filhos decidem: encoraje a criança a experimentar novos ingredientes, mas deixe que ela decida o que quer ou não comer.
- Crie rituais: conversas durante as refeições, regras de educação – se você começar agora, vai ser muito, muito mais fácil quando as crianças crescerem. De verdade!

Estabelecer rotinas como essas fornece as bases para aprender sobre novos sabores e texturas: seu filho vai estar faminto à hora da refeição, com uma expectativa positiva, pronto para se comportar relativamente bem à mesa.

Outra estratégia importante é adaptar um pouco as refeições (apenas um pouco) às habilidades desenvolvidas por seu filho. Algumas dicas:

- Veja se a criança está confortável: com os pés apoiados e um bom suporte para as costas. Acredite se quiser: a capacidade de mastigação depende do apoio do tronco – por meio dos pés!
- Prepare alimentos fáceis de comer (a carne deve ser macia e úmida; salada cortada em pedaços pequenos).
- Sirva porções pequenas: deixe que a criança peça para repetir, mas não faça pratos grandes logo de início.

- Sirva as hortaliças ou frutas primeiro, de preferência tanto no almoço quanto no jantar.

Atenção: regras e rotinas não significam que as refeições precisam ser extremamente rígidas. As crianças aprendem melhor quando os pais estão tranquilos. Se você começar desde cedo e se for persistente, quando seu filho chegar à idade escolar (por volta dos 6 anos), vai comer mais ou menos como um adulto. Você terá introduzido uma variedade de texturas e sabores à dieta dele e colaborado para que ele siga uma rotina estruturada de alimentação. Comer será, cada vez mais, um momento de diversão para a família toda (e não motivo para brigas).

Ao longo do trajeto, porém, é capaz de você encontrar três desafios. Muitas crianças de colo têm dificuldade:

1. de aceitar texturas diferentes
2. de misturar alimentos (e comer pratos "misturados")
3. de interpretar e coordenar os sinais emitidos pelos sentidos da visão, audição, tato, olfato e paladar diante de alimentos novos

Em seguida, relaciono algumas dicas e truques simples para ajudá-lo a superar esses desafios, a maior parte relacionada (de uma maneira ou de outra) às texturas.

O desafio das texturas

Crianças de 1 a 3 anos começam a encontrar – e dominar – diferentes texturas. Mastigar parece muito natural para os adultos, mas é fácil esquecer que trata-se de um grande passo para os bebês. Pense em como foi difícil aprender a mastigar alimentos crocantes. Ainda me lembro de como minha filha mais velha ficou orgulhosa na primeira vez em que se aventurou com uma cenoura crua – nada desprezível, considerando aqueles dentes minúsculos e o pequeno maxilar!

O desconforto com as texturas é um problema comum entre crianças de colo, e quase sempre determinante para elas aceitarem (ou rejeitarem) um alimento.[1] Parte do motivo é mecânico: seus dentes e maxilares (assim como os músculos que os circundam) ainda estão se desenvolvendo e, por isso, pode ser difícil controlarem totalmente alguns alimentos na boca.[2] Nessa idade, elas tendem a rejeitar texturas difíceis de manipular (com razão, do ponto de vista delas!) Hortaliças escorregadias (como cogumelos), duras e crocantes (que algumas crianças acham problemáticas) ou (pior ainda) que combinem duas consistências (tomate cru) são as mais difíceis de introduzir.[3]

A suspeita em relação às texturas é, portanto, ao menos em parte um mecanismo natural contra o risco de sufocar. Apesar disso realmente representar uma ameaça (leia abaixo), você deve ajudar seu filho a descobrir o que ele *pode* comer sem perigo. Os jogos e experiências listados aqui ajudam a fazer exatamente isso.

A providência mais simples é adaptar a textura dos alimentos para que se encaixem na etapa de desenvolvimento da criança. Eis alguns exemplos:

- Se seu filho está começando a comer alface, rasgue em pedaços bem pequenos ou sirva apenas o miolo das folhas, mais crocante e semelhante a maçãs, cenouras e aipo, que ele provavelmente já come.
- Toda carne precisa estar úmida e macia, cortada em pedaços mínimos. Muitas vezes, a rejeição ao produto diz respeito à textura (e ao esforço de mastigar), não ao sabor. Veja as dicas da página 189.
- Transforme o tema em um jogo. Em nossa casa, inventamos uma variação com cenouras do Jogo 13: As texturas extraordinárias (página 123) para encorajar nossa filha mais nova a comer o ingrediente. Pré-escolares gostam de brincar e adoram imitar os pais. Tire vantagem disso!

Engasgar *vs.* sufocar

Engasgar é um mecanismo neurológico normal de segurança exibido pela maioria das crianças (e alguns adultos). É parte do reflexo de engolir que previne o sufocamento: quando a comida desliza para o fundo da boca, o engasgo a empurra de volta. Sabendo disso, tente se lembrar de que, se você não reage quando seu filho engasga, ele vai apenas continuar a comer. Explique com calma que se engasgar não é motivo de preocupação e ensine-o a evitar isso pegando pequenos pedaços e mastigando adequadamente.

Sufocar, claro, é perigoso. Se a criança consegue respirar ou tossir, vai provavelmente expelir o alimento sozinha. Mas, se não emitir nenhum som ou apenas um guincho fraco, pode estar sufocando. Isso acontece quando você respira ao mesmo tempo em que engole. O risco é maior com alimentos escorregadios (cachorro-quente, linguiça, uva, cenouras baby – que têm o tamanho exato para obstruir a traqueia), que são difíceis de mastigar (filés, nozes duras ou balas) ou grudentos (grandes porções de manteiga de amendoim). Proteja seu filho evitando esses ingredientes antes dos 3 anos e picando a comida depois dessa idade (um exemplo: corte as uvas em quartos). Encoraje a criança a manter-se calma durante as refeições e a comer apenas sentada. O mais importante: peça ao seu médico que ensine os primeiros-socorros para o caso de sufocamento.

Misturando texturas

Muitas crianças não gostam de misturar texturas. Essa é uma fase normal e passageira. Isso acontece, em parte, porque ainda estão aprendendo a mastigar e manipular o alimento na boca, e misturas tornam a operação mais complicada. Outro motivo é o fato de ainda estarem aprendendo (e misturando) categorias cognitivas. Por exemplo: se você serve cenouras de um jeito um pouco diferente (salpicadas com salsinha), seu filho pode achar que é um prato inteiramente novo. É por isso que às vezes ele come algumas coisas puras alegremente, mas não misturadas. Um exemplo clássico: Tobias, de 3 anos, filho de uma das famílias que educaram o paladar comigo, gostava de pimentão e ovos mexidos, mas recusava omelete com pimentão.

A solução? Deixe seu filho no comando, como fizeram as famílias que testaram as técnicas do livro, com ótimos resultados:

> *Tobias não gosta de misturas... a não ser que ele mesmo faça as combinações. Acho que assim ele pensa que está no controle – se ele mesmo juntar os ingredientes, não há problema. Portanto, se quero introduzir algum alimento novo, agora peço-lhe que me ajude na receita. Na semana passada fizemos uma omelete juntos. Foi uma experiência, porque ele não gosta muito de omelete (embora seja ótimo em quebrar os ovos com uma mão só, sem deixar a casca cair na tigela!) Juntamos pimentões e espinafre e muito queijo, e vimos quando tudo cozinhava, borbulhando. Foi muito agradável para nós dois. Isso ocorreu depois de um longo dia de trabalho, e cozinhar com ele serviu ao mesmo tempo para desfrutarmos de bons momentos e preparar o jantar. Ele comeu e disse que estava delicioso. Às vezes, no almoço ou em fins de tarde preguiçosos, dou a Tobias um pedaço de pão sírio e deixo que ele recheie com pepino e queijo ou sobras de frango e carne – ele aceita, desde que misture tudo sozinho.*
>
> *Martha*

Aos 3 anos, a experiência de Tobias é típica da idade. Diferentes texturas em uma mesma receita muitas vezes representam um desafio para as crianças pequenas. Mas você pode ajudar seu filho a superar esse medo! O Jogo 16: Misturando tudo (página 143) desenvolve essa ideia em uma sequência de atividades que ajudam a criança a se acostumar com as diferentes texturas.

Experimentando texturas, educando o paladar

Nessa idade, a Educação do Paladar se torna sua melhor amiga. Para crianças desconfiadas, a exposição visual *anterior* à Educação pode ter efeitos realmente positivos. Isso inclui mostrar uma hortaliça, fruta ou receita para seu filho, deixando que ele manipule os ingredientes, ou ler em voz alta livros sobre comida (confira algumas indicações no *site* GettingToYum.com).

Lembre-se: você pode usar a Educação do Paladar para explorar texturas, além de sabores. Se achar que está muito ocupado para organizar um treino, experimente incorporá-lo a sua rotina na cozinha. Antes de amassar a batata, separe uma delas; sirva uma fatia de batata cozida ao lado do purê e peça a seu filho que compare os dois alimentos. Ou use a regra da "rotatividade" para ajudar a explorar texturas: sirva cenouras cruas em um dia, cozidas no outro e como sopa no seguinte! A Educação do Paladar não é complicada nem toma tempo, mas requer que você se mantenha atento e um pouco criativo. Acima de tudo, tente não disfarçar a comida nas receitas. Isso pode ser bom, em termos nutritivos, mas é questionável do ponto de vista do desenvolvimento. Ofereça à criança oportunidades para aprender a comer ingredientes "assustadores" – quanto mais você fizer isso (e com calma), mais rápido ela aprende.

Brincadeiras com seu filho

Crianças de 1 a 3 anos adoram testar limites e estão apenas começando a entender a luta de forças. São como pequenos psicólogos, tentando descobrir o que podem ou não fazer sem provocar consequências nos outros (reações de alegria, raiva, medo, aborrecimento). Esses experimentos são normais, mas também podem ser assustadores. Eles querem limites e responderão bem quando souberem do que se trata. Foi o que percebeu Hélène, mãe de Pablo, de 18 meses:

> *Passei por um desafio recentemente, quando Pablo descobriu um de seus superpoderes: tirar o babador no meio da refeição. Eu havia estabelecido uma regra: comer no cadeirão e usar babador. Quando ele percebeu que eu me aborrecia quando ele tirava a peça, começou a fazer isso sempre, no começo do almoço, dando início a uma guerra de forças. Caí na armadilha algumas vezes e então vi que estava errada. A luta de forças tornava a situação pior e acabava com minha refeição, pois eu me chateava. E ele também parava de comer. Então decidi adotar uma resposta calma.*
>
> *Quando ele tirou o babador novamente, eu disse, despreocupada: "Tudo bem, você acabou de comer? Sem problema". (Eu pensava que, se ele sentisse fome, comeria melhor na refeição seguinte.) E o liberava da mesa, enquanto eu continuava a comer. Nas duas primeiras vezes em que fiz isso, ele se surpreendeu e ficou ali por perto, tentando chamar nossa atenção. Agora, no fim do almoço, ele aponta o babador, dizendo "Maman" com uma voz doce e pedindo para tirar, "por favor". Pergunto se ele acabou de comer e, caso diga que não, continuamos a refeição. Se ele acabou, tudo bem. Fiquei aliviada ao ver que isso funcionou!*
>
> *Hélène*

Lembre-se: seu filho pode querer testar suas regras e rotinas, principalmente se já era um pouco mais velho quando o planejamento foi estabelecido. Uma criança talvez se comporte mal à mesa; se isso acontecer, uma das respostas é pedir que saia e manter a firmeza, impedindo-a de voltar para terminar o jantar ou ficar com a família, explicando que ela pode tentar novamente na refeição seguinte. A uma criança de colo que sempre tentar tirar o babador, diga, com firmeza, que o almoço acabou. Se você resistir, ela aprende rápido.

Uma maneira comum de as menorzinhas testarem limites é a tática do "não vou comer". Minha filha mais nova tentou fazer isso quando ainda não tinha nem 3 anos. "Não *vou* comer", ela disse, na hora do jantar. "Tudo bem", respondemos. "É hora de dormir, então você pode ir para o seu quarto e se deitar." *"Está bem!"*, ela bufou e saiu de forma dramática (tanto quanto uma garota de 3 anos consegue ser dramática) em direção ao quarto. Não dissemos nada e continuamos a comer tranquilamente. Depois de cinco minutos, ela voltou, sentou-se e começou a comer. Não fizemos nenhum alvoroço por isso e a situação nunca mais se repetiu.

Uma variação da tática anterior é a estratégia do "não estou com fome". Pode até ser verdade (por acaso seu filho comeu um pedaço grande de bolo em alguma festa de aniversário no fim da tarde?), mas também pode ser um teste. Eis uma atitude recomendada por Ellyn Satter, respeitada escritora americana de nutrição: diga "Você não precisa comer, mas venha nos fazer companhia por alguns minutos". Se as crianças ainda quiserem deixar a mesa, fale "Tudo bem, mas não haverá nada para comer até a próxima refeição". Se elas voltarem para comer, não faça muitos comentários. Se fizerem birra, não fique com raiva (isso é prestar atenção e, consequentemente, recompensá-las). Quando vê que você se mantém firme, seu filho só vai tentar essa tática uma vez.

Outras estratégias foram vistas nos capítulos anteriores:

- **"Não gosto disso!"** As regras "hortaliças primeiro" e "você deve apenas experimentar" ajudam a lidar com o inevitável "não gosto disso".
- **"Quero macarrão!"** Lembre-se: você se comprometeu a evitar pedidos de última hora, portanto nada de preparar macarrão (ou qualquer outra coisa) se a criança não gostar do que vê na mesa. É exaustivo e não oferece oportunidade para seu filho aprender. Em nossa casa, adotamos o lema "tem o que tem". Coloque na mesa algo de que ele goste (como pão) para que possa comer caso não queira mais nada.
- **"Olhe para mim, mamãe!"** Uma batalha mais sutil gira em torno dos elogios: as crianças exageram o bom comportamento (ou alternam entre o bom e o mau) para receber a aprovação dos adultos. Uma maneira simples de evitar isso é não exagerar nos elogios. Você pode dizer se comeram bem, mas não enfatize e nem cumprimente por atitudes normais (ou que deveriam ser normais). O mais importante é *elas* se orgulharem de si mesmas; não é *seu* problema. Conversas durante as refeições não devem girar em torno dos hábitos alimentares de seu filho; como escrevi no Segredo nº 4: Rotinas e rituais tornam a alimentação saudável automática (e divertida!) (página 93), há outros assuntos para trazer à mesa.

Mantenha o otimismo! Equilibre o amor e os limites

Crianças de 1 a 3 anos têm muito a aprender sobre alimentação, e os pais devem se lembrar de muitas coisas. Em última instância, trata-se de conseguir equilíbrio entre amor e limites. Algumas vezes, você deve se manter firme; em outras, pode ser mais leve. No geral, você provavelmente abusa da autoridade ao exigir que a criança limpe o prato, coma tudo antes da sobremesa, permaneça na mesa para acabar de comer (quando todos já saíram) ou restrinja a alimentação a três refeições por dia (é preciso dar pelo menos um lanche). Por outro lado, não há limites firmes se você corre para preparar algo de última hora ou produz algo especial para seu filho em boa parte das refeições, se deixa a criança comer petiscos (ou suco, ou leite) sempre que quiser, se permite o mau comportamento à mesa ou se usa a comida como suborno para que ela desempenhe tarefas básicas (como entrar no carro ou colocar as roupas de manhã). Estabelecer bons hábitos desde cedo será excelente para o futuro.

Crianças em idade escolar: técnicas para criar filhos que comem bem

Criar filhos que comem de maneira saudável é diferente quando eles atingem a idade escolar. Agora, passam mais tempo longe da supervisão dos pais e estão expostos à pressão alimentar do ambiente da escola e dos colegas. O panorama com que se deparam é muito mais complexo – por sorte, têm idade suficiente para começar a aprender as habilidades de que necessitam. E precisam aprender, para poder conquistar a autonomia indispensável à idade adulta. Como foi dito no Segredo nº 2: Fazer propaganda dos alimentos saudáveis realmente funciona! (página 55), as crianças precisam saber decifrar as mensagens de *marketing* que encontram em todo lugar à sua volta – principalmente na TV e *on-line*, mas também na escola.[1] A Academia Americana de Pediatria (AAP) recomenda que os menores de 2 anos não vejam TV e que as mais velhas assistam apenas de uma a duas horas por dia (a média são quatro horas diárias).[2]

Uma estratégia igualmente poderosa para limitar a exposição é fazer o *marketing* contrário, que dá a seus filhos a habilidade de resistir aos anúncios. As crianças precisam saber que estão rodeadas de propaganda e ser capazes de identificá-las. Devem entender o objetivo dos anúncios e necessitam de motivação para resistir a eles.[3]

Como vimos no Segredo nº 2, o *marketing* contrário não é apenas um mecanismo de defesa. Você pode fazer propaganda dos alimentos saudáveis para seu filho! Alguns jogos e experiências listados no capítulo ajudam no "*marketing* positivo", tornando a comida saudável divertida e interessante.

Parece loucura? Reveja o Jogo 5: O nome bobo (página 68). O consumo infantil de hortaliças aumentou até 100 por cento quando os pais e os professores batizaram as receitas com nomes engraçados. Fazemos isso o tempo todo em nossa casa! Você prefere comer Cevadinha ou Baguete de fada? Uma Vitamina de abacate ou uma Vitamina monstro?

Isso também é importante com crianças mais velhas, mas com elas suas técnicas de "*marketing*" – como mostramos aqui – serão mais sutis. Encoraje os pré-adolescentes e adolescentes a desenvolver preferências de sabor como parte da exploração de suas identidades individuais. Os pais de uma família que trabalhou comigo neste livro, por exemplo, ficaram entusiasmados ao ver que o filho adolescente passou a adorar vagens; hoje ele até cozinha o ingrediente com frequência para todos! Esse é outro detalhe importante: muitos adolescentes desenvolvem interesse pelo ato de cozinhar para si próprios como parte de sua jornada rumo à independência.

Além do *marketing*, outra estratégia fundamental nesta idade é *dar o exemplo* de bons comportamentos. Continue a seguir a rotina saudável que você já estabeleceu (ou a crie agora): três refeições e um lanche por dia. Pode parecer que seus filhos mais velhos não precisem tanto do jantar em família (é possível que até reclamem de ter que se juntar a você todos os dias), mas isso é tão necessário como quando eram menores. Veja se eles não querem ajudar a cozinhar os alimentos. Uma das melhores maneiras de ajudar uma criança a gostar de novos ingredientes é fazendo com que ela participe do preparo. Talvez seu filho até tenha interesse em manter um diário gastronômico ou em fazer pesquisas a respeito de frutas e hortaliças.

À medida que você institui esses hábitos saudáveis, mantenha um importante objetivo em mente: ajudar seu filho a desenvolver um julgamento próprio a respeito da comida e do comportamento alimentar. Não se esqueça de que a criança está elaborando essas habilidades. Algumas até aperfeiçoam a coordenação motora ao segurar talheres, cortar e levar o alimento do prato à boca. Também aprendem a realizar mais de uma atividade ao mesmo tempo: ouvir e participar da conversa enquanto comem é um ensinamento que vão levar para a vida toda.

Nem estabelecer exemplos nem fazer propaganda significa tomar todas as decisões em lugar da criança. Se controlar demais, talvez seu filho se rebele totalmente ou dependa demais do que você lhe diz para fazer. De qualquer forma, ele não estabelecerá um julgamento pessoal. É preciso dar informações a respeito do *marketing* e de como a indústria alimentícia tenta manipular nossos sentidos para que compremos mais. Algumas experiências deste capítulo ajudam a fazer isso. Mas a melhor maneira de explorar esses assuntos é conversar sobre eles com frequência. Bom lugar para isso é uma das refeições corriqueiras em família (seja no café da manhã ou no jantar, uma vez por dia ou uma vez por semana). As lições, jogos e experimentos do Segredo nº 5: Crianças não precisam de "comida de criança" (caso você esteja lendo este livro e tenha filhos em idade escolar, pratique os exercícios do capítulo) ensinam a garotada a ter consciência dos sentidos e discutem suas reações aos ingredientes, o que ajuda a entender (e ampliar) as preferências alimentares.

Lembre-se: crianças em idade escolar (principalmente os adolescentes) estão explorando e experimentando, o que é natural e normal nessa fase. Por sorte, elas têm tanta necessidade calórica que podem comer todos os alimentos nutritivos de que necessitam e ainda sobra um pouco de espaço para outros. Se seu filho come alegremente as refeições que você prepara em casa e de vez em quando consome alguma guloseima na casa de amigos ou usa a mesada para comprar petiscos, não se preocupe demais. Tenha em mente o seguinte cenário: se ele aceita (e gosta) de alimentos nutritivos, está relativamente feliz com a imagem de seu corpo e responde bem à combinação de amor e limites que você impõe, está no caminho certo. Caso contrário, talvez seja preciso fazer alguns ajustes à sua rotina e tentar algumas experiências e jogos.

O mais importante: lembre-se de que deixar as crianças fazerem escolhas adequadas à idade é a melhor maneira de cultivar hábitos saudáveis. Pais que controlam demais a alimentação da família estão mais propensos a ter filhos que comem em função de estímulos externos (incentivados pela visão e aroma dos alimentos, estando ou não com fome) ou emocionais (em resposta aos sentimentos, e não às necessidades físicas). Esses tipos de consumidor têm tendência maior à obesidade.[4] De maneira mais sutil (principalmente no caso das meninas), as crianças podem desenvolver um vaivém de amor/ódio ou restrição/excesso, frequentemente suprimindo o sentimento de fome e comendo pouco, mas aumentando o risco de comer demais periodicamente (principalmente quando se descontrolam e consomem algo proibido).[5]

Isso não significa que os pais não devem exercer influência na alimentação dos filhos. É preciso, porém, buscar diferentes métodos: encorajar, ensinar e dar exemplos (positivos) e não controlar (negativo). Pesquisas sugerem que as estratégias de controle que não podem ser detectadas pelas crianças funcionam melhor. Da maneira mais simples, é preciso criar um cenário positivo onde os produtos saudáveis sejam basicamente as únicas escolhas do dia a dia. Talvez seja preciso evitar restaurantes que servem receitas prejudiciais, estabelecer a regra de não comprar nada processado ou criar a lista do "de vez em quando" – mas o ideal é não servir, em casa, nada industrial. Se isso virar rotina, as crianças questionam menos. Esse "controle camuflado", na verdade, aumenta o consumo de petiscos saudáveis e está associado a um risco menor de obesidade.[6]

Mesmo o controle camuflado, porém, tem seus limites. O que fazer quando a criança está no ensino médio, com um McDonald's na esquina na hora do almoço? Espero que você tenha aceitado a autonomia crescente de seu filho ao mesmo tempo em que o preparou para fazer boas escolhas. É preciso desenvolver o que os psicólogos chamam de "coerência" alimentar: uma sensação de confiança (que aumenta por meio de rotinas previsíveis e a imposição de bons limites) e uma mistura de otimismo e autocontrole (que aparece à medida que a criança exercita a autonomia).[7] Esse é o equilíbrio que você precisa atingir: dividir com seus filhos um controle que aumenta à medida que eles se desenvolvem.

Crianças mais velhas: dicas preciosas para transformar os resistentes

1. Crie o "desafio da novidade". Deixe que cada criança escolha um alimento que rejeite, mas que agrade a algum de seus amigos ou familiares. Solicite que outras duas crianças (ajudadas por você) pesquisem uma receita para aquele ingrediente – elas podem ajudar a preparar e servir. O desafio: convencer quem fez a escolha "nojenta" de que ele pode gostar de comer o produto. Se for muito complicado, peça a cada criança para escolher algo que gostariam de conseguir comer. Sirva de maneiras diferentes em dias ou semanas alternados e explique que é preciso experimentar o alimento entre sete e doze vezes até aprender a gostar dele. Assim como andar de bicicleta, é preciso prática!

2. Adote o lema "uma família, uma refeição". Usando algumas regras (uma hortaliça fresca por dia), envolva seu filho na criação dos cardápios e mantenha-se firme a eles. Por exemplo: trabalhe em um menu para o sábado e o domingo. Durante a semana, se a criança estiver sendo difícil, use a regra "você não precisa gostar, mas tem que experimentar". Trabalhe o conceito de consequência (não é um castigo!): por exemplo, se não terminar sua (pequena) porção de hortaliças, não haverá sobremesa.

3. Envolva seu filho no planejamento da refeição. Peça a ajuda da criança na escolha de receitas, nas compras, para cozinhar e montar a comida de um evento familiar (ou de um jantar com convidados em sua casa) – ao desempenhar essas funções, ela deve receber elogios também de outras pessoas (não apenas você).

4. Incentive a pressão positiva. Seu filho tem algum amigo ou primo (ou alguma criança um pouco mais velha – isso funciona maravilhosamente!) que coma melhor e possa fazer uma refeição em sua casa para dar o exemplo? Peça para o visitante sugerir uma de suas receitas preferidas com antecedência; se comerem com gosto, é grande a chance de seu filho fazer o mesmo.

5. Jogue *Crunch a Color*. Veja em crunchacolor.com [em inglês].

6. Invente uma semana de degustação. Peça para cada membro da família escolher um novo alimento que gostaria de experimentar. Deixe que todos selecionem suas receitas preferidas. Crianças interessadas podem ajudar a comprar, preparar e/ou servir os pratos para todos. Elas adoram virar o jogo, escolhendo algo que seus pais não apreciam!

Uma reflexão final: livre-se da culpa!

Se você está lendo este livro, é porque deseja ajudar seu filho a comer melhor. Por favor, deixe de lado qualquer culpa que possa ter. Você e seu filho estão dando o melhor de si, e espero que o livro contenha ideias que facilitem o alcance de seus objetivos.

Livrar-se das acusações também significa eliminar a culpa da equação gastronômica familiar – tanto a sua quanto a dos filhos. Não classifique os alimentos em bons ou ruins. Ao contrário, ensine as crianças que existem coisas para comer sempre e outras para comer de vez em quando. Da mesma forma, não caia na armadilha de forçar seu filho a comer ingredientes "de gosto ruim" porque "fazem bem". Preocupe-se em ensiná-lo a gostar dos sabores interessantes de qualquer tipo de ingrediente.

Pense em como sua atitude em relação à comida pode mudar se você adotar esse ponto de vista. Como explicar a um filho a diferença, digamos, entre brócolis e chocolate? Poderia ser assim: o chocolate é gostoso. E, claro, o brócolis também. Mas o chocolate é algo para "comer de vez em quando" e o brócolis é para "comer sempre". Assim, as crianças não crescem se sentindo culpadas por gostar de comidas-que-fazem-mal (mas são saborosas) e têm menos chance de desenvolver distúrbios alimentares (incentivados pelo ciclo desejo-tentação-culpa-privação) mais tarde. Isso é muito importante para todas as faixas etárias, mas principalmente para as crianças entre 1 e 3 anos, que podem confundir a mensagem "essa comida é ruim" com "eu sou ruim", criando uma associação de culpa difícil de superar.

A mensagem simples é esta: tente lidar com a comida de uma maneira positiva, e não punitiva. O medo (da obesidade, de não obter nutrientes suficientes) não deve ser nossa motivação principal para comer bem. Culpa e ansiedade não devem ser os sentimentos inicialmente associados à comida. Seu filho não está aprendendo a comer bem porque *precisa*, mas porque *gosta*. É assim que ele – e toda a sua família – irá desenvolver hábitos positivos que duram a vida inteira.

A tabela a seguir mostra todos os jogos apresentados neste livro, que ajudam a introduzir esses hábitos.

Os jogos do livro

Jogo	Página	O que o jogo ensina	Faixa etária
1. Os cinco sentidos	46	O sabor é influenciado pelos cinco sentidos: visão, tato, audição, olfato e paladar. Crianças entendem melhor suas reações aos alimentos (os que gostam!)	4 anos ou mais
2. Os cinco sabores	48	Os cinco sabores: doce, salgado, azedo, amargo e *umami* (delicioso).	4 anos ou mais
3. Papilas amigas	49	A ciência por trás de nossas papilas gustativas, que são como os músculos: podem ser treinadas!	4 anos ou mais
4. O superpaladar	51	Todos experimentamos o sabor de maneiras diferentes. Pode levar mais (ou menos) tempo para aprender a gostar de alimentos novos.	6 anos ou mais
5. O nome bobo	68	Brincar ao batizar as receitas pode incentivar o entusiasmo infantil por novos alimentos.	3 anos ou mais

Jogo	Página	O que o jogo ensina	Faixa etária
6. Cheire e prove	70	O cheiro tem papel fundamental para o sabor. Aromas artificiais são usados para confundir nossas papilas gustativas.	6 anos ou mais
7. O cheiro misterioso	71	O cheiro evoca emoções e memórias e afeta nossos sentimentos e percepções a respeito dos alimentos.	6 anos ou mais
8. Teste às cegas	72	As marcas influenciam (e podem enganar) nosso paladar.	9 anos ou mais
9. As frutas azedas	86	O sabor azedo é "interessante", e não "nojento".	2 anos ou mais
10. O saco de surpresas	88	A surpresa introduz diversão aos novos alimentos na hora do lanche.	3 anos ou mais
11. O rostinho feliz	106	Um simples sorriso torna as refeições mais agradáveis.	1 ano ou mais
12. A rosa, o espinho e o botão	107	Um ótimo ritual para manter a atenção das crianças durante as refeições.	5 anos ou mais
13. As texturas extraordinárias	123	Texturas ficam mais complexas quando os alimentos são misturados. Crianças aprendem a gostar de texturas "adultas".	3 anos ou mais
14. Confusão de cores	126	As cores influenciam nosso paladar.	6 anos ou mais
15. O jogo do iogurte	128	Nosso paladar pode ser enganado por corantes artificiais.	6 anos ou mais

Jogo	Página	O que o jogo ensina	Faixa etária
16. Misturando tudo	143	A criança aprende a apreciar diferentes texturas e a desenvolver sua habilidade ao combinar alimentos, para comer com mais facilidade receitas de consistências diferentes.	2 anos ou mais
17. Você é o chef	144	A estratégia deixa as crianças no comando para superar uma aversão comum a saladas. Depois desse jogo, os filhos de muitas famílias que trabalharam comigo no livro foram convertidos e hoje adoram salada!	4 anos ou mais
18. Comendo devagar	158	O ritmo com que comemos influencia nosso prazer. Em geral, quanto mais devagar, melhor.	6 anos ou mais
19. Três é melhor	158	O sabor dos ingredientes pode variar muito, dependendo da forma como forem preparados. Por isso, variar é divertido.	4 anos ou mais
20. O sabor local	160	O conceito de *terroir*, palavra francesa que pode ser traduzida como "sabor local".	6 anos ou mais

Receitas para criar filhos que comem de tudo

Estas receitas são simples e saborosas, com clássicas combinações de sabores: a sopa de cenoura ganha um toque de coentro, a abóbora leva sálvia, vagens são servidas com amêndoas e assim por diante. Também são muito rápidas: levam, em média, dez minutos para ficarem prontas.

As receitas foram criadas para reforçar a ideia de que a família deve estar junta na hora da refeição, pois os adultos desfrutam delas tanto quanto as crianças. Isso significa que todos comem de maneira saudável e você tem menos trabalho – nada de preparar pratos de última hora!

O mais importante é que as receitas ensinam seus filhos a gostarem de comer uma boa variedade de frutas e hortaliças. Elas são "cumulativas", organizadas por idade, e introduzem aos poucos texturas e sabores mais complexos à medida que a criança fica mais velha. Existem quatro receitas diferentes para cada fruta ou hortaliça, correspondentes às seguintes faixas etárias:

- **A** **bebês** que começam a ingerir alimentos sólidos (9 a 12 meses)
- **B** **bebês mais velhos**, que já mastigam alimentos macios (12 a 36 meses)
- **C** **crianças menores** (36 meses a 5 anos)
- **D** **crianças em idade escolar** (a partir de 6 anos)

(Atenção: os capítulos não incluem a receita para bebês caso o ingrediente principal não seja recomendado para crianças com menos de 12 meses.)

Quando seu filho estiver pronto para ir à escola, será capaz de comer como um adulto! Se você tiver crianças maiores, não se preocupe: é possível começar em qualquer etapa, a qualquer hora. Mesmo as receitas para os menorzinhos – a maioria não passa de sopas – podem ser apreciadas por crianças e adultos de todas as idades.

Apresentando alimentos ao bebê: o problema das alergias

A época certa para introduzir possíveis alérgenos é uma questão de debate constante, e o conselho dos pediatras varia de acordo com o país. Converse com o médico antes de oferecer alimentos sólidos ao bebê, principalmente se você ou alguém em sua família tem histórico de alergias alimentares ou asma. Depois da consulta, crie um planejamento para acrescentar novas comidas à dieta do bebê. Espere pelo menos três dias antes de cada novidade, a fim de monitorar as reações a cada alimento. Por segurança, as receitas a seguir não levam mel, ovos crus, carnes processadas, queijos não pasteurizados e nenhum ingrediente mais comum em alergias de crianças até 12 meses: leite, ovos, amendoim, oleaginosas (como amêndoas, nozes e nozes-pecãs), soja, trigo, peixe ou frutos do mar (como caranguejo, lagosta e camarão).

As 10 melhores hortaliças

ABÓBORA

A PURÊ DE ABÓBORA ABOBORADA

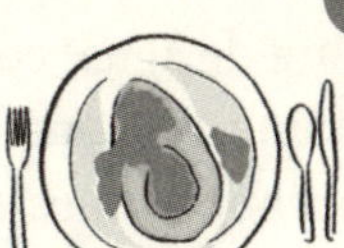

B ABÓBORA ASSADA COM MOLHO DE XAROPE DE BORDO

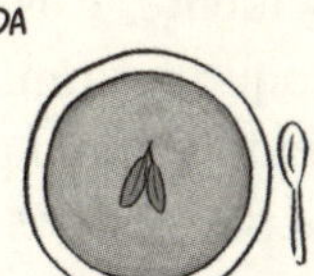

C SOPA DE ABÓBORA E SÁLVIA

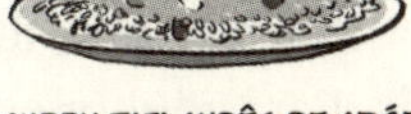

D CURRY TAILANDÊS DE ABÓBORA

Purê de abóbora aboborada

A

Equipamento especial: assadeira; liquidificador ou processador
Preparo: 5 minutos
Cozimento: 50 minutos
Rendimento: 2 a 3 xícaras (depende do tamanho da abóbora)

Este purê demora um pouco mais para ficar pronto que a maioria das receitas do livro, mas tem duas grandes vantagens: é um delicioso acompanhamento para adultos (estabeleci as quantidades imaginando que os adultos também vão comer) e o nome divertido convence os desconfiados a experimentar um pouquinho!

1 abóbora-pescoço grande
1 colher (sopa) de manteiga com sal ou óleo vegetal
2 peras ou maçãs maduras descascadas sem sementes cortadas em quartos
uma pitada de sal marinho (opcional)
½ colher (chá) de canela em pó (opcional)
raspas de ½ laranja (opcional)

1. Preaqueça o forno a 200 °C.
2. Corte a abóbora ao meio no sentido do comprimento e remova as sementes e as membranas. Esfregue o interior com manteiga. Coloque em uma assadeira com ¼ de xícara de água, com o lado cortado voltado para baixo. Asse por 40 minutos e junte as peras. Asse por mais 15 ou 20 minutos, até que a abóbora esteja macia quando espetada por um garfo.
3. Retire a assadeira do forno e espere esfriar por pelo menos 3 a 5 minutos. Com uma colher, retire a polpa e transfira para o liquidificador ou processador. Acrescente a pera assada e bata até ficar homogêneo. Para bebês, junte água o suficiente para obter a consistência desejada. Para adultos e crianças maiores, acrescente sal, canela e raspas de laranja, se quiser.

Abóbora assada com molho de xarope de bordo

B

Equipamento especial: assadeira; liquidificador
Preparo: 5 minutos
Cozimento: 40 minutos
Rendimento: 2 adultos e 2 crianças

Esta é uma ótima receita para bebês que estão fazendo a transição para alimentos mais sólidos, mas que ainda não conseguem mastigar alimentos duros ou em pedaços. Minha filha mais nova (que demorou muito para mastigar) amava o prato e ainda o preparamos em noites de inverno.

O elemento da Educação do Paladar está no molho: a doçura do xarope de bordo e a acidez da laranja equilibram as folhas de sálvia, que combinam maravilhosamente com abóbora.

Assim como fiz na receita Purê de abóbora aboborada (página 206), incluí porções para adultos no cálculo do rendimento, pois acredito que você queira desfrutar essa delícia ao lado de seus filhos!

1 abóbora-pescoço grande
1 colher (sopa) de manteiga com sal ou óleo vegetal
1 colher (chá) de sal marinho (opcional)

Molho de xarope de bordo e canela:
¼ de xícara de xarope de bordo (maple syrup)
¼ de xícara de suco de laranja
¼ de colher (chá) de canela em pó
½ colher (sopa) de manteiga com sal
4 folhas de sálvia fresca

1. Preaqueça o forno a 200 °C.
2. Corte a abóbora ao meio no sentido do comprimento e remova as sementes e as membranas. Esfregue o interior com manteiga. Coloque em uma assadeira com ¼ de xícara de água, com o lado cortado voltado para baixo. Asse por 30 a 40 minutos, ou até que a abóbora esteja

macia quando espetada por um garfo. Retire do forno, polvilhe o sal, se usar, e deixe esfriar.

3. Enquanto isso, prepare o molho: em uma panela pequena em fogo entre médio e baixo, misture o xarope de bordo, o suco de laranja e a canela. Aqueça por 5 minutos. (Bônus: a cozinha ficará com um perfume delicioso!) Reserve.
4. Prepare as folhas crocantes de sálvia: em uma panela pequena em fogo médio, derreta a manteiga. Junte as folhas de sálvia inteiras e frite até dourar e curvar levemente nas pontas, por cerca de 3 minutos. Transfira para um prato forrado com papel-toalha e reserve.
5. Com uma colher, retire a polpa da abóbora e transfira para o liquidificador. Junte o molho de xarope de bordo e bata até ficar homogêneo e cremoso. Para adultos e crianças mais velhas, você pode servir as metades de abóbora com o molho de xarope de bordo à parte, em uma molheira, para que cada um regue a hortaliça.
6. Sirva morno, com as folhas crocantes de sálvia.

Sopa de abóbora e sálvia

C

Equipamento especial: assadeira; liquidificador
Preparo: 10 minutos
Cozimento: 50 minutos
Rendimento: 2 adultos e 2 crianças

Esta é uma de minhas receitas favoritas de sopa. Você pode deixá-la mais doce ou salgada acrescentando suco de laranja ou Caldo de legumes (página 335). O alho assado fica tão suave que quase não é notado. A sálvia acrescenta um sabor amendoado, e as folhas fritas são um toque divertido.

A sopa congela bem, mas prepare as folhas de sálvia crocantes no momento de servir.

2 abóboras-pescoço pequenas, cortadas ao meio no sentido do comprimento e sem sementes ou membranas
3 colheres (sopa) de azeite de oliva
2 dentes de alho cortados ao meio (opcional)

1 colher (sopa) de manteiga com sal
1 cebola grande, picada
2 folhas de sálvia fresca picadas e 10 folhas inteiras
3 xícaras de suco de laranja ou 1½ xícara de Caldo de legumes (página 335, ou caldo pronto com pouco sódio) misturado a 1½ xícara de suco de laranja
¼ de colher (chá) de noz-moscada ralada
½ colher (chá) de tomilho seco
1 colher (chá) de sal marinho
½ colher (chá) de pimenta-do-reino moída

1. Preaqueça o forno a 200 °C.
2. Pincele o fundo de uma assadeira e a superfície cortada das abóboras com azeite. Coloque ½ dente de alho em cada cavidade das abóboras e disponha na assadeira, com o lado cortado voltado para baixo. Junte ½ xícara de água, cubra a assadeira com papel-alumínio e asse por 40 a 50 minutos, ou até que a abóbora esteja macia quando espetada por um garfo.
3. Enquanto isso, derreta metade da manteiga em uma frigideira pequena em fogo médio. Junte a cebola e a sálvia picada; refogue até dourar, por 4 a 5 minutos. Transfira para um prato e reserve.
4. Prepare as folhas crocantes de sálvia: na mesma frigideira, em fogo médio, derreta a manteiga restante. Junte as folhas de sálvia inteiras e frite até dourar e curvar levemente nas pontas, por cerca de 3 minutos. Transfira para um prato forrado com papel-toalha (para absorver o excesso de gordura) e reserve.
5. Com uma colher, retire a polpa da abóbora e transfira para o liquidificador. Junte a cebola, alho (se usar), suco de laranja, noz-moscada, tomilho, sal e pimenta-do-reino; bata até ficar homogêneo. Distribua em tigelas e decore com 1 ou 2 folhas crocantes de sálvia. (Às vezes, polvilho um pouco de sal nas folhas de sálvia imediatamente antes de servir, para deixá-las ainda mais saborosas.)

Curry tailandês de abóbora

D

Equipamento especial: nenhum
Preparo: 10 minutos
Cozimento: 35 minutos
Rendimento: 4 adultos ou 6 crianças

Não se assuste com a palavra "curry"! Prometo que até as crianças mais desconfiadas vão adorar esta receita. O coco adocicado equilibra o sabor do gengibre. É uma maravilhosa maneira de apresentar as crianças ao mundo dos curries.

400 g de arroz tailandês (ou 100 g por adulto ou crianças maiores)
3 cenouras grandes descascadas e cortadas em pedaços pequenos
1 abóbora-japonesa pequena descascada, sem sementes ou membranas, cortada em pedaços pequenos
1 batata-doce grande descascada, cortada em pedaços pequenos
1 colher (sopa) de óleo vegetal
1 dente de alho cortado ao meio
4 peitos de frango pequenos desossados e sem pele, cortados em pedaços pequenos
400 ml de leite de coco
suco de 1 limão (cerca de 2 colheres de sopa)
½ colher (chá) de gengibre em pó
¼ colher (chá) de sal marinho
1 colher (chá) de pasta de curry tailandesa (opcional)
1 colher (chá) de mel, açúcar mascavo ou xarope de bordo (maple syrup)
15 g de folhas de coentro fresco picadas

1. Em uma panela média em fogo médio, aqueça 1 litro de água (para o arroz); em uma panela grande em fogo alto, aqueça 2 litros de água (para as hortaliças).
2. Quando a água ferver na panela média, junte o arroz, diminua o fogo, tampe e cozinhe por 20 minutos, ou de acordo com as instruções da embalagem. (O arroz deve absorver toda a água e ficar soltinho.)

3. Enquanto isso, coloque a cenoura, abóbora e batata-doce na outra panela. Ajuste o fogo entre médio a alto e cozinhe até as hortaliças ficarem al dente, por cerca de 5 minutos. Escorra.
4. Em uma frigideira grande em fogo médio, aqueça o óleo. Junte o alho e o frango; frite, sem parar de mexer, por 1 minuto. Acrescente a cenoura, abóbora, batata-doce, leite de coco, suco de limão, gengibre, sal e pasta de curry (se usar). Tampe e cozinhe por 12 a 15 minutos, até o frango ficar completamente cozido e os legumes estarem macios. Acrescente o mel e o coentro na hora de servir.

ABOBRINHA

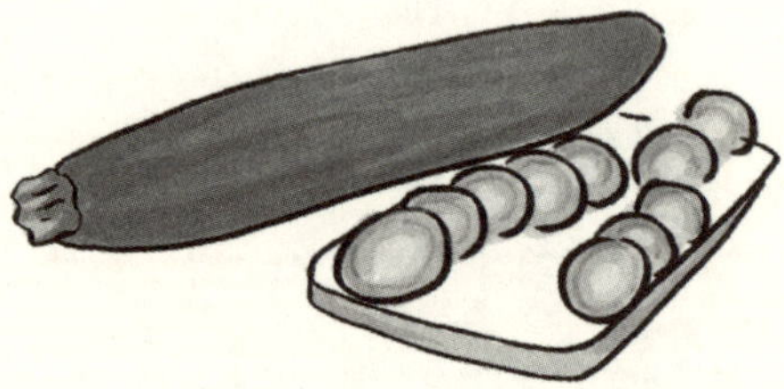

A PURÊ DE NUVEM

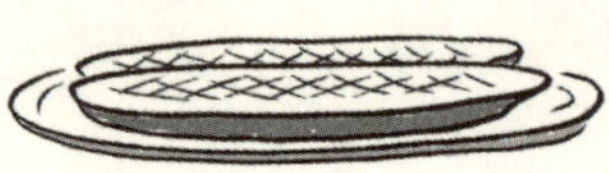

B ABOBRINHA ASSADA COM COMINHO

C FLÃ DE ABOBRINHA

D QUICHE DE ABOBRINHA

Purê de nuvem

A

Equipamento especial: processador ou liquidificador
Preparo: 2 minutos
Cozimento: 5 minutos
Rendimento: 1½ xícara (depende do tamanho da abobrinha)

Este purê suave como uma nuvem é um dos mais simples de fazer para seu bebê (na França, é geralmente servido como entrada). Com textura indescritivelmente leve e aerada, ele literalmente derrete na boca. Para bebês menores, sirva puro. Os maiores – acima de 9 meses – podem experimentar com o cominho ou a pimenta-da-jamaica. Comece com apenas uma pitada!

2 abobrinhas médias, descascadas e cortadas em pedaços de 5 cm
1 colher (chá) de manteiga com sal
uma pitada de pimenta-da-jamaica ou cominho em pó (opcional)

1. Encha metade de uma panela média com água e leve para ferver em fogo alto. Junte a abobrinha, ajuste o fogo entre médio e baixo e cozinhe por 5 minutos, ou até ficar macia. Escorra e reserve o líquido.
2. Bata a abobrinha no processador ou liquidificador até ficar homogênea, juntando líquido do cozimento suficiente para obter a consistência desejada. Sirva com pedacinhos de manteiga e, se quiser, polvilhe pimenta-da-jamaica ou cominho.

Fiz o purê hoje e minha filha de 8 meses devorou! Foi sua estreia com a abobrinha!

Brandy

Abobrinha assada com cominho

B

Equipamento especial: assadeira
Preparo: 5 minutos
Cozimento: 10 minutos
Rendimento: 2 adultos e 2 crianças (como acompanhamento)

Esta é uma maneira divertida de introduzir legumes assados quando seu filho começa com os alimentos sólidos. No forno, a abobrinha fica macia e suave – e os sabores do cominho e do azeite de oliva combinam perfeitamente. (Também é possível preparar na grelha, mas na versão assada o resultado é mais macio e fácil para as crianças mastigarem.)

Para adultos, este é um ótimo acompanhamento; basta colocar mais abobrinhas no forno!

1 abobrinha grande
1 dente de alho cortado ao meio (opcional)
1 colher (chá) de cominho em pó
1 colher (chá) de sal marinho (opcional)
2 colheres (sopa) de azeite de oliva

1. Preaqueça o forno a 200 °C.
2. Com uma faca pequena, descasque a abobrinha e retire as extremidades (não é preciso descascar caso sirva para adultos). Corte ao meio no sentido do comprimento. Faça pequenos cortes rasos em forma de cruz e coloque em uma assadeira com o lado cortado voltado para cima.
3. Se usar o alho, esfregue as metades sobre a abobrinha. Polvilhe cominho e sal, se usar (não é preciso muito). Regue com o azeite. Junte ½ xícara de água à assadeira e leve ao forno por 5 minutos. Vire a abobrinha e asse por mais 5 minutos ou mais, até ficar macia.

Preparei a abobrinha assada para o jantar e mal pude acreditar em como ficou saborosa. Tão simples e tão boa! Meu filho de 2 anos e meio comeu sem esforço. A de 4 anos e meio não gostou, não sei por quê. Acho que ela se desanimou com o cominho. Mas sem dúvida farei a receita de novo, e talvez até deixe a casca da abobrinha na próxima vez!

Babette

Flã de abobrinha

C

Equipamento especial: ralador; refratário de 20 cm
Preparo: 15 minutos, mais 10 minutos para esfriar
Cozimento: 45 minutos
Rendimento: 6 adultos (como acompanhamento)

Os franceses comem flãs de todos os tipos, salgados e doces. São uma ótima maneira de apresentar as crianças ao sabor dos ovos assados – logo elas vão comer quiche ao lado de toda a família.

Este prato simples realça a suavidade da abobrinha e a complementa com cebolas, cozidas até ficarem muito macias. O acréscimo de cominho prepara a criança para os sabores mais complexos dos curries, em outras receitas.

2 colheres (sopa) de manteiga com sal
2 colheres (sopa) de azeite de oliva
1 cebola média em fatias bem finas
½ colher (chá) de noz-moscada ralada
5 ou 6 folhas frescas de manjericão, bem picadas
sal marinho e pimenta-do-reino moída (opcional)
4 abobrinhas médias, descascadas, em fatias de 3 mm
1 colher (chá) de cominho em pó
3 ovos grandes
⅔ de xícara de creme de leite fresco
60 g de queijo cheddar ralado
30 g de queijo parmesão ralado

1. Preaqueça o forno a 200 °C. Unte o refratário com 1 colher (sopa) de manteiga.

2. Aqueça 1 colher (sopa) de azeite em uma panela média em fogo médio. Junte a manteiga restante, a cebola, a noz-moscada, o manjericão e uma pitada de sal, se usar; misture. Tampe e cozinhe por 6 a 7 minutos, mexendo de vez em quando, até a cebola ficar macia.
3. Enquanto isso, aqueça o azeite restante em uma frigideira grande em fogo médio a alto. Junte a abobrinha, polvilhe o cominho e cozinhe por 5 minutos, mexendo sempre, até ficar macia (não cozinhe demais!) Retire do fogo, escorra o excesso de água e tempere com sal e pimenta-do-reino, se usar.
4. Em uma tigela média, misture os ovos e o creme de leite. Reserve.
5. Espalhe metade da cebola em uma camada no fundo do refratário. Cubra com metade da abobrinha e metade dos queijos. Repita as três camadas com os ingredientes restantes. Despeje por cima a mistura de ovos, cobrindo tudo por igual. (Quem ama queijo pode polvilhar um pouco mais de parmesão por cima.) Asse por 30 minutos, ou até os legumes estarem cozidos e o queijo derreter e dourar. Retire do forno e deixe esfriar por 5 a 10 minutos. (O prato fica muito quente no centro; o tempo de descanso ajuda a cortar de maneira mais fácil.) Sirva em fatias.

Quiche de abobrinha

D

Equipamento especial: ralador; fôrma para torta com 25 cm
Preparo: 7 minutos
Cozimento: 40 minutos
Rendimento: 2 adultos e 2 crianças (para repetir!)

Fácil e rápida, esta versão sem massa da clássica quiche francesa agrada adultos e crianças. É tão versátil que pode ser consumida quente ou fria, no almoço ou no jantar, e com os legumes que você quiser.

Esta receita para crianças usa mais leite e menos ovos que a variação para adultos. O resultado é um prato mais fofo e menos denso, portanto mais adequado para os paladares infantis.

10 ovos grandes
120 ml de leite
½ colher (chá) de noz-moscada ralada
1 colher (chá) de cominho em pó
sal marinho e pimenta-do-reino moída (opcional)
115 g de queijo gruyère (de preferência) ou cheddar, ralado
225 g de presunto cozido em cubos ou 115 g de bacon frito esmigalhado
1 abobrinha média, descascada e ralada

1. Preaqueça o forno a 190 °C. Unte a fôrma.
2. Em uma tigela grande, bata os ovos ligeiramente. Junte o leite, a noz-moscada e o cominho, misturando bem. Tempere com uma pitada de sal e pimenta-do-reino, se quiser. Acrescente o queijo, presunto e abobrinha.
3. Transfira a massa para a fôrma e asse por 30 a 40 minutos, ou até que uma faca enfiada no centro da quiche saia limpa. Retire do forno e reserve por 5 minutos para esfriar um pouco antes de servir (a quiche ficará mais firme e será fácil de cortar).

Dica para a Educação do Paladar:
Alterar alguns ingredientes é uma ótima maneira de introduzir outros legumes. O aspecto familiar da receita encoraja até mesmo a criança mais receosa a experimentar um alimento novo e gostoso. Assim que seu filho se acostumar com esta versão, experimente uma quiche de pimentão vermelho ou mesmo brócolis!

O sabor é bem sutil, mas para um jantar rápido durante a semana não tem como dar errado. Servi para meu marido e minha filha de 2 anos e conversei com ela durante 15 minutos enquanto ela ficou quieta, comendo a quiche. Ela estava com fome e foi uma receita certeira! Adorei. Um sucesso.

Teresa

BRÓCOLIS

A PURÊ DE BRÓCOLIS DO GEORGE

B FLORESTA ENCANTADA DA MOLLIE

C MACARRÃO DE FESTA

D SOPA MINESTRONE FRANCESA

Purê de brócolis do George

A

Equipamento especial: processador ou mixer
Preparo: 5 minutos
Cozimento: 6 minutos
Rendimento: cerca de ¾ de xícara

Acostumar os bebês ainda pequenos ao sabor e à cor dos brócolis é uma ótima ideia. Esse é uma das mais suaves verduras que você pode servir. Nesta receita, ele é combinado com outras hortaliças, como batata-doce ou cenoura. Tomilho ou estragão (ambos opcionais) ressaltam o sabor tanto da cenoura quanto dos brócolis; e a batata-doce acrescenta consistência. Não tenha medo de usar manteiga (ou azeite de oliva), que complementa o prato e traz saciedade. Mesmo os bebês mais desconfiados vão adorar!

60 g de batata-doce descascada e picada
60 g de cenoura descascada e picada
45 g de pequenos buquês de brócolis (sem o talo)
uma pitada de folhinhas de tomilho ou estragão frescos (opcional)
um pouco de manteiga sem sal ou 1 colher (chá) de azeite de oliva (opcional)
uma pitada de sal (opcional)

1. Em uma panela pequena, aqueça 2 xícaras de água em fogo médio a baixo. Junte a batata-doce e a cenoura. Não mexa. Tampe, aumente o fogo e cozinhe por 3 minutos. Acrescente os brócolis, diminua o fogo para médio a alto e cozinhe por 3 a 4 minutos, ou até as hortaliças ficarem macias. Escorra e reserve o líquido do cozimento para fazer o purê.
2. Transfira os legumes para o processador (ou use um mixer) junto com o tomilho ou estragão e bata, acrescentando o líquido do cozimento, até obter um purê homogêneo (comece com ⅓ de xícara e junte mais, se necessário). Para servir, cubra com um pedacinho de manteiga (as crianças adoram vê-la derreter) e, caso não seja salgada, uma pitada de sal, se quiser.

Meus filhos adoraram o purê. Foi muito fácil de preparar. Mantive a consistência mais pedaçuda e juntei tomilho. As crianças comeram um pouquinho, mas, quando acrescentei a manteiga e o sal marinho, eles devoraram tudo!

Meg

Floresta encantada da Mollie

B

Equipamento especial: assadeira
Preparo: 5 minutos
Cozimento: 20 minutos
Rendimento: 2 adultos e 2 crianças (como acompanhamento)

Esta receita presta homenagem a Mollie Katzen, autora de *The Enchanted Broccoli Rainforest*. É um dos meus livros de cozinha preferidos para crianças pela maneira de falar de legumes e verduras – algo divertido, interessante e excitante!

Usei este prato para dobrar a resistência de minha filha mais nova. Ela se referia aos brócolis como "árvores" e apenas mordiscava as "folhas" (recusando-se a comer os "troncos"). Por sorte, foi uma fase passageira que se beneficiou do fato de meu marido gostar dos talos de brócolis. Depois de vê-lo comer com prazer, ela começou a devorar cada bocado.

um maço de brócolis cortado em pequenos floretes
2 colheres (sopa) de azeite de oliva
30 g de queijo parmesão ralado fino
30 g de farinha de rosca
uma pitada de tomilho ou estragão frescos (opcional)
sal marinho e pimenta-do-reino moída (opcional)
1 colher (sopa) de suco fresco de limão-siciliano
2 colheres (sopa) de suco de laranja

1. Preaqueça o forno a 190 °C.
2. Em uma tigela, misture os brócolis e o azeite; mexendo para cobrir. Transfira para uma assadeira e junte água o suficiente para

cobrir a metade de baixo dos brócolis. Asse por 20 minutos, ou até ficar macio. Escorra e reserve (veja Notas).

3. Em outra tigela, misture o parmesão, a farinha de rosca, o tomilho, o sal e a pimenta-do-reino (se usar).
4. Em uma tigela pequena, misture os sucos de limão e laranja. Na hora de servir, despeje os sucos sobre os brócolis e mexa. Acrescente a mistura de parmesão e farinha de rosca e mexa para cobrir bem os floretes.

Notas:

Para bebês menores (até 18 meses), você pode separar diversos floretes de brócolis antes de levar ao forno e cozinhá-los de 5 a 7 minutos (assar também dá certo, mas demora mais que 20 minutos), até ficarem extremamente macios. Para os pequenininhos, ainda é possível abrir mão dos sucos e da farofa nos passos 3 e 4; assim que os bebês começarem a comer a salada, porém, eles vão adorar!

Quando minhas filhas eram mais novas, muitas vezes servi esta receita com purê de batatas ou com o Purê maravilhoso de couve-flor (página 234), criando uma pequena montanha no prato e inserindo os brócolis como se fossem árvores – quando bem dispostos no prato, realmente se parecem com uma floresta!

Macarrão de Festa

C

Equipamento especial: nenhum
Preparo: 5 minutos
Cozimento: 15 minutos
Rendimento: 2 adultos e 2 crianças

Muitas vezes sirvo este delicioso prato em jantares festivos informais – daí o nome. As anchovas acrescentam um toque salgado que realmente ressalta os brócolis sem deixar um sabor intenso de peixe, e seu gosto forte fica equilibrado pelo limão. Além disso, as anchovas – assim como outros peixes pequenos de água fria – são incrivelmente nutritivas. Aliadas a uma das comidas preferidas das crianças, o macarrão, dão origem a uma receita campeã.

Este prato figurou entre os cinco preferidos de todas as famílias que testaram minhas receitas. Para a maioria delas, foi uma surpresa, pois a combinação de brócolis e anchovas pode intimidar um pouco. Confie em mim: é deliciosa. Eis o que ocorreu entre a garotada da [escola] Alphabet Academy, que provou boa parte das receitas deste livro: das 25 crianças, 22 experimentaram o prato, 17 comeram tudo e 15 pediram uma nova porção. Acredite, é boa demais!

225 g de penne ou farfalle (gravatinha)
meio maço de brócolis cortado em pedacinhos
suco de ½ limão-siciliano (cerca de 2 colheres de sopa)
3 colheres (sopa) de azeite de oliva
3 a 5 anchovas (ou o dobro, se você realmente gostar de anchovas; veja Notas)
30 g de queijo parmesão ralado (fresco é melhor, mas muitas vezes uso o que já vem ralado, em saquinhos)
30 g de farinha de rosca (opcional)
uma pitada de pimenta-vermelha esmagada (opcional; para os mais aventureiros!)

1. Em fogo médio a alto, ferva água em uma panela grande. Junte o macarrão e cozinhe de acordo com as instruções da embalagem, até ficar al dente. Escorra e reserve o líquido do cozimento para fazer o molho.
2. Enquanto isso, encha metade de uma panela média com água e ferva em fogo médio *a* alto. Junte os brócolis e cozinhe até ficarem macios, por 4 a 6 minutos. Escorra, transfira para uma tigela e tempere com o suco de limão.
3. Enquanto os brócolis cozinham, aqueça o azeite em uma frigideira grande, em fogo médio *a* alto. Junte as anchovas e ¼ de xícara do líquido do cozimento da massa. Cozinhe por 3 minutos, ou até a anchova começar a dissolver. Abaixe o fogo e cozinhe, por cerca de 3 minutos, até obter um molho.
4. Junte a massa cozida à frigideira e mexa, para misturar. Acrescente os brócolis e misture bem. Sirva polvilhado de parmesão, farinha de rosca e pimenta-vermelha esmagada, se quiser.

Notas:
As anchovas são curadas em salmoura e então enlatadas com óleo (minhas preferidas) ou sal (muito intensas para meu gosto). Se usar anchovas conservadas no sal, enxague bem antes de usar.

Se preparar esta receita com antecedência, não misture o suco de limão aos brócolis (que vão escurecer com o tempo). Conserve os dois ingredientes separados e misture apenas um pouco antes de servir para acrescentar à massa.

Estava nervosa em relação às anchovas: nunca tinha comido e pareciam um pouco repulsivas. Foi por isso que escolhi esta receita. Achei que precisava me livrar dos meus receios culinários se quisesse ensinar minhas crianças a comer de tudo. E, para minha prazerosa surpresa, meus três filhos comeram o prato contentes, sem reclamar!

Stacy

Sopa minestrone francesa

D

Equipamento especial: nenhum
Preparo: 20 minutos
Cozimento: 20 minutos
Rendimento: 6 adultos

Esta sopa inclui o molho pistou, tradicional no sul da França, onde é geralmente servido com massas, passado no pão ou usado para adicionar sabor a sopas e cozidos. Há muitas versões, mas a receita básica é feita com manjericão, alho e azeite de oliva, muitas vezes combinado a parmesão (bem parecido com o pesto, mas sem os pinholes). O sabor intenso transforma esta sopa rica em hortaliças em um prato principal.

O pistou pode ser usado em tantas receitas que o incluí no capítulo Os amigões: receitas básicas (veja página 335). A mais tradicional é a soupe au pistou (sopa ao pistou), da Provença, um prato de verão que inclui hortaliças como vagens, tomates e abobrinha italiana.

Neste minestrone, o pistou é feito com brócolis e manjericão, mas sem alho, em um molho suave e saboroso, um pouco mais cremoso que a variação clássica. Inclui diversas hortaliças gostosas e saudáveis, além de um pouco de macarrão.

A sopa pode ser transportada em embalagens térmicas (mando para o almoço das crianças) e o pistou vai bem ao congelador (disponha em bandejas de gelo para obter pequenas porções fáceis de serem descongeladas).

2 colheres (sopa) de azeite de oliva
1 cebola média em cubos ou a parte branca de 1 alho-poró grande, em cubos
2 cenouras, descascadas e em cubos
2 abobrinhas italianas em cubos
225 g de vagem, sem as pontas, em pedaços
1 colher (chá) de tomilho seco
130 g de ervilha congelada
100 g de massa curta (como minimacarrão ou orecchiette)
100 g de floretes de brócolis picados
400 g de feijão branco escorrido (veja Notas)
3 folhas de louro
2,5 litros de Caldo de legumes (página 335) ou caldo pronto com pouco sódio
molho Pistou (página 339), para servir
2 colheres (sopa) de pasta de tomate seco ou tomates secos em purê (veja Notas)
1 colher (chá) de sal marinho (opcional)

1. Em uma panela grande, aqueça o azeite em fogo médio a baixo. Junte a cebola e refogue, mexendo de vez em quando, por 3 a 5 minutos, até ficar translúcida. Acrescente a cenoura, a abobrinha, a vagem e o tomilho. Aumente o fogo para médio a alto e cozinhe, mexendo, por 5 minutos, ou até as hortaliças ficarem macias (não mais que isso, pois elas ainda cozinharão no caldo). Adicione a ervilha, o macarrão, os brócolis, o feijão, as folhas de louro e o caldo. Aumente o fogo para alto e espere ferver; reduza para fogo médio e deixe por 6 a 8 minutos, até o macarrão cozinhar. Descarte as folhas de louro.
2. Distribua a sopa em tigelas individuais. Em cada uma, acrescente cerca de 1 colher (chá) de pistou e um pouco de pasta de tomate-seco. Misture com delicadeza (veja Notas).

Notas:

Se usar feijão seco, coloque 1 xícara em uma tigela, cubra com água e deixe hidratar durante a noite. Escorra e lave os grãos. Cozinhe em uma panela com água em fogo entre médio e alto até ficarem macios, por cerca de 30 minutos. Escorra e junte à sopa.

O acréscimo de pistou e tomates secos é incrível! Geralmente coloco tigelinhas de pistou e pasta de tomates secos na mesa, pois algumas pessoas gostam de acrescentar mais um pouco enquanto tomam a sopa. Também espalhamos o pistou em fatias de pão, como acompanhamento – da mesma maneira que os franceses.

Dica para a Educação do Paladar:
O pistou pode substituir o pesto em pratos de massa. Experimente servir com macarrão verde no Halloween!

> *Meus filhos não são muito fãs de sopa, mas esta foi um sucesso! Depois de experimentarem um pouco do pistou, deixei uma tigelinha no centro da mesa e deixei que eles mesmos acrescentassem aos pratos. Colocaram bastante – e pareceu ser mais divertido tomar sopa dessa maneira!*
>
> *Roberta*

CENOURA

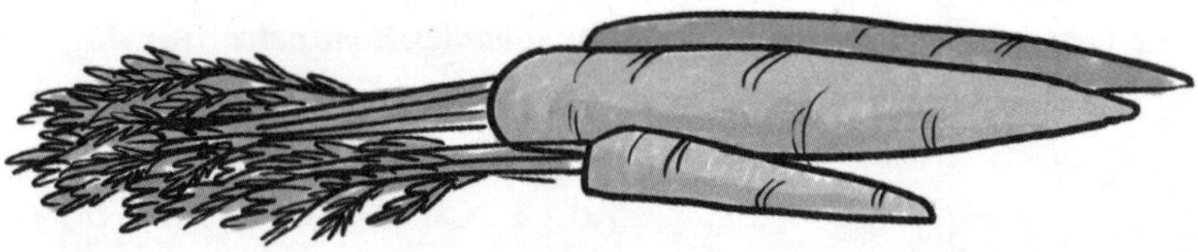

A TRIO SABOROSO

B PURÊ FRANCESINHO

C CENOURAS VÍCIO

D SALADA DE CENOURA RALADA

Trio saboroso

A

Equipamento especial: acessório para cozinhar no vapor; processador ou mixer
Preparo: 5 minutos
Cozimento: 8 minutos
Rendimento: 1½ a 2 xícaras

As cenouras são um clássico alimento inicial para os bebês, mas geralmente aparecem sem tempero. Não na França! Os pais franceses introduzem variações diárias ao cardápio familiar para que seus filhos se acostumem a novos sabores, cores e texturas. Cenouras, endro e laranjas são uma combinação mágica e muitas vezes aparecem em sopas para adultos. Os pais também podem experimentar – você provavelmente vai gostar!

Depois que seu bebê experimentar este purê, tente substituir o endro por outras ervas e temperos, como salsinha fresca ou cominho em pó. É uma ótima base para apresentar novos sabores à criança desde cedo.

250 g de cenoura descascada e picada
½ xícara de suco de laranja
½ colher (chá) de endro seco

1. Em uma panela média com acessório para cozinhar no vapor, ferva 2 xícaras de água em fogo alto. Junte a cenoura, tampe e cozinhe até ficar macia, por cerca de 8 minutos. Se você não tiver o acessório, cozinhe a cenoura na água, em fogo médio a alto, por cerca de 5 minutos. Escorra e reserve o líquido do cozimento.
2. Passe a cenoura cozida, o suco de laranja e o endro pelo processador, até obter um purê, acrescentando um pouco do líquido do cozimento para atingir a consistência desejada. (Ou use um mixer para bater as cenouras dentro da panela.)

Nota:
Este purê pode ser preparado com um dia de antecedência; os sabores se intensificam durante a noite. Para adultos ou crianças mais velhas, acrescente um pouco mais de água, para obter uma sopa, e tempere com um pouco de gengibre ou cominho em pó e sal.

Purê francesinho

B

Equipamento especial: nenhum
Preparo: 5 minutos
Cozimento: 15 minutos
Rendimento: 3 adultos e 3 crianças

Esta receita usa o clássico trio francês de cenoura, aipo (ou salsão) e cebola (ou alho-poró), conhecido como mirepoix, usado como base em muitas receitas de sopas, caldos e molhos. Quando servidas como acompanhamento (chamado matignon), as hortaliças são refogadas delicadamente em manteiga ou azeite de oliva, em fogo baixo, com o acréscimo de ervas como o tomilho. Separe os pedaços maiores dos legumes cozidos e sirva para os adultos como um acompanhamento perfeito de pratos de carne bovina ou cordeiro. E, com o tempo, treine as crianças para gostarem dessa versão "crescida" do purê deixando bocados cada vez maiores.

1 colher (sopa) de azeite de oliva ou ½ colher (sopa) de manteiga com sal mais ½ colher (sopa) de azeite de oliva
parte branca de 1 alho-poró pequeno (ou cebola), em cubos
500 g de cenoura descascada, em cubos
1 talo de aipo (salsão) em cubinhos
½ xícara de água, Caldo de legumes (página 335) ou caldo pronto com pouco sódio
2 folhas de louro
¼ de colher (chá) de tomilho seco
140 g de presunto cozido em cubos (opcional)

1. Aqueça o azeite em uma frigideira grande, em fogo médio. Junte o alho-poró e refogue por cerca de 3 minutos, até ficar macio. Acrescente a cenoura e o aipo (ou salsão), aumente o fogo para médio a alto e cozinhe por 3 minutos, mexendo. Adicione o líquido e as folhas de louro, aumente o fogo para alto e espere ferver. Reduza o fogo para médio, junte o tomilho e cozinhe até as hortaliças estarem macias e o líquido evaporar, por cerca de 8 minutos. Se usar o presunto, acrescente depois de 5 minutos.

Retire do fogo, descarte as folhas de louro e sirva – da maneira como está, para crianças mais velhas e adultos, ou amassado em purê, para bebês.

Cenouras vício

C

Equipamento especial: frigideira grande ou wok
Preparo: 5 minutos
Cozimento: 20 minutos
Rendimento: 2 adultos e 3 crianças

Embora o nome adequado desta receita seja Cenouras Vichy, minhas filhas chamam de "Cenouras vício". Certa vez, uma visita pronunciou errado a palavra francesa, e elas não conseguiam parar de rir. O que pode ser mais inofensivo que uma cenoura? Principalmente neste preparo delicioso! Mas o nome pegou. Consta que o prato foi adaptado de uma tradicional receita francesa que usava a água mineral natural de Vichy. É um ótimo acompanhamento para frango. Use as cenouras mais novas e frescas que encontrar – serão mais macias.

2 colheres (sopa) de manteiga com sal
1 colher (sopa) de mel (veja Nota)
12 cenouras novas e frescas, descascadas e fatiadas
1½ xícara de Caldo de legumes (página 335) ou caldo pronto com pouco sódio
1 colher (sopa) de salsinha fresca picada
sal marinho e pimenta-do-reino moída, a gosto

1. Derreta a manteiga em uma frigideira grande ou wok, em fogo médio. Junte o mel e mexa com vigor por 1 minuto, ou até começar a borbulhar levemente. Acrescente a cenoura e mexa para untar as fatias.
2. Adicione o caldo (é preciso apenas cobrir a cenoura). Espere ferver, diminua o fogo para médio a alto e cozinhe, sem tampar, para que o líquido evapore. (É preciso realmente borbulhar!) Mexa de vez em quando. Depois de 15 a 20 minutos, o líquido vai estar

reduzido a um molho (quase caramelado) e você vai obter cenouras de derreter na boca, as mais saborosas que já provou. Caso contrário, descarte um pouco do líquido, aumente levemente o fogo e cozinhe por mais 1 ou 2 minutos. Mexa com frequência (e delicadeza), para não queimar.

3. Salpique a salsinha, sal e pimenta-do-reino. Sirva imediatamente. *Bon appétit!*

Nota:
Você pode substituir o mel pela mesma quantidade de açúcar, se quiser – mas o mel é melhor! Lembre-se apenas de que bebês com menos de 12 meses de idade não devem ingerir mel não pasteurizado.

Uau. O preparo foi tão simples e a textura é incomparável. Você estava certa... as cenouras se transformam completamente nesta receita.

Lori

Salada de cenoura ralada

D

Equipamento especial: ralador ou processador com lâmina de ralar
Preparo: 10 minutos
Cozimento: nenhum
Rendimento: 2 adultos e 3 crianças

A salada de cenoura ralada é um prato adorado pelas crianças francesas, em casa ou para o almoço na escola. Mesmo os adultos apreciam a receita como entrada.

O segredo desta salada é a textura: cenouras cruas finamente raladas que, ao mesmo tempo, são crocantes e derretem na boca. Quanto mais finas, mais aparece sua doçura natural. Para crianças que têm dificuldade com texturas crocantes, esta pode ser a receita ideal para convencê-las de que adoram cenouras. (Você também pode temperar a salada com o Vinagrete clássico da página 336.)

8 cenouras grandes
30 g de salsinha fresca picada (não use salsinha seca)
2 colheres (sopa) de azeite de oliva extra virgem
suco de 1 laranja (cerca de ½ xícara)
suco de ½ limão-siciliano (cerca de 2 colheres de sopa)
uma pitada de sal marinho
½ colher (chá) de mostarda de Dijon (opcional)
fatias de limão (opcional)

1. Descasque a cenoura (isso é importante, pois a casca é geralmente mais amarga que o miolo). Com um ralador ou o processador, rale a cenoura em tiras finas (o passa-verduras, muito popular na França, produz cenouras raladas finas e delicadas; se tiver um, use!) Transfira para uma tigela grande. Junte a salsinha e misture.
2. Prepare o molho: numa tigela pequena, coloque o azeite, os sucos de laranja e limão, o sal e a mostarda (se usar). Prove e acrescente mais azeite ou suco de limão-siciliano, se quiser.
3. Misture um pouco de molho à cenoura, o suficiente para cobrir levemente – não tempere demais! Sirva em temperatura ambiente ou leve um pouco à geladeira (veja Nota). Se quiser, cubra com fatias de limão.

Notas:
A salada é saborosa quando preparada na hora, mas fica ainda melhor se você deixar na geladeira por algumas horas, ou mesmo da noite para o dia. O sabor da salsinha fica mais suave e a doçura da cenoura se intensifica.

Para uma ótima variação, use o Molho de coentro e limão: misture uma pitada de raspas de limão, 2 colheres (sopa) de suco fresco de limão, 2 colheres (sopa) de coentro bem picado e 2 colheres (sopa) de azeite de oliva extra virgem. É um jeito divertido de introduzir novos sabores quando seus filhos já estiverem acostumados à receita tradicional.

Servi a salada de cenoura ralada com o molho de coentro e limão e as crianças adoraram. Certamente farei de novo. Agradável, fresca e simples de preparar!

Roberta

COUVE-FLOR

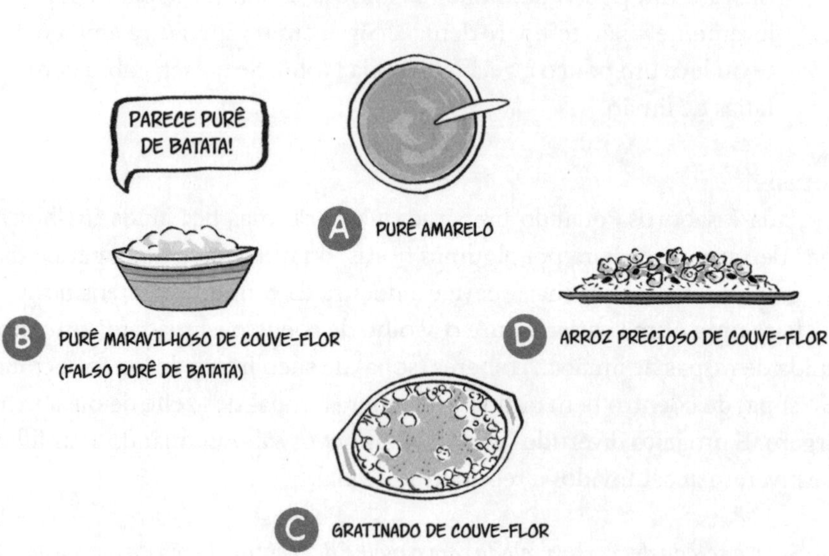
PARECE PURÊ DE BATATA!
A PURÊ AMARELO
B PURÊ MARAVILHOSO DE COUVE-FLOR (FALSO PURÊ DE BATATA)
C GRATINADO DE COUVE-FLOR
D ARROZ PRECIOSO DE COUVE-FLOR

Purê amarelo

A

Equipamento especial: liquidificador
Preparo: 5 minutos
Cozimento: 8 minutos
Rendimento: 1 a 1½ xícara

A intensa cor amarela desta receita vem da cúrcuma, especiaria muito usada na Ásia e particularmente na culinária indiana. Não se preocupe, pois o ingrediente não é picante – mas ainda assim captura a essência quente e amendoada do curry. Combina maravilhosamente com a couve-flor, dando ao legume um sabor sutil e interessante.

Comece a servir este prato em pequenas porções aos bebês: hortaliças da família da couve-flor e do brócolis podem provocar gases em algumas pessoas.

225 g de buquês de couve-flor
1 xícara de Caldo de legumes (página 335) ou caldo pronto
1 colher (sopa) de manteiga com sal
¼ de colher (chá) de cúrcuma em pó

1. Encha uma panela média com cerca de 6 cm de água e ferva em fogo médio. Junte a couve-flor e cozinhe por 7 a 8 minutos, até ficar macia. Escorra e reserve o líquido do cozimento.
2. Bata no liquidificador a couve-flor cozida, o caldo, a manteiga e a cúrcuma, juntando o líquido do cozimento, aos poucos, até obter a consistência desejada.

Notas:
A cúrcuma faz manchas amarelas! Cubra os tapetes quando servir esta receita a um bebê.

Eis uma ideia divertida: escolha um babador para usar apenas com alimentos que mancham (como beterrabas e curry) – você pode chamá-lo de babador ao curry!

Dica para a Educação do Paladar:
Se quiser um pouco das especiarias tradicionais do curry nesta receita, substitua a cúrcuma por ½ colher (chá) de curry em pó. Minha filha mais nova, aberta às experiências, adorava – mas mesmo a mais velha, um pouco mais conservadora, rendeu-se ao prato.

Purê maravilhoso de couve-flor (Falso purê de batata)

B

Equipamento especial: acessório para cozinhar no vapor ou tigela para micro-ondas; processador
Preparo: 5 minutos
Cozimento: 20 minutos no fogo; 5 minutos no micro-ondas
Rendimento: 2 adultos e 2 crianças

O purê de couve-flor é um substituto saudável para o purê de batata: menos calorias e mais nutrientes! Mas não é isso o que digo às crianças – apenas falo que "é gostoso" e elas, como por mágica, parecem concordar.

A maioria das receitas de purê de couve-flor é aguada, mas esta fica cremosa – assim como o purê de batata "verdadeiro". Algumas famílias que testaram o prato tinham dúvidas, mas todas adoraram!

1 couve-flor cortada em pedacinhos
½ dente de alho (opcional)
2 colheres (sopa) de leite ou creme de leite (o que você usaria normalmente para fazer purê de batata)
2 colheres (sopa) de manteiga com sal
azeite de oliva extra virgem, para regar
guarnições opcionais: 2 colheres (sopa) de coentro, salsinha, cebolinha-francesa ou endro frescos picados ou bacon cozido

1. Em uma panela média com acessório para cozinhar no vapor, ferva 2 xícaras de água em fogo alto. Junte a couve-flor e o alho, se usar, e cozinhe até a couve-flor ficar bem macia, por 15 a 20 minutos. Se não tiver o acessório, coloque a couve-flor e o alho em

uma tigela que possa ser levada ao micro-ondas, cubra com ¼ de xícara de água e cozinhe em potência alta por 5 minutos.

2. Transfira a couve-flor e o alho para o processador; junte o leite ou creme de leite e a manteiga. Bata até ficar homogêneo (se processar demais, ficará pegajoso). Sirva quente, com um fio de azeite de oliva, polvilhado da guarnição de sua escolha.

Minha filha não acreditava que não era purê de batata! Ela diz que é um sucesso total.

Jamie

Gratinado de couve-flor

C

Equipamento especial: assadeira ou refratário de 20 cm
Preparo: 10 minutos
Cozimento: 25 minutos
Rendimento: 2 adultos e 2 crianças

Adoro este prato de couve-flor assada no clássico molho francês béchamel (molho branco). Engana, de tão deliciosa que é: afinal quem poderia imaginar que uma receita tão boa tem origem em sabores tão simples? (Ela apareceu no meu livro *Crianças francesas comem de tudo* e foi um sucesso tão grande entre os leitores que decidi incluir aqui também!)

1 couve-flor cortada em pedacinhos
3 colheres (sopa) de manteiga com sal
3 colheres (sopa) de farinha de trigo
2 xícaras de leite
sal marinho e pimenta-do-reino moída, a gosto
uma pitada de noz-moscada (opcional)

Cobertura:
30 g de farinha de rosca
30 g de queijo parmesão ralado

1. Preaqueça o forno a 180 °C e unte uma assadeira ou refratário.
2. Ferva uma panela média com água em fogo médio a alto. Junte a couve-flor e cozinhe por 7 a 8 minutos, ou até ficar macia, mas ainda al dente. Escorra e reserve.
3. Enquanto isso, prepare o molho branco: derreta a manteiga em uma frigideira grande, em fogo médio. Polvilhe a farinha de trigo e mexa até ser absorvida pela manteiga, formando uma pasta. Junte o leite, mexendo sem parar (para evitar queimar), até o molho adquirir a consistência de um creme leve, por cerca de 3 minutos. (Não cozinhe demais, pois o molho vai engrossar no forno.) Tempere com sal, pimenta-do-reino e noz-moscada, se desejar. Reserve.
4. Em uma tigela pequena, misture a farinha de rosca e o parmesão.
5. Coloque a couve-flor na assadeira. Despeje o molho branco por cima, polvilhe a cobertura e asse por 15 minutos, ou até a cobertura dourar e ficar crocante. Prepare-se para se transformar em um amante da couve-flor!

Fiz este prato na noite passada para a minha filha de 22 meses; ficou lindo – e delicioso! Ela se divertiu me ajudando a colocar a couve-flor na assadeira e a polvilhar a cobertura. E estava tão louca para comer que nem queria esperar o tempo de forno!

Alice

Arroz precioso de couve-flor

D

Equipamento especial: frigideira grande ou wok com tampa
Preparo: 15 minutos
Cozimento: 20 minutos
Rendimento: 2 adultos e 2 crianças menores

Esta receita foi inspirada por uma visita a um dos meus restaurantes preferidos em Vancouver, o Vij's, que sempre é votado como um dos melhores endereços de cozinha indiana na América do Norte. Pedi o prato apenas uma vez e, desde então, tento criar algo semelhante. Acrescentei alguns toques pessoais (a adição de uvas-passas e o suco fresco de limão) e suavizei a picante versão feita para os adultos – mesmo assim, os pais também vão ficar satisfeitos ao prová-la.

Minhas filhas adoram o prato, principalmente as passas, que são macias, doces e ficam roliças depois de hidratadas na água. "Parecem pedras preciosas", disse a mais nova, e o nome pegou. (Crianças menores vão se divertir caçando as "joias" no arroz, mas temos uma regra: apenas uma pedra preciosa a cada garfada!)

1 colher (chá) de manteiga com sal
280 g de arroz basmati (veja Notas)
2 colheres (sopa) de óleo vegetal
1 colher (chá) de sementes de cominho
1 cebola média, picada
5 cravos-da-índia
½ colher (chá) de cúrcuma em pó
1 couve-flor cortada em pedacinhos
70 g de uvas-passas hidratadas em ½ xícara de água morna
1 colher (chá) de sal marinho (opcional)
15 g de salsinha ou coentro frescos, picados
1 limão, para decorar

1. Em uma panela média (com tampa), derreta a manteiga em fogo médio a baixo. Junte o arroz, aumente o fogo para alto e cozinhe, mexendo, por 1 minuto. Acrescente 3 xícaras de água e espere ferver; tampe a panela e reduza o fogo. Cozinhe até que a água seja absorvida pelo arroz, por 12 a 15 minutos. Desligue o fogo e deixe a panela tampada por 2 minutos. Destampe e reserve.
2. Enquanto isso, aqueça o óleo em uma frigideira ou wok em fogo médio. Junte o cominho e frite por cerca de 30 segundos; acrescente a cebola e o cravo-da-índia. Refogue por 3 a 4 minutos, até a cebola começar a dourar. Adicione a cúrcuma e refogue por 2 minutos, até ser absorvida pela cebola. Junte a couve-flor, a uva-passa e o líquido em que foi hidratada; aumente o fogo para médio a alto, tempere com sal (se usar), tampe e cozinhe por 5 minutos, até a couve-flor ficar al dente (cozida, mas não muito macia). Retire o carvo-da-índia.

3. Em uma tigela grande, misture o arroz, a mistura de couve-flor e a salsinha; mexa bem. Se quiser, esprema o limão por cima. Sirva imediatamente (veja Notas).

Notas:

O segredo deste prato é manter cada grão de arroz roliço e separado – não deve ficar grudento. Para isso, mergulhe o arroz cru em água morna por 20 minutos (descarte a água em seguida) ou lave os grãos em água corrente, dentro de uma peneira, esfregando entre os dedos. Os dois métodos eliminam o amido que faz o arroz ficar empapado.

Como o arroz é veículo para bactérias que podem causar intoxicação alimentar, este prato deve ser consumido imediatamente – não guarde as sobras!

Fiz hoje o Arroz precioso de couve-flor. Minha filha de 4 anos não estava muito animada: disse que tinha um perfume estranho. Então ela provou e afirmou "é delicioso!" Comemos tanto que não sobrou nada.

Babette

ERVILHA

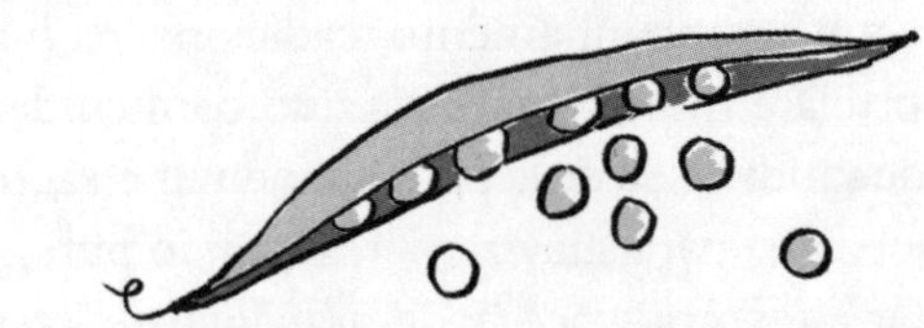

A PURÊ VERDE COM HORTELÃ

B SOPA VERDE DELICIOSA

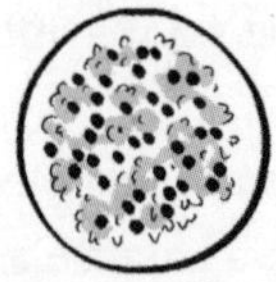

C RISOTO FÁCIL DE ERVILHA

D CURRY DE FRANGO E ERVILHA

Purê verde com hortelã

A

Equipamento especial: processador ou mixer
Preparo: 2 minutos
Cozimento: 8 minutos
Rendimento: cerca de 2 xícaras

O purê de ervilha é um acompanhamento tradicional na Inglaterra, onde é temperado com hortelã e muitas vezes servido com cordeiro. Esta versão usa uma pequena quantidade da erva para introduzir o sabor com delicadeza, e acrescenta abobrinha para suavizar a textura do purê, que fica cremoso. Para incrementar a textura, você pode usar iogurte, creme azedo (sour cream), leite ou outro laticínio.

280 g de ervilha congelada, em temperatura ambiente
2 batatas médias descascadas e picadas
3 a 4 folhas frescas de hortelã
1 abobrinha italiana média descascada e fatiada
2 colheres (sopa) de iogurte grego, creme azedo (sour cream) ou leite (opcional)
1 colher (sopa) de manteiga com sal
uma pitada de sal marinho

1. Em uma panela média em fogo alto, ferva 1 litro de água. Acrescente a ervilha, a batata e a hortelã. Espere voltar a ferver, reduza o fogo para médio e cozinhe por 5 minutos. Junte a abobrinha e cozinhe por 3 minutos, até a batata ficar macia. Escorra e reserve o líquido.
2. Misture os legumes cozidos e 1 xícara do líquido. Passe pelo processador ou bata com o mixer, até ficar homogêneo. Para um purê mais cremoso, acrescente o iogurte. Junte a manteiga e tempere com sal; se necessário, adicione mais líquido até obter a consistência desejada. Para um purê bem molinho, passe por uma peneira antes de servir. Sirva morno.

Dica para a Educação do Paladar:
Esta é uma ótima receita para usar se quiser apresentar aos bebês o sabor de peixe (alguns pediatras recomendam esperar até os 9 meses; outros, até os

12): simplesmente acrescente 60 g de peixe branco fresco (como linguado) quando cozinhar a ervilha. Certifique-se de que não haja nenhuma espinha e bata como indicado. *Voilà!*

Sopa verde deliciosa com creme de hortelã

B

Equipamento especial: liquidificador ou processador
Preparo: 5 minutos
Cozimento: 20 minutos
Rendimento: 2 adultos e 2 crianças

Ervilhas são ricas em minerais, vitaminas e fibras, além de deliciosas – levemente adocicadas e muito saborosas. Quando introduzidas cedo na alimentação infantil, a maioria das crianças passa a adorá-las. Ervilhas também são uma ótima base para fazer experiências com sabores mais complexos. Na hora em que seu filho se acostumar, você pode acrescentar outros paladares. Esta receita combina os sabores do Purê verde com hortelã (página 240) e da Surpresa de espinafre da Sophie (página 247) em um prato adorável que a família toda pode saborear junta.

Esta sopa congela bem – mas prepare o creme de hortelã momentos antes de servir.

3 colheres (sopa) de manteiga com sal
1 cebola média, picada
½ colher (chá) de curry em pó suave (veja Notas)
285 g de ervilha congelada, em temperatura ambiente
285 g de espinafre congelado picado, em temperatura ambiente
3 xícaras de Caldo de legumes (página 335) ou caldo pronto de frango ou legumes
4 colheres (sopa) de folhas frescas de hortelã, picadas
1 xícara de leite (veja Notas)
½ colher (chá) de sal marinho (opcional)
½ colher (chá) de pimenta-do-reino moída (opcional)

Creme de hortelã:
½ xícara de iogurte ou creme azedo (sour cream)
2 colheres (sopa) de folhas frescas de hortelã, picadas

1. Derreta a manteiga em uma panela grande em fogo médio. Junte a cebola e o curry, mexendo bem, e refogue por 4 ou 5 minutos, até a cebola começar a dourar.
2. Acrescente a ervilha, o espinafre e o caldo. Espere ferver, diminua o fogo para médio a baixo e cozinhe por 5 minutos. Junte a hortelã e cozinhe por mais 5 minutos, ou até a ervilha ficar macia.
3. Enquanto isso, prepare o creme de hortelã: misture o iogurte e as folhas no liquidificador e bata até ficar homogêneo. Reserve.
4. Retire a sopa do fogo e acrescente o leite. Tempere com sal e pimenta-do-reino, se usar. Transfira para o liquidificador ou processador e bata até ficar completamente homogêneo. Sirva imediatamente, com o creme de hortelã. (Às vezes monto carinhas felizes para as crianças – uma gota para cada olho, uma bolotinha para o nariz, uma curva para a boca – mas elas também adoram criar os próprios desenhos!)

Notas:
Para crianças mais desconfiadas, omita o curry. À medida que o paladar delas mudar, você pode introduzir o ingrediente e aumentar a quantidade para 1 colher (chá) ou mais.

Se for preciso, é possível usar um substituto para o leite; a textura da sopa, porém, muda consideravelmente.

Risoto fácil de ervilha

C

Equipamento especial: refratório grande
Preparo: 5 minutos
Cozimento: 30 minutos
Rendimento: 2 adultos e 3 crianças (como prato principal, com porções generosas)

Esta receita foi uma das cinco preferidas entre todas as famílias que testaram os pratos deste livro. Na escola Alphabet Academy, foi um sucesso: 15 das 17 crianças em idade pré-escolar adoraram e quiseram mais!

É engraçado, porque quase não incluí o risoto no livro. Por ser tão desligada (assim que nos casamos, meu marido me apelidou de La Reine des Casseroles Brûlés, "a rainha das panelas queimadas"), tinha medo de fazer o prato até que um amigo italiano me ensinou esta versão no forno, que libera você de mexer, mexer e mexer – parece mágica! A textura fica um pouco diferente da tradicional, um pouco menos cremosa, mas ainda assim é uma delícia.

5 xícaras de Caldo de legumes (página 335) ou caldo pronto de legumes ou frango, com pouco sódio
290 g de arroz para risoto (veja Notas)
100 g de queijo parmesão ralado
3 colheres (sopa) de manteiga com sal
½ colher (chá) de sal marinho (opcional, veja Notas)
1 colher (chá) de pimenta-do-reino moída
130 g de ervilha congelada, em temperatura ambiente
1 colher (chá) de suco fresco de limão (opcional)

1. Preaqueça o forno a 180 °C. Ferva o caldo em uma panela média em fogo médio a baixo.
2. Em um refratário grande, misture o arroz e 4 xícaras do caldo quente. Cubra (use papel-alumínio, se necessário) e asse por 30 minutos, até a maioria do líquido ter sido absorvida e o arroz ficar al dente.
3. Retire do forno e misture o parmesão, o restante do caldo, a manteiga, o sal (se usar) e a pimenta-do-reino. Mexa muito bem, até o arroz ficar cremoso, por 2 a 3 minutos. Acrescente a ervilha e mexa até aquecer. Junte o suco de limão, se usar. Sirva imediatamente (o risoto endurece e fica pesado se você deixar passar muito tempo).

Notas:

Nesta receita, prefiro usar arroz carnaroli ou arbório. Alguns leitores tiveram sucesso com arroz integral – se for tudo o que você tiver em casa, experimente!

O queijo parmesão é salgado, portanto eu não acrescentaria muito sal – se necessário, tempere um pouco mais ao servir.

Como o arroz é veículo para bactérias que podem causar intoxicação alimentar, este prato deve ser consumido imediatamente e você não deve guardar as sobras. Além disso, o prato ficaria empapado.

Não me canso de fazer este prato. É tão fácil, diante de um resultado tão cremoso! As meninas não se entusiasmaram muito quando comeram pela primeira vez, mas na segunda – basicamente a mesma receita – limparam as tigelas e perguntaram por que eu não tinha feito isso antes. "Delicioso!" Crianças são engraçadas.

Lori

Curry de frango e ervilha

D

Equipamento especial: wok ou frigideira grande
Preparo: 10 minutos
Cozimento: 20 minutos
Rendimento: 2 adultos e 2 crianças (como prato principal)

Graças ao Risoto fácil de ervilha (página 242) e à Sopa verde deliciosa com creme de hortelã (página 241), seus filhos agora estão acostumados à textura da ervilha e do arroz, e também ao sabor da cúrcuma – um ingrediente fundamental do curry. É hora de passos mais ousados! Este curry bem suave é uma ótima maneira de introduzir as crianças à culinária indiana. Sirvo com arroz e chutney de manga. Delícia!

Em minha família, fazemos algumas experiências com a receita: algumas vezes, acrescento cenouras em fatias finas ou um dente de alho; em outras, não uso batata-doce. As possibilidades são infinitas! Mas não deixe a maçã de fora – a doçura equilibra o curry e a textura da fruta cozida, derretendo na boca, é um bom complemento ao frango.

1 colher (sopa) de óleo vegetal
1 colher (sopa) de curry suave em pasta (veja Notas)

1 colher (sopa) de massa de tomate
1 batata-doce média descascada e cortada em pedacinhos
1 cenoura descascada e cortada em cubos
1 maçã grande descascada sem sementes cortada em fatias finas
2 peitos de frango grande sem osso e sem pele cortado em pedaços pequenos
400 ml de leite de coco
1 xícara de Caldo de legumes (página 335) ou caldo pronto de legumes ou frango, com pouco sódio
285 g de ervilha congelada (ou fresca)
coentro fresco picado para decorar
arroz cozido para servir
chutney de manga para servir

1. Aqueça o óleo em uma wok ou frigideira grande em fogo alto. Junte a pasta de curry e cozinhe por 1 minuto em fogo baixo. Acrescente a massa de tomate, batata-doce, cenoura, maçã e frango, mexendo bem para cobrir. Cozinhe por 5 minutos, mexendo sempre. Adicione o leite de coco e o caldo. Aumente o fogo para alto e, quando ferver, diminua para médio e cozinhe por 5 minutos. Junte a ervilha e cozinhe por mais 5 minutos, até ficar macia (mas não desmanchando). Sirva com arroz cozido e chutney de manga. Delícia!

Notas:
Gosto de usar a pasta de curry Korma. Quem for mais destemido pode aumentar a quantidade para 2 colheres (sopa)!

Se você achar que falta sal, polvilhe uma pitada sobre cada prato antes de servir. O gosto vai ficar mais pronunciado, mas, na verdade, a ingestão de sal vai ser menor.

O prato estava condimentado na medida certa para as crianças, e elas adoraram. Meu filho de 7 anos disse "Muito bom! Mas talvez você possa colocar castanhas de caju da próxima vez" (não estou brincando). O de 5 anos falou: "Gostei porque tem um pouco de açúcar" (ele estava se referindo à doçura da maçã). O de 3 anos completou: "Gostei da ervilha e do frango". Achei muito bom e certamente farei a receita outra vez.

Roberta

ESPINAFRE

B SURPRESA DE ESPINAFRE DA SOPHIE

C LASANHA RÁPIDA DE SALMÃO E ESPINAFRE

D SALADA MORNA DE ESPINAFRE E CÍTRICOS

Surpresa de espinafre da Sophie

B

Equipamento especial: liquidificador
Preparo: 2 minutos
Cozimento: 5 minutos
Rendimento: cerca de 1 xícara

Esta receita apareceu no meu livro *Crianças francesas comem de tudo*, já que foi uma das primeiras que preparei para encorajar minhas filhas a comerem mais hortaliças. E foi uma beleza! Vários anos depois – e mesmo já acostumadas a outras verduras –, elas ainda adoram o prato (que, hoje, sirvo como entrada em tigelinhas individuais, como uma sopinha).

Suave e incrivelmente acetinada, a Surpresa representa uma maneira fácil de introduzir verduras a seus filhos. A abobrinha confere uma textura leve e macia de derreter na boca, e, portanto, o espinafre fica delicado e quase adocicado. Se você achar que é um pouco amargo (eu nunca acho), junte um pouco de mel antes de servir (ou use um tantinho menos de espinafre).

A receita congela bem e pode ser reaquecida rapidamente – acrescente um pouco de água ao descongelar, pois o prato tende a engrossar um pouco no congelador.

1 abobrinha média ou grande, descascada e picada
2 ou 3 punhados grandes de folhas de espinafre
1 colher (chá) de manteiga com sal (opcional)
creme de leite fresco (opcional)
uma pitada de sal marinho (opcional)

1. Em uma panela média em fogo alto, coloque a abobrinha e 1 xícara de água. Espere ferver, reduza o fogo para médio e cozinhe até a abobrinha ficar transparente, por cerca de 2 minutos. Acrescente o espinafre e cozinhe por 1 a 2 minutos, até murchar. (Não cozinhe demais, ou o espinafre fica viscoso!) Escorra e reserve o líquido. Bata os ingredientes no liquidificador até obter um purê homogêneo – se necessário, junte um pouco do líquido. Se desejar, junte um pouco de manteiga, creme de leite ou sal.

Dica para a Educação do Paladar:
Servi espinafre às minhas duas filhas, durante anos, sem problema algum – é um dos alimentos preferidos delas! Por ser potencialmente rico em nitrato, porém, evite servir o ingrediente a bebês com menos de 12 meses de idade e limite a quantidade consumida em cada refeição. Sirva o purê em uma tigela pequena como acompanhamento, e não como prato principal (uma pequena porção rende muito). Por cima, distribua pedacinhos de manteiga no formato de um rostinho – a garotada adora vê-los derreterem. Incentive seu filho a "recolher" os olhos (ou o nariz, ou a boca) antes de desaparecerem!

Crianças mais velhas podem apreciar a receita com o creme de leite, a manteiga e o sal; para os mais novinhos, sirva sem os ingredientes opcionais, pois vão adorar do mesmo jeito!

Lasanha rápida de salmão e espinafre

C

Equipamento especial: assadeira de 32 x 22 cm
Preparo: 20 minutos
Cozimento: 40 minutos
Rendimento: 4 adultos e 2 crianças, com porções generosas

A família inteira vai adorar este prato, uma das receitas que adoro servir a convidados, principalmente de outras cidades, pois compro salmão fresco (uma das preciosidades de Vancouver) quando está na época. A maciez do peixe assado em molho béchamel é equilibrada pela firmeza suave das camadas de ricota e espinafre. Minhas duas filhas amavam essa lasanha.

A receita funciona também com salmão em lata (na verdade, algumas pessoas acreditam que assim fica ainda melhor). Como bons ingredientes frescos às vezes são difíceis de achar, incluí opções para produtos congelados e enlatados – é isso o que torna a lasanha rápida!

3 colheres (sopa) de manteiga com sal
3 colheres (sopa) de farinha de trigo
3 xícaras de leite
170 g a 200 g de salmão selvagem enlatado
1 colher (sopa) de orégano seco

1 colher (chá) de sal marinho (opcional)
1 colher (chá) de pimenta-do-reino moída (opcional)
450 g de ricota
300 g de espinafre congelado em temperatura ambiente, escorrido, ou um maço pequeno de espinafre fresco cortado em pedaços de 1,5 cm
2 ovos grandes
1 colher (chá) de canela em pó
12 a 16 folhas de massa para lasanha frescas ou cozidas (veja Nota)
230 g de queijo cheddar ralado
60 g de queijo parmesão ralado
1 a 2 colheres (sopa) de alcaparra picada, para decorar (opcional)

1. Preaqueça o forno a 190 °C.
2. Prepare o salmão no molho béchamel. Em uma panela média em fogo alto, derreta a manteiga. Junte a farinha e cozinhe, sem parar de mexer, por 1 minuto, até obter uma pasta homogênea. Acrescente o leite e cozinhe por 1 minuto, mexendo, até a pasta se dissolver. Diminua o fogo para médio e cozinhe, mexendo sempre, até o molho começar a engrossar, por 3 a 4 minutos. Adicione o salmão, misturando bem para quebrar os pedaços, o orégano, sal e pimenta-do-reino. Reserve.
3. Em uma tigela grande, misture a ricota, o espinafre, os ovos e a canela.
4. Monte a lasanha na assadeira, fazendo camadas na seguinte ordem (as folhas de massa devem ficar em contato com o béchamel em todas as camadas – caso contrário, não absorvem o molho e ficam duras):
   - metade do molho béchamel com salmão
   - uma camada de folhas de lasanha
   - todo o recheio de espinafre e ricota
   - uma camada de folhas de lasanha
   - cerca de 4 colheres (sopa) do molho béchamel com salmão (reserve um pouco para cobrir)
   - uma camada de folhas de lasanha
5. Regue a lasanha com o molho béchamel restante. Polvilhe o cheddar, o parmesão e, se usar, a alcaparra (seu sabor intenso agrada adultos e crianças mais velhas). Asse por 30 minutos, ou até a cobertura ficar dourada e crocante e o recheio estar borbulhando.

Deixe esfriar por pelo menos 10 minutos antes de servir, pois o recheio vai estar fervendo (além disso, depois de um tempinho a lasanha pode ser cortada de maneira mais firme).

Nota:
Você vai precisar de folhas de massa o suficiente para formar três camadas, usando de 3 a 4 folhas por camada.

Para servir:
Esta é uma lasanha suave, quase delicada. Sirva depois de uma salada com vinagrete penetrante; os sabores se complementam de maneira agradável. Para um toque atraente, polvilhe um pouco de salsinha ou orégano seco.

Para falar a verdade, estava desconfiada. A combinação parecia estranha e minhas crianças gostam da lasanha tradicional. A primeira surpresa agradável foi o salmão em conserva, que eu nunca tinha usado. É gostoso e não muito intenso! A lasanha ficou muito interessante, bonita e fácil de cortar. Meu filho de 7 anos, o mais enjoado, adorou. Em uma escala de 1 a 10, ele deu nota "150".

Stacy

Salada morna de espinafre e cítricos

D

Equipamento especial: nenhum
Preparo: 5 minutos
Cozimento: 2 minutos
Rendimento: 2 adultos e 2 crianças (porções pequenas)

Minhas filhas adoram alface e espinafre, mas demorou um pouco para que isso acontecesse. Começamos com uma versão para bebês dessa salada, com os alimentos distribuídos como um rostinho feliz sobre o prato (5 ou 6 folhas de espinafre para o cabelo, gomos de tangerina para os olhos, metade de um tomate-cereja para o nariz e daí por diante). Esses rostinhos eram feitos em apenas um minuto (já que você usa os ingredientes da salada feita para os adultos) e, quando maiores, as crianças podem até ajudar. Elas mergulhavam as hortaliças em vinagrete caseiro e começaram a se acostumar com o sabor e a textura da salada, servida antes do prato principal. Com o tempo, elas orgulhosamente avançaram para uma versão "adulta" (mas confesso que, de vez em quando, ainda surpreendo a mais nova, hoje na pré-escola, com um rostinho feliz!)

Se você servir o prato para crianças menores, lembre-se que a versão do rostinho feliz não significa necessariamente que ela precisa comer muita salada – é para ela aprender a gostar da ideia de comer salada. A maioria não come grandes quantidades até que esteja mais velha.

225 g de folhas de espinafre baby (veja Nota)
2 tangerinas descascadas separadas em gomos
75 g de tomate-cereja cortado ao meio
¼ de xícara de Vinagrete clássico (página 336)

1. Aqueça uma panela média em fogo médio. Lave o espinafre em água fria e coloque imediatamente na panela, mexendo. Quando ouvir uma espécie de assobio (indicando que a água está evaporando), retire do fogo – o espinafre deve estar levemente (apenas levemente) murcho.
2. Em uma tigela média, misture a maior parte da tangerina e do tomate. Junte o espinafre e cubra com o restante da tangerina e do tomate. Não mexa, ou o espinafre murcha mais. Sirva imediatamente, com o vinagrete à parte. (Também é possível temperar com o vinagrete antes de servir, mas não mexa demais a salada.)

Nota:
As folhas de espinafre baby são menores e mais macias que as normais. Ficam ótimas com a leve acidez da tangerina e do tomate – e a vitamina C desses alimentos facilita a absorção do ferro contido no espinafre!

Resolvi experimentar esta receita, pois meus filhos têm fobia de saladas! Percebi que fazer o rostinho feliz deu certo mesmo com as crianças de 6 e 9 anos – elas amaram! Aquecer o espinafre é fundamental; elas gostaram da textura macia.

Françoise

PIMENTÃO

A SOPA DE TOMATE E PIMENTÃO ASSADO

B HOMUS VERMELHO

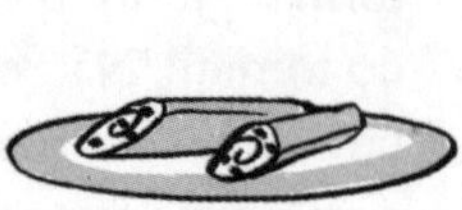

C ENROLADINHO DE PIMENTÃO

D RATATOUILLE

Sopa de tomate e pimentão assado

A

Equipamento especial: liquidificador
Preparo: 5 minutos
Cozimento: 15 minutos
Rendimento: 2 adultos e 2 crianças

Esta sopa usa pimentões assados e sem pele, comprados prontos. Testei a receita com o ingrediente pronto e também com pimentões frescos – garanto que o resultado foi igualmente satisfatório. (Claro que, se você preferir assar e despelar em casa, não há problema!)

Algumas versões para adultos incluem açúcar e caldo de frango, mas prefiro suco de laranja e caldo de legumes – a sopa é naturalmente adocicada e os sabores do tomate e do pimentão combinam com o do caldo.

É uma boa receita para ser congelada.

1 colher (sopa) de azeite de oliva
¼ de cebola picada
½ dente de alho pequeno (veja Nota)
5 tomates grandes maduros, sem sementes e cortados em quartos
2 pimentões vermelhos grandes (ou 3 pequenos), assados
2 colheres (sopa) de folhas de manjericão fresco, picadas
4 xícaras de Caldo de legumes (página 335) ou caldo pronto com pouco sódio
suco de 1 laranja (cerca de ½ xícara)
queijo parmesão em lascas finas (opcional)
folhas de manjericão fresco, para decorar (opcional)

1. Aqueça o azeite em uma panela grande em fogo médio. Junte a cebola e o alho e refogue por cerca de 3 minutos, até a cebola ficar translúcida. Aumente o fogo para alto e acrescente o tomate, o pimentão e o manjericão. Cozinhe por 1 minuto, sem parar de mexer. Adicione o caldo e diminua o fogo para médio. Cozinhe por 10 minutos e junte o suco de laranja.
2. Bata a sopa no liquidificador, até ficar homogênea e cremosa. Sirva imediatamente, coberta com o parmesão e uma folha de manjericão, se quiser (o queijo derrete na sopa, deixando-a mais cremosa).

Nota:
Não pico o alho porque os pedacinhos podem queimar no refogado. De qualquer maneira, ele será batido no liquidificador, mais tarde.

Dica para adultos:
A sopa é deliciosa quente ou fria, servida com croûtons. Juntar um pouco de pesto de manjericão ou coentro a torna divina! Experimente também servir com um potinho de tapenade de azeitona preta.

Esta sopa é incrível. As crianças adoraram, e meu marido também. Deixei biscoitos na mesa. Não recebi muitos comentários; reparei que é isso o que acontece quando as crianças gostam – elas só comem tudo!

Françoise

Homus vermelho

B

Equipamento especial: acessório para cozinhar no vapor; processador
Preparo: 10 minutos
Cozimento: 10 minutos
Rendimento: 2 adultos e 2 crianças ou cerca de 3 xícaras

Esta receita leva creme de leite, que equilibra a acidez do pimentão e do tomate ao mesmo tempo em que intensifica o sabor (os franceses nunca têm medo de usar um pouco de gordura). Se preferir, substitua por iogurte.

Para bebês mais velhos, é possível acrescentar 1 talo de aipo (ou salsão), 1 folha de louro e ½ dente de alho durante o cozimento, para aumentar o sabor (retire, porém, antes de bater no liquidificador).

Como muitos purês deste livro, este também faz sucesso entre adultos – é um homus de pimentão vermelho disfarçado!

Bom para ser congelado.

½ dente de alho, opcional (veja Notas)
1 tomate maduro cortado em quartos

1 pimentão vermelho sem sementes, em fatias
400 g de grão-de-bico em conserva, escorrido e lavado
1 colher (sopa) de creme de leite fresco (veja Notas)
1 colher (sopa) de azeite de oliva extra virgem
suco de ½ limão-siciliano (cerca de 2 colheres de sopa)
uma pitada de sal marinho (opcional)

1. Ferva 3 xícaras de água em uma panela média com o acessório para cozinhar no vapor. Se usar o alho, coloque diretamente na água. Sobre o acessório, cozinhe o tomate e o pimentão em fogo médio, por 7 a 8 minutos, até ficarem macios. Escorra e reserve o líquido do cozimento. Descarte o alho.
2. No processador, bata o tomate, pimentão, grão-de-bico, creme de leite, azeite e suco de limão até ficar homogêneo. Se estiver muito grosso, acrescente a água do cozimento, aos poucos, até obter a consistência desejada. (Adultos podem temperar o patê com sal.)

Notas:
À medida que seu filho cresce, você pode aumentar a intensidade do alho. Para bebês mais novos, deixe o alho na água enquanto cozinha o tomate e o pimentão, então descarte como descrito na receita; o homus ficará com um sabor sutil. Para os mais velhos, bata o alho com os outros ingredientes – além de deixar o homus com um sabor agradável, é uma ótima maneira de apresentá-lo às crianças!

Se quiser, substitua o creme de leite por iogurte integral. Para bebês com mais de 12 meses de idade, experimente trocar por 1 colher (sopa) de tahine leve.

Enroladinho de pimentão

C

Equipamento especial: nenhum
Preparo: 5 minutos
Cozimento: nenhum
Rendimento: 2 adultos e 2 crianças

Esta receita simples combina a textura crocante do pimentão vermelho fresco com um recheio cremoso e salgado de cream cheese. É ótima para mandar no lanche da escola. Também vale para testar suas estratégias de *marketing*: as cores enroladas são divertidas e você pode pedir para as crianças inventarem nomes interessantes!

É bem melhor aquecer as tortilhas primeiro: dessa maneira, elas ressaltam o sabor dos outros ingredientes e ficam mais fáceis de mastigar.

4 tortilhas pequenas
4 colheres (sopa) de cream cheese ou de Homus vermelho (página 254)
1 pimentão vermelho sem sementes e bem picado

Recheios opcionais (para crianças mais velhas):
fatias de abacate
fatias de frango cozido
pasta de pimentão vermelho assado
folhas frescas de manjericão, picadas

1. Aqueça as tortilhas, dos dois lados, em uma frigideira seca em fogo médio a baixo. Transfira para uma superfície de trabalho e espalhe 1 colher (sopa) de cream cheese. Distribua por cima 1 colher (sopa) do pimentão vermelho. Dobre as laterais e a parte de baixo por cima do recheio e enrole bem apertado. Com uma faca afiada, corte as tortilhas na diagonal, em fatias de 1,5 cm, e sirva imediatamente.

Nota:
Crianças menores podem ter problemas ao mastigar os enroladinhos. Nesse caso, corte em pedaços pequenos, para comerem com um garfo (ou com as mãos!)

A garotada de nossa classe estava ansiosa pelo almoço de hoje! Eis o que aconteceu: das 40 crianças, 34 gostariam de ter os enroladinhos em nosso cardápio. Ouvimos coisas como "Crocante", "Adocicado", "Gostoso, quero mais!" e "Ótima combinação de crocante e cremoso!" Também falaram "Nunca gostei de pimentão, mas agora gosto – são deliciosos". E alguém ainda disse: "comi com as papilas!"

Alphabet Academy

Ratatouille

D

Equipamento especial: nenhum
Preparo: 10 minutos
Cozimento: 25 minutos
Rendimento: 2 adultos e 2 crianças (como prato principal)

A ratatouille é um prato feito tradicionalmente no verão (quando os legumes estão maduros), mas minhas filhas adoram em qualquer época do ano.

Embora haja muitas maneiras de preparar ratatouille, basicamente elas se dividem em duas correntes. Quem segue a linha slow food insiste que cada ingrediente seja descascado e refogado individualmente antes de tudo ser assado junto durante horas. Já experimentei desse jeito – e fica realmente delicioso –, mas é muito demorado. Quem prepara o "cozido à moda da vovó" (como gosto de chamar) diz que este sempre foi um prato simples que podia ser deixado no fogão por um bom tempo, sem preocupação. É assim que eu faço, com um caldo que as crianças adoram. Não é preciso descascar os legumes (mas você pode fazer isso, se quiser).

Também servimos a ratatouille como molho de massas (cozinhe um pouco mais, para engrossar), para acompanhar frango assado e até para rechear uma quiche. Você ainda pode acrescentar caldo de frango e bater no liquidificador, como uma sopa (antes, retire as folhas de louro!), que congela muito bem.

3 colheres (sopa) de azeite de oliva
2 alhos-porós grandes (partes brancas e verdes) fatiados finamente
2 colheres (chá) de sal marinho
1 berinjela média descascada e cortada em cubos de 1 cm
1 dente de alho cortado ao meio
8 a 10 tomates maduros sem sementes e cortados em quartos
1 pimentão vermelho sem sementes e cortado em pedaços
1 abobrinha italiana grande descascada e cortada em cubos de 1 cm
1 colher (sopa) de ervas da Provença (geralmente incluem alecrim, tomilho, manjericão e manjerona)
2 folhas de louro
1 colher (sopa) generosa de mel, açúcar mascavo ou xarope de bordo (maple syrup)

½ colher (chá) de pimenta-do-reino moída
30 g de salsinha fresca picada

1. Aqueça o azeite em uma panela grande em fogo entre médio e baixo. Junte o alho-poró e ½ colher (chá) de sal; refogue por 5 minutos, até começar a dourar. Acrescente a berinjela e o alho. Misture bem, tampe e refogue por 5 minutos, até ficar macio. Adicione o tomate, o pimentão, a abobrinha, as ervas, o louro, o mel, o sal restante, a pimenta-do-reino e a salsinha. Tampe, aumente o fogo para alto e, quando começar a chiar, diminua o fogo para médio. Cozinhe, mexendo de vez em quando, até os legumes estarem perfeitamente macios, por 10 a 15 minutos. Descarte as folhas de louro e sirva morno.

Para ganhar tempo:
O prato fica pronto rápido porque cozinha em etapas: você pode picar um legume enquanto o outro está sendo refogado.

Nota:
A receita fica deliciosa servida na hora, mas ainda melhor depois de um tempo, quando os sabores se integram. Tento deixar pronta na noite anterior, guardada na geladeira. Quando reaquecidos, os sabores ficam mais intensos. O restaurante La Note, em Berkeley, na Califórnia, serve a ratatouille sobre cuscuz, coberta com ovos pochê; dessa maneira, transforma-se em um prato principal.

TOMATE

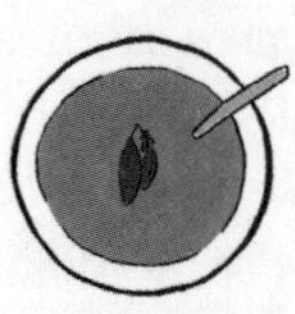

A PURÊ DE TOMATE, PÊSSEGO E MANJERICÃO

B RAGU ROQUEIRO

C TOMATE ESCONDE-ESCONDE

D TAGINE SENSAÇÃO

Purê de tomate, pêssego e manjericão (ou Gaspacho baby)

A

Equipamento especial: acessório para cozinhar no vapor (opcional); processador ou mixer
Preparo: 2 minutos
Cozimento: 6 minutos
Rendimento: 1½ a 2 xícaras

Juntos, os sabores do tomate (que, claro, é uma fruta) e do pêssego são maravilhosos. A leve doçura do pêssego reduz a acidez do tomate e confere cremosidade ao purê. Bônus: este é o ponto de partida para uma das melhores sopas do mundo, o gaspacho espanhol, uma receita muito saudável, cheia de hortaliças, incrivelmente fácil e que não precisa ser cozida, pois é servida fria no verão. Pense no purê como a melhor vitamina de legumes que você já provou e prepare-se para explorar os sabores com seu bebê!

Como todas as outras receitas de purê, esta também rende uma boa sopa para adultos. Dobre a quantidade dos ingredientes para cada adulto e decore com um pouco de manjericão picado.

O purê congela bem.

2 tomates médios bem maduros, sem sementes e picados
1 ou 2 folhas de manjericão fresco bem picadas
1 pêssego grande (ou 2 pequenos) maduro, sem caroço, descascado e cortado em quartos

1. Em uma panela média em fogo entre médio e baixo, coloque o tomate, o manjericão e água suficiente apenas para cobri-los. (O tomate solta líquido durante o cozimento.) Cubra com o pêssego (para que cozinhe no vapor, e não em contato com a água, ou despedaçam rapidamente; outra opção é preparar o pêssego em outra panela com o acessório para vapor). Cozinhe por cerca de 5 minutos, até o pêssego ficar macio. Escorra e reserve o líquido.
2. Passe o tomate e o pêssego pelo liquidificador ou bata com o mixer, acrescentando o líquido de cozimento até obter a consistência desejada.

Dica para a Educação do Paladar:
À medida que o bebê cresce, vá transformando o purê em gaspacho. Introduza apenas um ingrediente novo de cada vez, para que a criança se acostume com o sabor. Antes de passar pelo liquidificador, acrescente: 1 xícara de suco de tomate, 75 g de pimentão vermelho ou amarelo picado, 15 g de salsinha fresca bem picada, 2 colheres (sopa) de azeite de oliva mais 1 colher (chá) de suco de limão (ou 2 colheres de sopa de suco de laranja), ½ cebola pequena picada, 1 colher (sopa) de manjericão fresco picado, ¼ de colher (chá) de sal marinho e ¼ de colher (chá) de pimenta-do-reino moída. Experimente até encontrar a combinação que mais lhe agrade!

Ragu roqueiro

B

Equipamento especial: processador
Preparo: 5 minutos
Cozimento: 15 minutos
Rendimento: 2 adultos e 2 crianças (porções pequenas)

O ragu é a comida de alma italiana. Existe também uma versão francesa (um cozido feito devagar, geralmente servido com batatas), mas prefiro a italiana. Diversas variações podem ser preparadas, muitas delas com legumes; eu, porém, prefiro minha receita simples. O nome francês (*ragoût*) vem da antiga palavra *ragoûter*, que pode ser traduzida como "reavivar o sabor" ou "estimular o apetite". É exatamente isso o que faz este prato!

Se você tiver alguma criança mais velha que não gosta de carne, faça com que experimente essa receita de derreter na boca. Sirva com macarrão e polvilhe queijo parmesão. Delicioso!

É uma receita que congela bem.

1 colher (sopa) de azeite de oliva
1 dente de alho cortado ao meio
225 g de carne moída de excelente qualidade
2 cenouras descascadas em fatias de 1,5 cm
2 latas de 400 g de tomate em cubos
3 colheres (sopa) de massa de tomate

½ colher (chá) de salsinha fresca picada
¼ de colher (chá) de tomilho seco
¼ de colher (chá) de orégano seco
sal marinho e pimenta-do-reino moída (opcional)

1. Aqueça o azeite em uma panela média em fogo entre médio e baixo. Junte o alho e refogue por 1 minuto, até dourar. Acrescente a carne moída, aumente o fogo para médio a alto e cozinhe, sem parar de mexer, por 1 minuto. Adicione a cenoura, mexendo de vez em quando, por 3 a 4 minutos, ou até a carne estar cozida. Junte o tomate, massa de tomate, salsinha, tomilho e orégano. Tampe, reduza o fogo para médio e cozinhe por 10 minutos, mexendo de vez em quando.
2. Transfira a carne para o processador e bata até ficar homogêneo (veja Dica para a Educação do Paladar). (Para adultos e crianças mais velhas, tempere com sal e pimenta-do-reino.)

Dica para a Educação do Paladar:
Sirva o ragu bem batido e homogêneo para bebês mais novos, que ainda não mastigam. Com o tempo, bata apenas parte da receita e misture com os sólidos restantes. À medida que a criança cresce, deixe o prato mais pedaçudo – quando você menos espera, ela estará comendo o ragu como os adultos!

Tomate esconde-esconde (Tomates farcies)

C

Equipamento especial: assadeira
Preparo: 15 minutos
Cozimento: 40 minutos
Rendimento: 4 adultos ou crianças mais velhas (como acompanhamento)

Não resisti a incluir a receita preferida de uma leitora de *Crianças francesas comem de tudo*. Tomates farcies são uma das maneiras mais divertidas que conheço para servir os ingredientes, recheados com uma mistura apetitosa de carne moída e então assados até ficarem perfeitos. O recheio aparece de um jeito simpático, e as crianças adoram levantar os "chapéus" do tomate para descobrir o que há por baixo. Servido com algo que possa absorver os deliciosos sucos – como arroz ou cuscuz marroquino –, é uma refeição leve, saborosa e agradável.

2 colheres (sopa) de azeite de oliva
1 cebola pequena, bem picada
225 g de carne moída
4 tomates grandes ou 6 pequenos
75 g de pimentão amarelo ou vermelho, em cubos (opcional)
30 g de farinha de rosca
½ colher (chá) de salsinha ou orégano secos (opcional)
¼ de colher (chá) de sal marinho
¼ de colher (chá) de pimenta-do-reino moída
15 g de queijo parmesão ralado

1. Preaqueça o forno a 190 °C.
2. Aqueça o azeite em uma frigideira média em fogo baixo. Junte a cebola e refogue até dourar, por cerca de 5 minutos. Ajuste o fogo entre médio e alto, acrescente a carne moída e frite, sem parar de mexer, por 2 minutos, ou até dourar levemente. Reduza o fogo para médio a baixo e refogue até cozinhar por completo, por 6 a 8 minutos.
3. Enquanto isso, prepare o tomate: corte a tampa e reserve. Com uma colher pequena ou um boleador de melão, retire a polpa e transfira para uma vasilha. (Os tomates parecerão pequenas tigelas.) Coloque com o corte voltado para baixo sobre um prato e deixe os sucos escorrerem. Pique a polpa reservada e junte à carne moída com o pimentão, se usar.
4. Em uma vasilha pequena, misture a farinha, ervas, sal e pimenta-do-reino. (Experimente também com outras ervas e especiarias – minha cunhada usa páprica. Seja criativo!) Acrescente a mistura à carne moída e misture bem.
5. Recheie os tomates e polvilhe o parmesão. Cubra com as tampas reservadas. Transfira para a assadeira e asse por 20 a 25 minutos, até que estejam quase derretendo. Retire e deixe esfriar por 5 minutos antes de servir.

Nota:
Esta receita pode ser preparada na véspera e mantida na geladeira até a hora de assar. Se levar os tomates diretamente da geladeira ao forno, aumente o tempo de cozimento para 25 a 30 minutos.

Dica para a Educação do Paladar:
Para bebês menores que ainda estão se acostumando aos alimentos sólidos, misture cerca de um terço de tomate cozido, um pouco do recheio de carne moída, massa de tomate e um pouco de água. Passe pelo liquidificador.

Tagine sensação

D

Equipamento especial: nenhum
Preparo: 5 minutos
Cozimento: 20 minutos
Rendimento: 2 adultos e 2 crianças

O tagine é um cozido de hortaliças do norte da África – servido em toda parte, em variações infinitas e deliciosas (mais ou menos como o arroz na Ásia). Não desanime diante do nome; esta é uma receita simples que combina o apetitoso sabor do frango a uvas-passas e especiarias. Outro grande prato para encorajar as crianças mais resistentes, já que o frango derrete na boca de tão macio. Gostoso!

2 colheres (sopa) de azeite de oliva
4 coxas de frango ou 4 peitos de frango sem pele e sem osso, cortados em pedaços pequenos
1 cebola pequena, picada
1 dente de alho cortado ao meio
¼ de colher (chá) de gengibre em pó
¼ de colher (chá) de pimenta-da-jamaica em pó
½ colher (chá) de canela em pó
¼ de colher (chá) de cúrcuma em pó (opcional)
¼ de colher (chá) de cominho em pó (opcional)
4 cenouras descascadas, cortadas em pedaços pequenos

1 abobrinha grande, descascada e cortada em pedaços pequenos
2 tomates grandes, picados
1 colher (sopa) de massa de tomate
½ xícara de suco de laranja
70 g de uva-passa
sal marinho e pimenta-do-reino moída (opcional)
arroz cozido, polenta, cuscuz marroquino ou quinoa, para servir
salsinha picada (opcional)

1. Aqueça o azeite em uma panela grande em fogo médio. Aumente o fogo para alto, junte o frango e cozinhe, mexendo sempre, até dourar levemente, por 3 a 4 minutos de cada lado. Reduza o fogo para médio, acrescente a cebola, alho, gengibre, pimenta-da-jamaica, canela, cúrcuma e cominho (se usar) e cozinhe por 3 minutos, até a cebola começar a dourar. Junte a cenoura, abobrinha, tomate, massa de tomate, suco de laranja e ½ xícara de água. Aumente o fogo para alto; quando ferver, tampe, reduza o fogo para baixo e cozinhe por 10 minutos, mexendo de vez em quando.
2. Acrescente a uva-passa, sal e pimenta-do-reino (se usar) e cozinhe por 2 a 3 minutos, destampado, até que o molho reduza um pouco (ainda vai estar bem líquido). Sirva com o acompanhamento preferido, polvilhado de salsinha para dar cor.

Dica para a Educação do Paladar:
Para bebês menores, passe pelo liquidificador alguns pedacinhos de frango com um pouco de cenoura e do molho pronto.

VAGEM

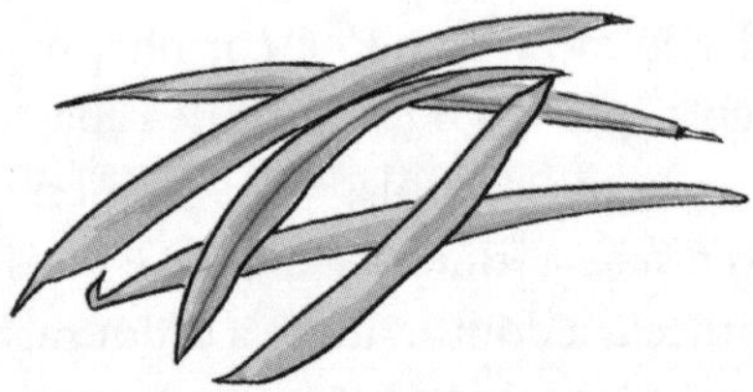

A PURÊ VERDE

B SOPA NIÇOISE ELEGANTE

C VAGEM COM AMÊNDOAS

D SALADA NIÇOISE

Purê verde

A

Equipamento especial: acessório para cozinhar no vapor; liquidificador ou processador
Preparo: 5 minutos
Cozimento: 8 minutos
Rendimento: cerca de 1½ xícara

Você já comprou "purê de vagem" industrializado? É sem graça, indigesto, extremamente desinteressante. Isso é péssimo, pois as vagens são muito saborosas e estão repletas de nutrientes. Com pouco risco de provocar alergia, podem ser introduzidas desde cedo aos bebês – mas se a primeira impressão foi o sabor que veio no potinho... credo! Esta receita fornece às crianças uma saborosa versão de um alimento excelente.

O alho apenas acrescenta sabor. (Muitas vezes vi os pais franceses usarem o tempero para dar mais sabor aos purês infantis.) O segredo é cozinhá-lo com os outros ingredientes, mas retirar antes de fazer o purê. Assim, ele acrescenta um toque agradável e não muito intenso.

Abaixo, sugiro duas formas de preparar a receita: uma rápida (ferver as hortaliças) e outra mais lenta (cozinhar no vapor ou em fogo baixo). O segundo método preserva mais nutrientes, mas às vezes a rapidez é fundamental!

3 xícaras de água, Caldo de legumes (página 335) ou caldo pronto com pouco sódio
100 g de vagem picada
1 abobrinha italiana pequena, em pedaços grandes
½ dente de alho pequeno (opcional)
1 colher (chá) de manjericão ou salsinha secos

Método rápido (ferver): em uma panela média, ferva a água ou o caldo em fogo médio a alto. Acrescente a vagem, a abobrinha e o alho, se usar, e cozinhe até os ingredientes ficarem macios, por cerca de 5 minutos. Reduza o fogo para médio, junte o manjericão e cozinhe por 1 minuto. Escorra e reserve o líquido. Retire e descarte o alho. Passe as hortaliças pelo liquidificador ou processador com 1 xícara do líquido – adicione mais, se necessário, até obter a consistência desejada.

Método lento (no vapor): em uma panela média com acessório para cozinhar no vapor, ferva 2 xícaras de água com o alho em fogo alto. Disponha a vagem e a abobrinha sobre o acessório e cozinhe até ficarem macias, por cerca de 15 minutos. Retire e descarte o alho, mas reserve o líquido do cozimento. Transfira as hortaliças para o liquidificador ou processador e bata, acrescentando líquido suficiente para obter a consistência desejada.

Sopa niçoise elegante

B

Equipamento especial: liquidificador
Preparo: 5 minutos
Cozimento: 15 minutos
Rendimento: 2 adultos e 2 crianças (como entrada)

Esta receita usa o princípio da combinação de sabores para criar um prato leve que ressalta o gosto das vagens combinando as hortaliças com um pouco de azeitonas. Também antecipa os ingredientes da Salada niçoise (um saudável clássico francês amado por crianças e adultos). Não se espante com a quantidade pequena de alguns produtos: eles dão um toque de sabor sem deixar a sopa pesada. Neste caso, menos é mais! (Alguns adultos que testaram a receita acharam-na sem graça, mas algumas crianças preferiram desta maneira!)

Esta sopa é boa para congelar.

1 colher (sopa) de azeite de oliva
1 dente de alho cortado ao meio
2 cenouras descascadas e cortadas em rodelinhas
100 g de vagem sem as pontas e cortada ao meio
3 xícaras de Caldo de legumes (página 335) ou caldo pronto com pouco sódio
350 g de abobrinha italiana picada
2 azeitonas verdes ou pretas, sem caroço (veja Nota)
½ colher (chá) de manjericão seco

Para cobrir (opcional, para adultos e crianças mais velhas):
40 g de queijo feta esmigalhado
30 g de croûtons

1. Em uma panela média, em fogo médio, aqueça o azeite por 1 minuto. Junte o alho e refogue por 30 segundos; adicione a cenoura e a vagem. Aumente o fogo para médio a alto e cozinhe por 3 minutos, mexendo de vez em quando. Acrescente o caldo, a abobrinha e a azeitona. Aumente o fogo para alto, espere ferver e cozinhe por 1 minuto. Reduza o fogo para médio, junte o manjericão e misture, para dissolver possíveis grânulos. Cozinhe até a vagem ficar macia, por 5 a 8 minutos. Retire do fogo e passe a sopa pelo liquidificador.

Nota:
Use azeitonas de boa qualidade, compradas de um fornecedor de confiança, pois às vezes algumas substâncias químicas são usadas para torná-las artificialmente pretas.

Dica para a Educação do Paladar:
Caso seus filhos não gostem de azeitonas, peça para experimentarem um tiquinho. Assim, ficam preparados para o leve sabor delas nesta sopa.

Pedi para as garotas experimentarem as azeitonas primeiro. Em casa, ninguém (exceto eu, é claro) liga para as verdes. Não disse que as colocaria na sopa, apenas pedi que segurassem e cheirassem. Elas foram categóricas: azeitonas verdes são feias, o cheiro é ruim e certamente teriam um gosto horrível. Quando servi a sopa nas tigelas, tinha certeza de que elas detestariam – mas gostaram! Ninguém descobriu o que era aquele saborzinho diferente. E adorei a expressão no rosto das meninas quando contei que eram azeitonas verdes!

Lori

Vagem com amêndoas

C

Equipamento especial: nenhum
Preparo: 5 minutos
Cozimento: 15 minutos
Rendimento: 2 adultos e 2 crianças (pelo menos!)

Este prato francês é um clássico adorado pelos norte-americanos. Minha versão suaviza um pouco a receita (menos gordurosa e mais crocante), mas os sabores fundamentais permanecem. É uma ótima maneira de incrementar um velho favorito – e um acompanhamento perfeito para os assados de domingo!

1 colher (sopa) de manteiga com sal
1 colher (sopa) de azeite de oliva
70 g de amêndoa em lascas
675 g de vagem fresca sem as pontas, cortada em pedacinhos
Raspas de ½ limão-siciliano
Sal marinho e pimenta-do-reino moída

1. Ferva uma panela grande com água em fogo alto.
2. Enquanto isso, derreta a manteiga e o azeite em uma frigideira grande em fogo médio. Junte a amêndoa e salteie por 3 a 4 minutos, mexendo, até começar a desprender um perfume tostado. (Preste atenção: elas podem queimar rápido!) Retire a frigideira do fogo e reserve.
3. Quando a água ferver, junte a vagem e reduza o fogo para médio. Cozinhe por 5 minutos, ou até ficar macia. (Não cozinhe demais, para não ficar muito mole!) Escorra e descarte a água.
4. Coloque a vagem na frigideira com a amêndoa e aumente o fogo para médio a alto. Cozinhe, sem parar de mexer, por cerca de 1 minuto. Acrescente as raspas de limão e tempere a gosto com sal e pimenta-do-reino. Cozinhe por mais 1 ou 2 minutos, para que os sabores se misturem. (Opcional: rale um pouco mais de raspas de limão por cima, para ganhar cor e textura.) Sirva imediatamente.

Dei a Tobias [3 anos] um gomo de limão para espremer na vagem e ele achou tudo mais divertido. Sobre as amêndoas, ele disse "Oooh, crocante!", e a receita foi um sucesso.

Martha

Salada niçoise

Equipamento especial: nenhum
Preparo: 20 minutos
Cozimento: 12 minutos
Rendimento: 2 adultos e 2 crianças

Comecei a fazer este prato porque minha filha mais nova (que gosta de tudo, de azeitonas ao forte queijo roquefort) passou por uma fase chata em que não queria comer ovos. A irmã mais velha gostava deles mexidos, cozidos ou pochê – de qualquer maneira –, mas Claire estava com um bloqueio mental contra o produto. Então preparamos juntas esta salada, para que ela escolhesse o que queria comer. Com o tempo, aos poucos, ela começou a provar pedacinhos de ovo. E finalmente passou a devorá-los!

Tradicionalmente, esta clássica salada francesa não contém legumes cozidos – apenas hortaliças cruas, ovos cozidos, anchovas, azeite e, claro, azeitonas niçoise! Alface, arroz e batata, em uma variação que Julia Child, apresentadora de programas de culinária nos Estados Unidos, popularizou, não aparecem no original. Experimente desta maneira ou acrescente seus ingredientes preferidos – existem tantas receitas de salada niçoise quanto chefs!

2 ovos grandes
200 g de vagem sem as pontas e cortada ao meio
½ pé de alface (de preferência romana), rasgado em pedaços pequenos
2 tomates grandes e maduros, em quartos
70 g de azeitona preta niçoise, sem caroço
8 filés de anchova, escorridos (se conservados em azeite), ou 1 lata de atum, escorrido

Molho:
½ xícara de azeite de oliva extra virgem
¼ de xícara de vinagre de vinho tinto
15 g de ervas frescas picadas (de preferência salsinha e manjericão, mas também é possível usar coentro)
sal marinho e pimenta-do-reino moída, a gosto
½ dente de alho picado (opcional)

1. Coloque os ovos em uma panela pequena e cubra com 2,5 a 5 cm de água fria. Tampe e leve ao fogo alto. Assim que ferver, desligue o fogo e espere 12 minutos – ajuste o timer! (Cozinhar os ovos dessa maneira impede as cascas de quebrarem, mantém as claras macias e evita aquele halo esverdeado em torno das gemas.) Lave os ovos sob água corrente fria, descasque e reserve.
2. Enquanto isso, ferva uma panela média com água em fogo alto. Junte a vagem, diminua o fogo para médio a alto e cozinhe por 7 a 8 minutos, ou até ficar macia. Escorra e reserve.
3. Corte os ovos em quartos ou pedaços pequenos.
4. Coloque a alface no fundo de uma saladeira grande, de preferência rasa. Distribua por cima os tomates, o ovo e a vagem cozidos, a azeitona e a anchova.
5. Em uma tigela pequena, bata o azeite, o vinagre, as ervas, sal, pimenta-do-reino e alho, se usar. Despeje sobre a salada e sirva imediatamente.

Dica para a Educação do Paladar:
Esta é uma receita em que a estratégia "combine o que quiser" às vezes funciona. Distribua a alface em pratos individuais com os legumes que seu filho gosta. Coloque os outros ingredientes em tigelas. Estimule a criança a acrescentar ingredientes extras à sua própria salada – e não se esqueça de dar o exemplo, servindo-se de cada tigela e saboreando a receita!

Sabores divertidos! Receitas com frutas

ABACATE

A VITAMINA SENSACIONAL DE ABACATE

B GUACAMOLE DE PRINCIPIANTE

C PICOLÉS INCRÍVEIS DE ABACATE

D SALADA COM SALSA DE ABACATE

Vitamina sensacional de abacate

A

Equipamento especial: liquidificador ou processador
Preparo: 5 minutos
Cozimento: nenhum
Rendimento: 2 adultos e 2 crianças

Saborosos, satisfatórios e supernutritivos, os abacates são opções rápidas e fáceis para os pais. Apesar de na maioria das vezes pensarmos no abacate como ingrediente para receitas salgadas (como guacamole), ele também combina com receitas adoçadas (sorvete de abacate!) Sua versatilidade garante uma ótima base para introduzir diferentes texturas e sabores às crianças.

Fácil de fazer, esta vitamina tornou-se um dos preferidos do café da manhã durante a semana em minha casa. Minhas filhas adoram descascar as bananas e se alternam para escolher que frutas acrescentar. Essa é uma estratégia útil para usar com crianças mais desconfiadas, pois elas se sentem animadas a experimentar algo que ajudaram a criar. Prepare a vitamina mais espessa (e coma de colher!) ou rala (sirva com canudinho), como preferir, variando a quantidade de líquido.

1 xícara de suco de frutas
1 abacate pequeno descascado sem caroço (veja Nota)
1 banana madura
suco de ½ limão (cerca de 1 colher de sopa)
1 pêssego fresco descascado e em cubos (opcional)

1. No liquidificador ou no processador, bata o suco, ½ xícara de água, abacate, banana, suco de limão e pêssego (se usar) até ficar homogêneo.

Nota:
Quando muito maduro, o abacate pode deixar um sabor amargo – portanto, não uso as frutas excessivamente maduras. Caso isso aconteça, talvez seja bom acrescentar 1 colher (chá) de mel ou mais ½ banana. Não deixe de incluir o suco de limão, pois o abacate se beneficia de algo ácido.

Dica para a Educação do Paladar:
Modifique esta receita. Tente 1½ xícara de suco de laranja (não use o suco de limão) mais ½ xícara de iogurte natural. Para as crianças, parte da diversão é ver como diferentes ingredientes dão origem a texturas e sabores distintos – deixe que elas experimentem também! Até hoje, minhas filhas só fizeram uma ou duas vitaminas intragáveis, mas suas tentativas foram sempre interessantes. Saiba, porém, que frutas vermelhas não dão muito certo nesta bebida. Não, pelo menos, de acordo com minhas filhas e com as famílias que testaram as receitas!

É fácil descascar abacates. Com uma faca afiada, corte a fruta no sentido do comprimento até o caroço, em toda a extensão. Agora você tem duas metades, ainda presas. Segure cada metade e gire em direções opostas ("Como um biscoito recheado", disse uma de minhas filhas). Elas devem se separar facilmente, mas o caroço ficará em uma das metades. Bata cuidadosamente com a lâmina da faca (para que ela "morda" o caroço) e levante. Corte a polpa em fatias (ou cubos) e retire da casca com uma colher. (Há bons vídeos na internet que demonstram essa técnica.)

Guacamole de principiante

B

Equipamento especial: processador (opcional)
Preparo: 5 minutos
Cozimento: nenhum
Rendimento: ½ xícara

Guacamole é um ótimo alimento para crianças – cheio de hortaliças saudáveis – e provavelmente uma das receitas mais fáceis deste livro. Comece servindo abacate puro para os bebês (a maneira mais fácil é retirar a polpa com uma colher). Com o tempo, vá acrescentando os ingredientes sugeridos, um a um, até que a criança esteja comendo algo próximo à versão do guacamole para adultos. Veja os estágios listados abaixo com sugestões para crianças de idades diferentes.

Geralmente preparamos este prato em dobro para um pequeno acompanhamento nas refeições da família.

1 abacate pequeno maduro
1 colher (sopa) de creme azedo (sour cream) ou iogurte
¼ de colher (chá) de suco de limão ou laranja
50 g de tomate bem picado
1 colher (sopa) de coentro fresco bem picado
¼ de colher (chá) de cominho em pó
1 colher (sopa) de cebola branca ou roxa bem picada

Estágio 1: Sirva o abacate puro ou, para bebês de 1 ano ou mais: coloque metade da fruta em um prato e encha a "tigela" com um pouco de molho que eles gostem. Uso o Vinagrete clássico (página 336); a suave acidez equilibra perfeitamente o sabor untuoso e cremoso do abacate.

Estágio 2: Descasque e retire o caroço do abacate (veja página anterior). Passe a fruta pelo processador com um pouco de creme azedo e suco de laranja.

Estágio 3: Siga o estágio 2, acima, e acrescente o tomate. Quando seu filho se acostumar com esta versão, junte o coentro. Mais tarde, o cominho. Finalize com a cebola picadinha. *Voilà:* guacamole!

Dica para a Educação do Paladar:
Para alimentar crianças em diferentes estágios, coloque os ingredientes em tigelinhas separadas e deixe que preparem seus próprios guacamoles. Os destemidos usarão mais alimentos e quem ainda estiver aprendendo a gostar da receita se sente encorajado, mas não pressionado, ao observar os outros experimentando e saboreando os variados elementos.

> *Adorei a ideia de usar o abacate como tigela, então apenas piquei os tomates e o coentro e servi com um vinagrete. No começo, meu filho de 3 anos disse que era "nojento", mas depois experimentou – o principal desafio foi ensiná-lo a colocar a salsa e o abacate na colher e comer ao mesmo tempo. Então ele aprovou: "Delicioso"!*
>
> *Martha*

Picolés incríveis de abacate

C

Equipamento especial: processador; forminhas de picolé
Preparo: 5 minutos, mais pelo menos 2 horas no congelador
Cozimento: nenhum
Rendimento: pelo menos 6 picolés grandes

Picolés são ótimos para apresentar novos sabores a seus filhos. Nós os preparamos ao longo de todo o verão (e os caseiros são muito mais baratos que os industrializados!) Esta receita foi adaptada do livro *Paletas*, de Fany Gerson, que traz picolés tropicais e raspadinhas inspirados nos sabores do México, desde tamarindo e flores de hibisco até morangos. Se você gostar desta versão, o livro dela é uma ótima dica.

1 abacate grande e maduro, descascado e sem caroço, cortado ao meio
⅓ de xícara de suco de uva ou de maçã
⅓ de xícara de leite de coco
2 colheres (sopa) de suco fresco de limão
uma pitada de sal marinho
40 g de frutas vermelhas (opcional)

1. Coloque todos os ingredientes no liquidificador com ⅓ de xícara de água. Bata até ficar homogêneo. Transfira para as forminhas de picolé e leve ao congelador.

Salada com salsa de abacate

D

Equipamento especial: nenhum
Preparo: 10 minutos
Cozimento: nenhum
Rendimento: 2 adultos e 2 crianças (com muitas sobras)

Esta combinação um pouco inusitada de texturas é saborosa e muito saudável: pesquisas mostram que acrescentar abacate a saladas e salsas ajuda a aumentar a absorção de nutrientes. Isso porque algumas substâncias são solúveis em gordura, e o abacate tem uma proporção relativamente alta de gordura saudável (na verdade, é uma das únicas frutas com essa característica).

Com cores e texturas contrastantes, esta é uma ótima receita para o verão. Em dias quentes, às vezes comemos a salada com pão como o prato principal do almoço.

2 abacates maduros, mas firmes, cortados em cubos de 2,5 cm
2 colheres (sopa) de suco fresco de limão
1 colher (sopa) de coentro fresco picado (opcional)
¼ de colher (chá) de sal marinho
1 pé pequeno de alface romana ou crespa rasgadas em pedaços pequenos
½ pimentão vermelho ou verde sem sementes em cubos
½ cebola roxa pequena, bem picada
4 tomates maduros picados ou 12 tomates-cerejas cortados ao meio
30 g de semente de girassol (opcional)
1 colher (sopa) de azeite de oliva extra virgem

1. Em uma tigela pequena, misture o abacate com 1 colher (sopa) de suco de limão e coentro, se usar. Tempere com sal e reserve.
2. Em uma vasilha grande, coloque a alface, o pimentão, a cebola, o tomate e semente de girassol, se desejar. Junte o suco de limão restante e o azeite de oliva. Mexa para misturar. Antes de servir, distribua o abacate por cima da salada e mexa ligeiramente (para que o abacate não se despedace).

Dica para a Educação do Paladar:
Para as crianças que estejam com receio de experimentar esta salada, coloque pequenos pedaços de alface nos pratos. Algumas começam a comer as partes "crocantes" (o miolo das folhas), que parecem ser mais fáceis de mastigar que os bocados moles.

FRUTAS CÍTRICAS

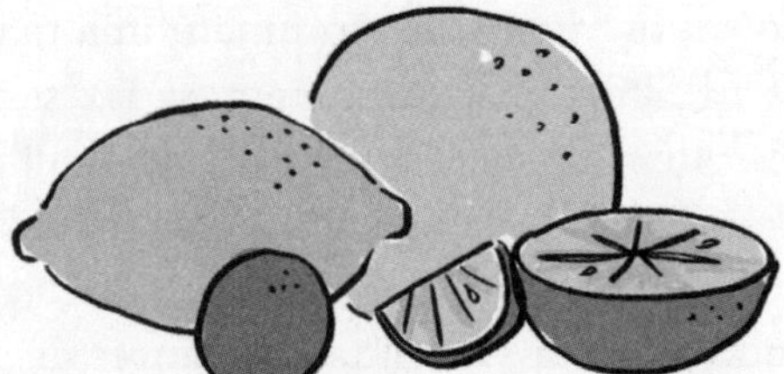

B VITAMINA CÍTRICA

C BOLO DE LARANJA E AZEITE

D SALADA ENERGÉTICA DE LARANJA

Vitamina cítrica

B

Equipamento especial: liquidificador
Preparo: 4 minutos
Cozimento: nenhum
Rendimento: 2 adultos e 2 crianças (pequenas porções de "degustação")

Assim como as sopas, as vitaminas são uma ótima maneira de introduzir novos sabores a seus filhos. A textura cremosa faz sucesso entre crianças de todas as idades. Além disso, são versáteis: as famílias que testaram as receitas deste livro serviram a bebida no café da manhã, no lanche e como sobremesa!

Não recomendo servir a vitamina a menores de 12 meses de idade; depois disso, apenas em pequenas quantidades – mas faça testes com os alimentos, individualmente, para ver se seu filho não tem reações alérgicas. Caso haja alguma reação, melhor esperar. Minha filha mais velha ficava com erupções ao redor da boca quando comia tomate; com a mais nova, isso acontecia com kiwis. Com o tempo, as alergias desapareceram. Não tenha pressa! Esta receita é flexível e, portanto, você pode substituir os ingredientes. A garotada adora fazer experiências na cozinha e criar versões próprias de vitaminas (essa é uma excelente chance de educar o paladar!)

Se você não gosta de vitaminas, aliás, esta aqui pode fazer com que mude de ideia. As famílias que testaram minhas receitas disseram que mesmo quem não apreciava os sabores tradicionais (como frutas vermelhas) foi surpreendido pelo gosto dos cítricos!

1 xícara de suco de laranja
suco de ½ limão-siciliano (cerca de 1 colher de sopa)
1 banana grande ou 2 pequenas maduras
½ xícara de iogurte natural
uma das seguintes frutas: ½ toranja descascada, 1 kiwi descascado, 200 g de abacaxi em cubos
2 cubos de gelo
2 colheres (sopa) de mel
1 abacate maduro descascado e sem caroço (opcional)

1. Coloque os sucos de laranja e limão, a banana, o iogurte (se seus filhos ainda não amam as frutas cítricas, use iogurte com sabor), sua escolha de fruta, gelo, mel e abacate (se usar; também é um bom acréscimo para quem não morre de amores por laranja e limão). Bata até ficar cremoso e homogêneo.

Dica para a Educação do Paladar:
As vitaminas concentram os sabores e deixam os ingredientes mais intensos. Crianças menores ou quem ainda está se acostumando com isso provavelmente precisa do iogurte e também do abacate, que reduz o nível de acidez e equilibra o azedo dos cítricos, fazendo com que a bebida fique interessante e mais suave.

Sirvo esta vitamina em xícaras infantis ou copos de suco altos e finos. Esta é uma receita "degustação", então as porções não são grandes.

Bolo de laranja e azeite

C

Equipamento especial: fôrma de 20 ou 23 cm; batedeira elétrica
Preparo: 10 minutos
Cozimento: 30 minutos
Rendimento: 8 fatias

Não é uma ideia nova, mas mesmo assim vale a pena experimentar! Este bolo é um dos meus preferidos. Intenso, mas doce, fica ainda melhor no dia seguinte.

2 ovos grandes
150 g de açúcar cristal
½ xícara de azeite de oliva
1 colher (sopa) de raspas de laranja
suco de 1 laranja (cerca de ½ xícara)
30 g de sementes de girassol (opcional)
215 g de farinha de trigo, mais um pouco para polvilhar
1 colher (sopa) de fermento em pó
¼ de colher (chá) de sal marinho
açúcar de confeiteiro para polvilhar

1. Preaqueça o forno a 180 °C. Unte a fôrma e polvilhe farinha de trigo.
2. Em uma tigela grande, bata os ovos e o açúcar com a batedeira, por 3 a 4 minutos, até ficar pálido e cremoso. Sem parar de bater, vá despejando o azeite, em fio, até ficar leve e cremoso. Junte as raspas, suco de laranja e sementes de girassol (se usar), misturando muito bem.
3. Em uma tigela média, misture a farinha, o fermento e o sal. Com a batedeira em velocidade baixa, junte metade dos ingredientes secos à massa. Quando estiverem incorporados, acrescente o restante e bata apenas para misturar (não bata demais!)
4. Transfira a massa para a fôrma e asse por 30 minutos, ou até que a superfície do bolo esteja elástica quando tocada. Retire do forno, espere esfriar um pouco e coloque em uma grade para esfriar por completo. Para servir, polvilhe açúcar de confeiteiro e corte em fatias. O bolo pode ser mantido por uma semana na geladeira ou por alguns dias em temperatura ambiente, em um recipiente hermético.

Dica para a Educação do Paladar:
Para crianças desconfiadas diante de frutas cítricas, prepare a receita primeiro apenas com o suco de laranja; aos poucos, acrescente as raspas – o bolo terá um sabor intenso, mas não azedo. É uma boa maneira de introduzir sabores amargos.

Foi superfácil de fazer! Minha filha de 6 anos adorou. Primeiro, ela disse "Delicioooso", e depois completou: "Amanteigado e salgadinho e doce, e adorei a casquinha".

Analis

Salada energética de laranja

D

Equipamento especial: nenhum
Preparo: 5 minutos
Cozimento: 10 minutos
Rendimento: 2 adultos e 2 crianças

Esta receita está no livro *Crianças francesas comem de tudo*, mas não resisti a incluí-la também aqui. É uma salada de frutas para sobremesa, ótima maneira de apresentar novos sabores a seus filhos. A doçura da laranja equilibra o amargo das raspas. As crianças se sentem encorajadas diante de um alimento familiar (os pedaços de laranja) e, espero, estarão mais abertas a experimentar algo novo (as raspinhas finas caramelizadas).

Deixe que a garotada observe enquanto você prepara a salada e permita que experimentem um pouco caso estejam curiosas. Na hora de servir, lembre que a alimentação às vezes significa descobrir novos sabores, e não consumir grandes quantidades.

Sirva a salada em um momento tranquilo, quando puder conversar sobre os ingredientes com as crianças. Fazer perguntas sempre ajuda (e contribui para distraí-las): qual é o sabor das raspinhas de laranja? Têm mesmo o gosto das frutas? Que sabor você sente quando morde um pouquinho ou coloca um pedacinho em sua língua? Como você descreveria o aroma? Se seu filho não quiser comer nada, tudo bem – mas incentive-o a experimentar.

Depois desta salada, nossas filhas passaram a comer toranja, hoje um quitute de café da manhã. Claire, a mais nova, faz biquinho para dizer "*Maman, c'est amer!* (É amargo!)", mas continua a comer contente.

Por causa da doçura, os franceses servem a salada como sobremesa, apesar do nome.

4 laranjas sem sementes
4 colheres (sopa) de açúcar cristal

1. Lave e seque uma laranja. Raspe a casca com um ralador apropriado (se não tiver o utensílio, use uma faca afiada para retirar a camada externa da casca, sem incluir a parte branca. Corte em tiras bem finas – você ganha pontos se conseguir tirinhas enroladas cortando ao redor da laranja!)
2. Prepare a calda: em uma panela em fogo baixo, misture ½ xícara de água e o açúcar. Cozinhe por 5 minutos, mexendo sempre, até dissolver. Junte a casca de laranja e cozinhe por 10 minutos, até ficar macio (não tem problema se a calda começar a dourar).
3. Enquanto isso, descasque as laranjas restantes e descarte a casca e a parte branca. Corte em fatias finas e divida entre quatro pratinhos. Despeje a calda e as raspas por cima. Sirva imediatamente!

FRUTAS VERMELHAS

A GRANITA CHOCANTE

B SUPERSALADA DE AMORA

C PARFAIT PERFEITO DE MIRTILO

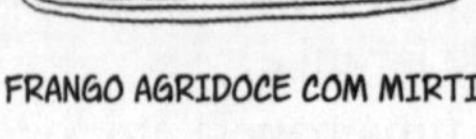

D FRANGO AGRIDOCE COM MIRTILO

Granita chocante

A

Equipamento especial: processador
Preparo: 10 minutos, mais 1 hora no congelador
Cozimento: 5 minutos
Rendimento: 6 adultos ou crianças

Framboesas são ótimas para apresentar sabores intensos aos bebês. Sua doçura é naturalmente equilibrada por um toque de acidez – um traço que deixa esta receita bem agradável. Outro ingrediente é o tomate, tecnicamente uma fruta, que compensa o adocicado da framboesa (por ser muito mais barato, ele torna razoável o preço dessa receita com frutas vermelhas; certifique-se apenas de que esteja maduro).

Sirva a granita fria, o que será uma experiência nova para muitos bebês. É perfeita para um dia quente de verão. Pense nela como um sorvete saudável para os pequeninos!

115 g de framboesa
225 g de tomate maduro, picado
¼ de xícara de suco de pêssego ou maçã
2 colheres (sopa) de hortelã fresca, picada
6 a 8 folhas de hortelã fresca, para decorar

1. Bata ligeiramente a framboesa, o tomate, o suco e a hortelã picada no processador (veja Nota).
2. Transfira para uma panela pequena em fogo médio e cozinhe por 5 minutos, sem parar de mexer. Divida em 6 tigelinhas e espere esfriar (também é possível congelar em uma única vasilha, mas demora mais tempo). Assim que estiver frio, leve ao congelador por 45 minutos a 1 hora, mexendo algumas vezes, até congelar. Raspe a granita com um garfo ou colher. Decore com as folhas de hortelã e sirva. Se tiver mais framboesas, use para enfeitar.

Nota:
Para bebês menores, prepare a granita mais homogênea; os maiores gostam de pedacinhos. Não me preocupo com isso, mas você pode achar melhor passar a granita por uma peneira para retirar as sementes do tomate antes de servir aos menorzinhos.

> *Comi um pouco e pensei "Isso é diferente. Acho que não gosto". Mas então comi mais um pouco e não conseguia mais parar. Terminei tudo!*
>
> *Sarah, 8 anos*

Supersalada de amora

B

Equipamento especial: nenhum
Preparo: 10 minutos, mais 1 hora na geladeira
Cozimento: nenhum
Rendimento: 2 adultos e 2 crianças

Esta é uma salada divertida que pode ser servida como entrada ou sobremesa. O gengibre confere um pouco de ardor, equilibrado pelas frutas – boa maneira de apresentar seus filhos a sabores mais penetrantes. O tomilho faz interessante contraste com a doçura das frutas e o sabor picante do gengibre. É uma combinação inusitada para a maior parte das crianças, portanto não se surpreenda se elas disseram que não gostam. Geralmente isso significa "ainda não me acostumei". Para os mais relutantes, a calda de mel ajuda. Não desista na primeira tentativa!

Calda de mel:
1 colher (sopa) de mel ou xarope de bordo (maple syrup)

Salada:
4 pêssegos ou nectarinas maduros, picados
70 g de amora ou mirtilo
1 colher (chá) de tomilho fresco, picado
1 colher (chá) de raspas de limão-siciliano

2 colheres (sopa) de suco fresco de limão-siciliano
½ colher (chá) de gengibre fresco ralado (opcional)

1. Para a calda (opcional): em uma panela pequena em fogo médio a alto, misture o mel e ½ xícara de água; espere ferver. Reduza o fogo para médio a baixo e cozinhe até reduzir pela metade, por cerca de 10 minutos. Retire do fogo e reserve até esfriar.
2. Em uma tigela grande, misture o pêssego e a amora. Junte a calda de mel (se usar), o tomilho, o suco e as raspas de limão e o gengibre (se usar). Mexa gentilmente. Deixe na geladeira por 1 hora antes de servir.

Dica para a Educação do Paladar:
Se seus filhos nunca experimentaram gengibre, sirva primeiro uma pequena porção da salada de frutas sem o ingrediente. Se gostarem, então acrescente o gengibre. Pergunte a eles: é picante, mas doce? Que sensação eles têm ao provar o alimento?

Gengibre divertido
Este é um bom exercício para fazer com seus filhos! Compre um pedaço de gengibre fresco. Eles ficarão intrigados ao perceber como o ingrediente tem um perfume suave por fora, mas é picante quando descascado e fatiado. Para crianças mais relutantes, experimente dar primeiro biscoitos ou bolo de gengibre, ou mesmo gengibre cristalizado, e depois convide a provar o produto fresco para ver se conseguem detectar um paladar semelhante. Pesquisas mostram que as crianças são mais aptas a aceitar novos sabores quando são apresentadas primeiro aos produtos originais. A brincadeira tem o propósito de familiarizá-las com o sabor, e não de comer o gengibre, portanto não proponha esta atividade em nenhum lugar ou horário relacionados às refeições.

Parfait perfeito de mirtilo

C

Equipamento especial: 4 a 6 copinhos para suco
Preparo: 5 minutos
Cozimento: nenhum
Rendimento: 2 adultos e 2 crianças

Esta sobremesa em camadas foi adaptada de uma tática francesa para fazer aperitivos ou doces rápidos, fáceis e bonitos: verrines. *Verre* significa "vidro" em francês – *verrine* é um "vidro pequeno", transparente, que mostra as camadas da receita. Os franceses são muito criativos: o abacate, por exemplo, pode ser combinado a musse de camarão ou caranguejo e coberto com pedacinhos de frutas cristalizadas. As camadas são muito mais finas que nos parfaits americanos e, em minha opinião, também muito mais elegantes.

Nesta verrine fácil, a união de mirtilos e nozes pode parecer estranha, mas essa é a intenção: os mirtilos doces e suculentos são um complemento agradável ao sabor amendoado e seco das nozes. Iogurte integral – como o grego – funciona melhor para montar as camadas.

As crianças adoram ajudar a montar esta sobremesa. É rápida e fácil de preparar e tem um aspecto festivo e divertido. Perfeita!

280 g de mirtilo fresco ou congelado
2 xícaras de iogurte grego integral, de baunilha ou framboesa
90 g de nozes, picadas
4 colheres (chá) de granola (opcional)

1. Se usar mirtilo congelado, coloque no micro-ondas em potência alta por cerca de 60 segundos, até que comece a desprender os sucos. Se usar a fruta fresca, coloque em uma panela pequena com um pouco de água e cozinhe em fogo médio a alto por 2 a 3 minutos, até ficar macia; espere esfriar antes de usar.
2. Distribua uma camada (cerca de 2 colheres de sopa) de iogurte em cada copinho. Cubra com uma fina camada de mirtilo. Continue revezando até quase completar o copo. Termine com uma camada de nozes e granola, se usar (ótimo para o café da manhã!), e decore com alguns mirtilos.

Preparamos a receita no café da manhã! Durante a semana, nossa primeira refeição do dia é quase sempre um ovo cozido ou frito, uma torrada com mel ou manteiga de maçã e um parfait de iogurte. É muito rápido! As garotas não se cansam de dizer como é bonito.

Lori

Frango agridoce com mirtilo

D

Equipamento especial: assadeira
Preparo: 10 minutos
Cozimento: 30 minutos
Rendimento: 2 adultos e 2 crianças

O frango, muitas vezes, está entre os alimentos preferidos das famílias, mas é fácil cair na rotina com o ingrediente (alguém pensou em nuggets?) Esta é uma maneira divertida de aumentar o repertório infantil: o molho é adocicado o suficiente para agradar ao paladar e contrasta com o frango de maneira delicada. Bônus: a carne fica úmida e isso faz com que algumas crianças com resistência ao ingrediente realmente apreciem o prato.

2 colheres (sopa) de manteiga
2 colheres (sopa) de azeite de oliva
4 peitos de frango sem pele e osso ou 675 g de coxas sem pele
Sal marinho e pimenta-do-reino moída, a gosto

Molho agridoce de mirtilo:
30 g de cebola em fatias
140 g de mirtilo fresco ou congelado, mais um pouco para enfeitar
⅓ de xícara de vinagre balsâmico
¼ de xícara de xarope de bordo (maple syrup) ou Calda de mel (página 286)
1 colher (sopa) de alecrim fresco picado ou 1½ colher (chá) de alecrim seco
1 galho de alecrim fresco, para enfeitar
1 colher (chá) de suco fresco de limão (opcional)

½ colher (chá) de sal marinho
¼ de colher (chá) de pimenta-do-reino moída

1. Preaqueça o forno a 190 °C.
2. Em uma frigideira grande em fogo médio a alto, derreta 1 colher (sopa) de manteiga com 1 colher (sopa) de azeite. Tempere o frango com sal e pimenta-do-reino a gosto. Quando a gordura estiver quente (fervendo!), junte o frango e frite por 1 minuto, ou até dourar levemente; vire e frite do outro lado. Transfira para uma assadeira e reserve.
3. Na mesma frigideira em fogo médio a alto, derreta a manteiga e o azeite restantes. Junte a cebola e refogue até ficar macia e transparente, por 4 a 5 minutos. Acrescente o mirtilo, aumente o fogo para alto e cozinhe por 2 minutos. Diminua o fogo para médio e junte o vinagre balsâmico, o xarope de bordo e o alecrim; tempere com sal e pimenta-do-reino. Cozinhe por 10 minutos, até o mirtilo começar a desmanchar. (Para um molho mais intenso, acrescente o suco de limão.)
4. Distribua o molho sobre o frango e asse por 15 a 20 minutos, até a carne estar completamente cozida. Se desejar, enfeite com um galho de alecrim e mais mirtilos.

Essa foi a primeira vez em que minha filha de 8 anos comeu frango sem ser nuggets. Como sempre, ela gostou da doçura do prato. Eu e minha mulher adoramos a combinação de xarope de bordo, mirtilo e vinagre balsâmico.

Jon

MAÇÃ

A PURÊ TEMPERADO

B MAÇÃ ASSADA PARA BEBÊS

C SALADA DA SARAH

D SOPA DE MAÇÃ COM CURRY

Purê temperado

A

Equipamento especial: liquidificador ou processador
Preparo: 5 minutos
Cozimento: 5 minutos
Rendimento: 1½ a 2 xícaras

Muitos bebês adoram maçãs de qualquer jeito – portanto, as frutas são uma ótima maneira de introduzir outros sabores na alimentação infantil. Neste purê, um pequeno toque de gengibre se une a um pouquinho de canela. Se quiser, comece apenas com a canela ou apenas com o gengibre. Seu filho se acostumará com a variedade de paladares e terá mais facilidade para gostar de curries quando for mais velho!

Esta receita congela bem.

4 maçãs descascadas, sem caroço e cortadas em quartos (veja Nota)
¼ de colher (chá) de canela em pó
uma pitada de gengibre desidratado
½ colher (chá) de suco fresco de limão (opcional)
iogurte, para servir (opcional)

1. Ferva 1 xícara de água em uma panela média em fogo médio a baixo. Junte a maçã, tampe e cozinhe até ficar macia, por 4 a 5 minutos. Escorra e reserve o líquido. Transfira a maçã para o liquidificador ou processador, junte a canela e o gengibre e bata até ficar homogêneo. Se quiser um purê mais mole, junte o líquido do cozimento, aos poucos, até obter a consistência desejada. Para um sabor mais intenso, acrescente o suco de limão. Espere esfriar antes de servir, pois vai estar bem quente! Para um agradável contraste de texturas, sirva com um pouco de iogurte.

Nota:
Prefiro usar maçãs mais doces, como Fuji ou Gala. As variedades ácidas não funcionam muito bem.

Maçã assada para bebês

B

Equipamento especial: assadeira
Preparo: 10 minutos
Cozimento: 30 minutos
Rendimento: 1 maçã por pessoa

Esta é a receita preferida de uma leitora de *Crianças francesas comem de tudo* – é também uma de nossas sobremesas favoritas no inverno, e ainda ajuda a ganhar tempo. Coloco as maçãs no forno antes de começar a preparar o jantar e, quando a refeição está pronta, o perfume das frutas invade a casa e atrai as crianças para a mesa (bem, pelo menos teoricamente!)

Prepare a receita na época em que os bebês começam a experimentar alimentos mais resistentes. Assadas pelo tempo indicado, as maçãs ganham uma textura cremosa, como um purê. Quando você reduz o tempo no forno, a consistência fica mais sólida.

1 maçã por pessoa, lavada e sem miolo, com a casca furada por um garfo
1 colher (chá) de xarope de bordo (maple syrup) por maçã, mais um pouco para regar (veja Nota)
canela em pó (opcional)

1. Preaqueça o forno a 190 °C.
2. Distribua as maçãs em uma assadeira e junte ½ xícara de água. Regue o orifício das frutas com o xarope de bordo (pode ser que um pouco escorra pelo fundo). Se quiser, polvilhe canela.
3. Asse por 25 a 30 minutos, ou até obter a consistência desejada. Antes de servir, pincele as maçãs com a calda que se formou na assadeira. Sirva em pratos individuais, com xarope de bordo em volta das maçãs, ou polvilhado com um pouco de açúcar e canela.

Dica de segurança:
Retire as maçãs do forno pelo menos 5 minutos antes de servir. Elas estarão quentíssimas por dentro e podem queimar as boquinhas infantis. Não confie na temperatura da casca para ver se já esfriaram o suficiente, pois a

polpa vai estar muito mais quente. Nós cortamos as maçãs para as crianças e deixamos os pedaços esfriarem nos pratos antes de levar à mesa.

Nota:
Para fazer as maçãs à moda francesa, substitua o xarope de bordo por 1 colher (sopa) de açúcar e 1 colher (sopa) de manteiga derretida. Espalhe no orifício das maçãs depois de 15 minutos no forno.

> *Preparei as maçãs assadas ontem à noite para as crianças e o restante da família. Fizeram sucesso com todos! As frutas estavam deliciosas sozinhas – mas ainda acrescentamos uma bola de sorvete de creme! Acho que vou adotar a receita durante o inverno inteiro.*
>
> *Meg*

Salada da Sarah

C

Equipamento especial: processador
Preparo: 15 minutos
Cozimento: nenhum
Rendimento: 2 adultos e 2 a 4 crianças (como acompanhamento)

Criei esta receita para Sarah, uma das garotas que tinham mais resistência a testar as receitas deste livro comigo. É uma ótima maneira de apresentar às crianças a salada cole slaw, com maçãs, cenouras e apenas um pouco de repolho (no começo). O molho de azeite e vinagre é uma alternativa leve à versão cremosa muitas vezes servida com essa clássica salada norte-americana. Esta salada também introduz sutilmente uma especiaria nova (cominho) que é um dos ingredientes-chaves do curry – e prepara o paladar infantil para a próxima receita deste capítulo, uma sopa com curry.

2 maçãs descascadas e sem miolo, cortadas em pedaços pequenos (também pode ser maçã verde)
1 colher (sopa) de suco fresco de limão
75 g de uva-passa hidratada em 1 xícara de água morna (opcional)

¼ de repolho roxo finamente ralado
2 cenouras descascadas e finamente raladas

Molho:
3 colheres (sopa) de azeite de oliva extra virgem
1 colher (sopa) de vinagre balsâmico ou de maçã
½ colher (chá) de sal marinho
¼ de colher (chá) de cominho em pó (opcional)
1/8 colher (chá) de canela em pó (opcional)

Para servir:
1 cebola pequena, bem picada
1 colher (sopa) de semente de girassol tostada (opcional)
1 colher (sopa) de hortelã ou salsinha frescas, picadas, ou 1 colher (chá) de hortelã ou salsinha secas

1. Em uma tigela, misture a maçã e o suco de limão, para evitar que escureça.
2. Se usar uva-passa, escorra em uma peneira e descarte o líquido. Coloque em uma vasilha grande. Junte o repolho, cenoura e maçã; misture.
3. Prepare o molho: em uma tigela pequena, bata o azeite, vinagre, sal, cominho e canela, se usar. (A quantidade de molho é propositalmente pequena, para que a salada não fique encharcada. Se gostar do molho, é possível dobrar as quantidades.)
4. Tempere a salada com o molho e mexa para misturar bem. Polvilhe com os ingredientes de sua escolha. Sirva em temperatura ambiente ou levemente resfriada.

Dica para a Educação do Paladar:
Para crianças que ainda estão aprendendo a comer alguns desses alimentos, tente fazer o seguinte: diga que essa é uma "salada em bufê" e coloque pequenas tigelas de cada ingrediente sobre a mesa. Elas podem servir-se de cada um e "preparar" a própria salada. Estabeleça regras: a) cada um deve pegar um pouco de cada vasilha; e b) precisam experimentar tudo o que pegarem. Dessa maneira, você deixa as crianças controlarem as frutas ou verduras para as quais ainda olhem desconfiadas, mas ainda as encoraja a provar alimentos novos.

Comece com a pequena quantidade de repolho indicada. Assim que as crianças (espero!) se acostumarem, aumente aos poucos até usar a mesma quantidade de cenoura.

Meu filho de 3 anos costuma ser enjoado, mas comeu toda a sua porção e não reclamou! Ele não pareceu se importar com o sabor do repolho. Foi tudo fácil e rápido de montar – levou dez minutos do começo ao fim. Já faz parte de nosso repertório!

Jessica

Sopa de maçã com curry

D

Equipamento especial: processador ou liquidificador
Preparo: 10 minutos
Cozimento: 20 minutos
Rendimento: 2 adultos e 2 crianças

Antes de ter filhos, a sopa de maçã e abóbora com curry era um de meus pratos preferidos. Portanto, quando comecei a introduzir especiarias no cardápio de minhas garotas, esta pareceu uma receita natural. Simplifiquei um pouco, pensando nos pais ocupados, mas a essência é a mesma: maçãs doces que equilibram o gosto salgado e ganham um toque de curry suave. Depois de tentativas e erros, descobri que funciona melhor com frutas suculentas e ácidas (como a maçã verde). Os sabores se intensificam caso você prepare a sopa com algumas horas de antecedência (ou mesmo no dia anterior).

Esta é uma ótima receita para levar no almoço: coloque em uma embalagem térmica e pronto! Também preparo a mais e congelo em quantidades suficientes para uma refeição familiar. Então simplesmente retiro do congelador pela manhã e, na hora do jantar, a sopa está pronta para ser reaquecida e saboreada!

1 colher (sopa) de manteiga
1 colher (sopa) de azeite de oliva
3 colheres (sopa) de cebola picada ou alho-poró (parte branca) picado

100 g de aipo (salsão) picado
1 batata-doce grande descascada e picada
200 g de maçã descascada e sem miolo picada
1 a 2 colheres (chá) de curry em pó a gosto
½ colher (chá) de gengibre em pó ou 1 colher (chá) de gengibre fresco ralado
4 xícaras de Caldo de legumes (página 335) ou caldo pronto de legumes ou frango com pouco sódio
2 folhas de louro
1 colher (chá) de sal marinho (opcional)
1 xícara de creme de leite fresco (para uma sopa mais cremosa) ou leite integral (mais leve)

1. Derreta a manteiga com o azeite em uma panela grande em fogo médio a baixo. Junte a cebola e o aipo (ou salsão) e refogue por 5 minutos. Acrescente a batata-doce, a maçã, o curry e o gengibre. Reduza o fogo para médio e cozinhe por 3 minutos, até a maçã ficar macia. Adicione o caldo, louro e sal (se desejar). Aumente o fogo para alto e espere ferver. Reduza o fogo para médio e cozinhe até o aipo (ou salsão) ficar macio, por 6 a 8 minutos. Retire do fogo e descarte o louro.
2. Bata a sopa no liquidificador ou processador. Coloque de novo na panela e misture o creme de leite. Prove e acrescente mais sal, se quiser. Se necessário, reaqueça em fogo baixo, sem deixar ferver.

Para servir:
Ao distribuir a sopa em tigelas individuais, junte uma colherada de creme de leite fresco, creme azedo (sour cream) ou iogurte – ou polvilhe uma pitada de tomilho ou hortelã secos, para um efeito bonito.

O sabor desta sopa é de outro mundo – podia estar no cardápio de um restaurante cinco estrelas. Estava preocupada com meu marido, que não gosta de misturar frutas em receitas salgadas. Bem... ele amou.

Babette

MELANCIA

B ESTRELAS DE MELANCIA

C SOPA DE MELANCIA

D SALADA DE MELANCIA, LIMÃO E QUEIJO FETA

Estrelas de melancia

B

Equipamento especial: cortador de estrela (ou outro formato, a seu gosto)
Preparo: 5 minutos
Cozimento: nenhum
Rendimento: quanto você quiser!

Este modo de preparo simples e divertido é uma boa maneira de apresentar a melancia às crianças menores. Elas adoram ajudar você a fazer as estrelas. (Aviso: isso geralmente faz uma sujeirada!)

1 melancia pequena

1. Corte a melancia em fatias com cerca de 1 cm de espessura. Coloque sobre uma tábua ou assadeira. Use cortadores de biscoito para obter formatos divertidos (os redondos funcionam melhor). Retire as sementes. As sobras rendem um ótimo suco: bata no liquidificador, coe e sirva com um pouco de limão espremido. Conserve na geladeira por 1 ou 2 dias.

Sopa de melancia

C

Equipamento especial: liquidificador
Preparo: 10 minutos, mais 3 horas na geladeira
Cozimento: nenhum
Rendimento: 4 a 6 adultos ou crianças mais velhas

Talvez porque tenho duas garotinhas, acho os alimentos cor-de-rosa muito atraentes. A sopa pode ser servida sozinha, no verão, ou como sobremesa em qualquer época do ano.

½ melancia pequena sem sementes picada
1 pepino descascado e sem sementes grosseiramente picado

1 xícara de iogurte grego natural, mais um pouco para enfeitar
suco de 2 limões-sicilianos ou 3 a 4 limões (cerca de 4 colheres de sopa)
uma pitada de sal marinho
15 g de folhas frescas de hortelã picadas, para decorar
mel, para decorar

1. Bata a melancia, o pepino, o iogurte, o suco de limão e o sal no liquidificador, até ficar homogêneo. Transfira para um recipiente hermético e leve à geladeira por 3 horas (ou durante a noite). Para servir, distribua em tigelas e decore com hortelã e respingos de iogurte e mel, se quiser. (Pode ser preciso juntar um pouco de água ao iogurte para que fique líquido e possa regar a sopa de maneira decorativa.)

Salada de melancia, limão e queijo feta

D

Equipamento especial: nenhum
Preparo: 7 minutos
Cozimento: nenhum
Rendimento: 4 a 6 adultos ou crianças

Muitas crianças adoram melancia, portanto esta é uma boa maneira de introduzi-las ao queijo feta (o que muitas adoram, para minha surpresa). Os sabores da fruta, limão e feta me lembram o sul da França, onde esta é uma salada tradicional no fim do verão.

½ melancia pequena sem sementes picada (veja Nota)
150 g de queijo feta esmigalhado
30 g de coentro fresco picado (ou folhas de hortelã e manjericão)
10 azeitonas pretas sem caroço picadas (opcional)
suco de 2 limões (cerca de 2 colheres de sopa) ou a gosto

1. Disponha a melancia em uma única camada no prato de servir. Polvilhe o queijo feta, coentro e azeitona, se usar. Não mexa! Regue com o suco de limão e deixe que cada um se sirva.

Nota:
A melancia pode ser cortada facilmente com cortadores de biscoitos. Use-os para uma versão excêntrica desta salada (e peça para as crianças ajudarem a obter os formatos!)

MELÃO-CANTALUPO

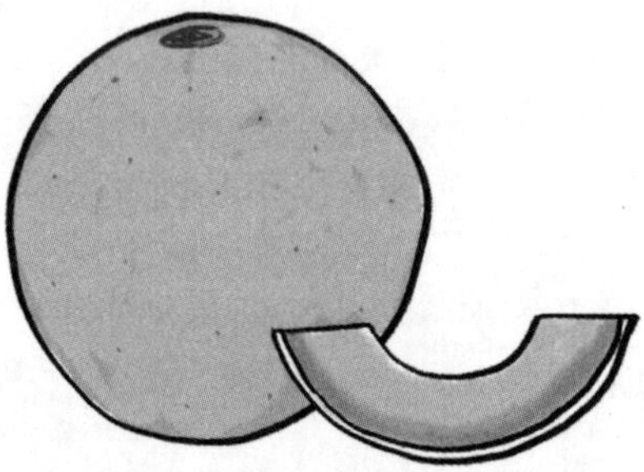

B PURÊ DE CANTALUPO

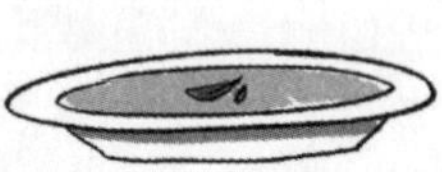

C SOPA FRIA COM GENGIBRE

D SALADA DE VERÃO

Purê de cantalupo

B

Equipamento especial: liquidificador
Preparo: 5 minutos
Cozimento: nenhum
Rendimento: 1½ a 2 xícaras

Crianças costumam adorar melão, ótimo para sobremesas. Este purê é deliciosamente simples. Quando servir cantalupo para adultos e a garotada mais velha (quem sabe depois de uma refeição de verão), prepare esta receita para os bebês. Receita boa para congelar.

1 melão-cantalupo pequeno e maduro (veja Nota)

1. Com uma faca afiada, corte o melão ao meio. Com uma colher, retire e descarte as sementes. Corte cada metade novamente ao meio, na vertical, para obter meias-luas. Descasque cada fatia e corte a polpa em pedaços pequenos.
2. Bata no liquidificador até ficar homogêneo (a fruta se transformará em um bom purê sem que você precise adicionar líquido).

Nota:
O melão-cantalupo está maduro quando sua cor é rosada-amarelada, e não verde, e você consegue sentir o aroma da fruta nas extremidades.

Dica para a Educação do Paladar
O melão-cantalupo vai muito bem com framboesas e/ou suco de limão e limão-siciliano. À medida que o bebê cresce, experimente essas combinações!

Sopa fria com gengibre

C

Equipamento especial: liquidificador
Preparo: 5 minutos
Cozimento: nenhum
Rendimento: 6 adultos ou crianças mais velhas

Nos dias de verão, quando está quente demais para cozinhar, sopas frias são ótimas escolhas: rápidas de fazer, hidratam e refrescam. Na verdade, são apenas uma versão mais líquida das vitaminas de frutas, então vale chamar do mesmo nome. A adição de manjericão e iogurte, porém, deixa esta receita cremosa o suficiente para ser batizada de sopa. Batize como quiser!

1 melão-cantalupo pequeno e maduro (veja Nota)
½ xícara de iogurte grego natural
uma pitada de gengibre em pó
suco de 1 limão (cerca de 2 colheres de sopa)
1 colher (chá) de mel
2 ou 3 folhas de hortelã fresca ou 1 colher (sopa) de hortelã seca
2 ou 3 folhas de manjericão fresco ou 1 colher (sopa) de manjericão seco
uma pitada de sal marinho

1. Com uma faca afiada, corte o melão ao meio. Com uma colher, retire e descarte as sementes. Corte cada metade novamente ao meio, na vertical, para obter meias-luas. Descasque cada fatia e corte a polpa em pedaços pequenos.
2. Bata no liquidificador o melão, o iogurte, o gengibre, o suco de limão, o mel, a hortelã, o manjericão e o sal, até ficar homogêneo. (Pode ser que seja preciso acrescentar algumas colheradas de água para obter a consistência desejada.) Sirva frio, em tigelinhas bonitas. Um pouco mais de hortelã ou manjericão picados espalhados por cima dão um toque perfeito.

Nota:
O melão-cantalupo está maduro quando sua cor é rosa-amarelada, e não verde, e você consegue sentir o aroma da fruta nas extremidades.

Salada de verão

D

Equipamento especial: nenhum
Preparo: 5 minutos
Cozimento: nenhum
Rendimento: 4 adultos ou crianças mais velhas

Agora que o melão-cantalupo já está incorporado à sua rotina diária (ou mesmo que não esteja), amplie as opções! A acidez do tomate e do limão (e da framboesa, se desejar) faz esta salada brilhar. Bônus: bata as sobras no liquidificador e congele para obter uma Granita (veja página 285).

As crianças adoram preparar esta salada!

1 melão-cantalupo pequeno e maduro
180 g de tomate-cereja cortado ao meio
2 colheres (sopa) de folhas frescas de hortelã, picadas
suco de 1 limão (2 colheres de sopa) ou ½ limão-siciliano (1 colher de sopa)
uma pitada de gengibre em pó (opcional, veja Nota)
60 g de framboesa, para decorar (opcional)

1. Com uma faca afiada, corte o melão ao meio. Com uma colher, retire e descarte as sementes. Corte cada metade novamente ao meio, na vertical, para obter meias-luas. Descasque cada fatia e corte a polpa em pedaços pequenos.
2. Em uma tigela grande, misture o melão, o tomate, a hortelã, suco de limão e gengibre (se desejar). Misture ligeiramente. Se desejar, decore com framboesas.

Note:
Se usar o gengibre, misture ao suco de limão antes de acrescentar à salada.

MORANGO

B CALDA DE MORANGO E MAÇÃ

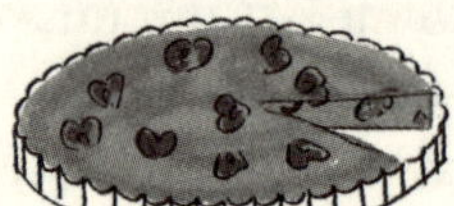

C CLAFOUTIS DE MORANGO E AMÊNDOA

D SALADA DE MORANGO E ESPINAFRE

Calda de morango e maçã

B

Equipamento especial: liquidificador
Preparo: 5 minutos
Cozimento: 10 minutos
Rendimento: 4 adultos ou crianças

Este é um purê estimulante e divertido que pode servir como uma ótima calda para panquecas ou sorvete. Ou para servir com bolo simples. Ou com mingau de aveia. Ou com iogurte. Já falei que adoro esta calda?

A receita congela bem, portanto faço uma grande porção quando morangos e maçãs estão maduros. Na verdade, gosto tanto desta receita que comecei a cultivar morangos em nosso jardim!

100 g de açúcar cristal
280 g de maçã picada
280 g de morango em fatias
1 banana madura

1. Ferva ½ xícara de água em uma panela média em fogo alto. Junte o açúcar e a maçã e cozinhe até começar a ficar macio, por 3 a 4 minutos. Acrescente o morango e cozinhe, mexendo de vez em quando, por 5 a 7 minutos. Adicione a banana. Bata tudo no liquidificador, acrescentando 1 colher (chá) de água de cada vez até obter a consistência desejada. Sirva morno ou frio, com quase tudo!

Clafoutis de morango e amêndoa

C

Equipamento especial: fôrma de 20 cm; processador
Preparo: 15 minutos
Cozimento: 45 minutos
Rendimento: 6 a 8 adultos ou crianças

Clafoutis são as versões francesas dos shortcakes americanos: despretensiosos e sempre deliciosos. A massa fofa é fácil de fazer. E as amêndoas dão água na boca quando combinadas aos morangos. O que você está esperando?

60 g de manteiga com sal
70 g de farinha de trigo
60 g de amêndoas sem pele inteiras ou em lascas
100 g de açúcar cristal mais 2 colheres (sopa) para decorar (opcional)
1 colher (sopa) de amido de milho
uma pitada de sal marinho
3 ovos grandes
¾ de xícara de leite integral
530 g de morango cortados em quartos, mais um pouco para decorar
60 g de amêndoas em lascas (opcional)
⅓ de xícara de creme de leite fresco (opcional)

1. Preaqueça o forno a 180 °C. Unte a fôrma.
2. Derreta a manteiga em uma panela em fogo baixo. Retire do fogo e reserve.
3. Passe a farinha e a amêndoa pelo processador, até moer bem. Junte 100 g de açúcar, o amido de milho e o sal e pulse novamente para misturar. Acrescente os ovos, um de cada vez, pulsando para misturar. Junte a manteiga derretida e o leite e processe até obter uma massa líquida homogênea.
4. Espalhe os morangos em uma única camada na fôrma. Com cuidado, despeje a massa por cima, procurando não tirar as frutas do lugar. Asse até crescer e firmar, por cerca de 40 minutos. Retire do forno e espere esfriar. Sirva morno ou frio, direto da fôrma. Decore com um pouco de açúcar ou amêndoa em lascas, cubra com morangos frescos, regue com creme de leite ou sirva puro.

Salada de morango e espinafre

D

Equipamento especial: nenhum
Preparo: 5 minutos
Cozimento: nenhum
Rendimento: 4 adultos ou crianças

Para muitas crianças, o segredo de aceitarem alguma hortaliça nova (mesmo as que tipicamente não fazem sucesso) é combinar os ingredientes com algo adocicado e gordura saudável. (A boa notícia é que a gordura saudável ajuda a absorver nutrientes e a vitamina C dos morangos ajuda na absorção do ferro do espinafre.) Espinafre cozido não tem nada de divertido, mas esta salada é deliciosa. *Parfait!*

3 colheres (sopa) de azeite de oliva extra virgem
1 colher (sopa) de vinagre balsâmico
1 colher (chá) de xarope de bordo (maple syrup)
uma pitada de sal e pimenta-do-reino moída
dois punhados pequenos ou um grande de espinafre baby
350 g de morango cortado em pedaços pequenos
60 g de amêndoas tostadas em lascas
60 g de cebola roxa em fatias finas (opcional)

1. Em uma saladeira grande, bata com um garfo o azeite, o vinagre, o xarope de bordo, o sal e a pimenta-do-reino. Junte o espinafre, o morango, a amêndoa e a cebola (se usar), e misture delicadamente. Sirva em seguida (ou o espinafre murcha) *Voilà!*

Dica para a Educação do Paladar:
Se você desconfia que seus filhos possam não gostar da salada, dê um passo atrás. Comece com as receitas de espinafre das páginas 247 e 248. Ou junte alguns morangos ao vinagrete, para experimentar. Eles chegam lá!

PERA

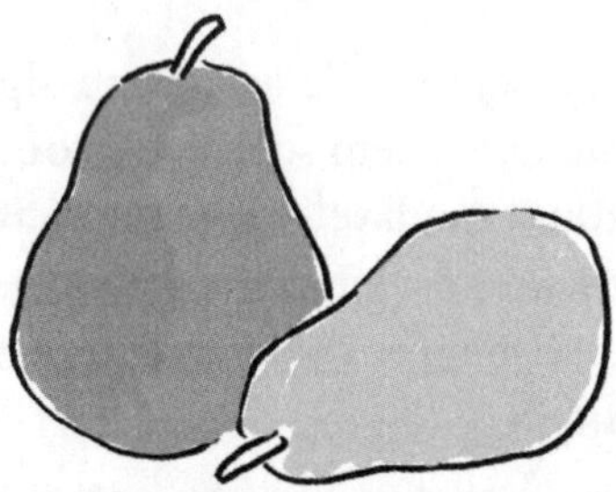

A PURÊ DE PERA E AMEIXA

B PERAS COR-DE-ROSA

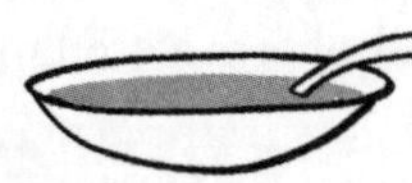

C SOPA SUPIMPA

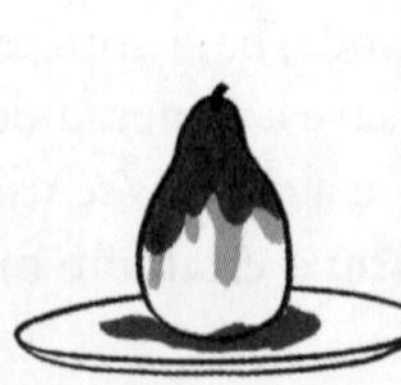

D PERAS BELLE HÉLÈNE

Purê de pera e ameixa

A

Equipamento especial: liquidificador
Preparo: 3 minutos
Cozimento: 5 minutos
Rendimento: 1½ a 2 xícaras

Quando feita apenas com pera, a compota pode ficar levemente granulosa, dependendo da variedade e grau de maturação da fruta. Acrescentar ameixa deixa a receita mais lisa e apenas um pouco mais intensa – um contraste agradável aos purês de maçã e banana que seu filho já deve amar.

1 pera madura, descascada, sem caroço, cortada em quartos
1 ameixa madura grande ou 2 pequenas, descascadas, sem caroço, cortadas em quartos
uma pitada de canela em pó

1. Ferva 2 xícaras de água em uma panela em fogo alto. Junte a pera e a ameixa. Ajuste o fogo entre médio e alto e cozinhe por cerca de 5 minutos, até ficar bem macio. Retire do fogo, escorra as frutas e reserve o líquido.
2. Bata as frutas no liquidificador com a canela e ½ xícara do líquido, até ficar homogêneo. Se necessário, acrescente um pouco mais de líquido até obter a consistência desejada.

Peras cor-de-rosa

B

Equipamento especial: nenhum
Preparo: 5 minutos
Cozimento: 20 minutos
Rendimento: 4 adultos ou crianças mais velhas

O sabor da pera se intensifica quando ela é combinada a algum alimento levemente ácido. Nesta receita, o segredo é o suco de cranberry. Além disso, ele deixa a fruta cor-de-rosa, em uma sobremesa divertida que faz seus filhos perceberem novos sabores.

3 xícaras de suco de cranberry (veja Nota)
mel ou estévia, a gosto
2 anises-estrelados
um pedaço de canela de 5 a 7 cm ou 1 colher (chá) de canela em pó
2 cravos-da-índia
4 peras maduras sem caroço, cortadas em quartos

1. Em uma panela média em fogo alto, misture o suco, mel, anis-estrelado, canela e cravo-da-índia. Quando ferver, ajuste o fogo entre médio a baixo e cozinhe por cerca de 10 minutos, mexendo de vez em quando. Junte a pera em uma única camada, tampe e cozinhe por cerca de 5 minutos. Vire as frutas com cuidado e deixe por mais 5 minutos, até ficarem macias. Retire do fogo e deixe tampado para evitar que a calda engrosse muito. (O calor continua a cozinhar as peras, mas elas se manterão firmes.) Reserve até esfriar e leve a panela à geladeira. Sirva frio, com a calda.

Nota:
Se quiser, use suco adoçado de cranberry. Nesse caso, não utilize o mel ou a estévia.

Dica para a Educação do Paladar:
Enquanto come, pergunte às crianças como elas acham que as peras ficaram cor-de-rosa. Com as mais velhas, é possível comparar o sabor com suco ou molho de cranberries ou (melhor ainda) cranberries cruas congeladas. Será que elas conseguem identificar o gosto nas peras?

Sopa supimpa

C

Equipamento especial: liquidificador
Preparo: 15 minutos
Cozimento: 15 minutos
Rendimento: 4 porções (adultos ou crianças mais velhas)

Durante anos, evitei comprar erva-doce. "O que, exatamente", eu pensava, "devo fazer com isso?" Imaginei que minhas filhas não comeriam o alimento. Como tantos outros ingredientes, porém, fiquei contente ao ver que estava errada – agora, esta receita da "chef" Karen (obrigada!) faz sucesso lá em casa. A erva-doce tem um leve sabor de anis que deixa essa sopa adocicada, mas interessante.

1 colher (sopa) de manteiga com sal
2 colheres (sopa) de azeite de oliva
2 bulbos de erva-doce grandes ou 3 pequenos, sem as folhas e o miolo, cortados em pedaços
1 cebola média em fatias finas
1 colher (chá) de sal marinho
½ colher (chá) de pimenta-do-reino moída
4 peras médias, descascadas e sem caroço, cortadas em quartos
2 batatas descascadas, em cubos
1 xícara de suco de maçã
4 xícaras de Caldo de legumes (página 335) ou caldo pronto com pouco sódio
1 folha de louro

1. Em uma panela grande em fogo médio a alto, derreta a manteiga com o azeite. Junte a erva-doce, a cebola, o sal e a pimenta-do-reino. Reduza o fogo para médio, tampe e cozinhe, mexendo de vez em quando, até a cebola começar a dourar, por 5 ou 6 minutos. Acrescente a pera e a batata, aumente o fogo para alto e espere ferver; cozinhe por 2 ou 3 minutos. Reduza o fogo para médio, adicione o suco, o caldo e o louro, tampe e cozinhe, mexendo de vez em quando, por cerca de 5 minutos, até a erva-doce, a pera e a batata ficarem macias. Retire do fogo e descarte o louro.

2. Passe a sopa pelo liquidificador até ficar homogênea. Sirva imediatamente.

Para os mais ousados:
Decore com sementes de erva-doce tostadas para acrescentar um toque crocante e saboroso.

Peras Belle Hélène

D

Equipamento especial: assadeira
Preparo: 30 minutos
Cozimento: 15 minutos
Rendimento: 4 adultos ou crianças mais velhas

Esta sobremesa admirável está meio fora de moda na França. Foi inventada no século XIX e batizada em homenagem a uma ópera sobre Helena de Troia escrita por Jacques Offenbach. Meu marido comeu muito na infância, quando era um dos doces mais populares nos jantares entre amigos. Hoje, outras sobremesas são mais populares entre os franceses – incluindo, de forma irônica, crisps e crumbles americanos, tema de vários livros! – então precisei de alguns anos no país até descobrir a receita. Quando aconteceu, fiquei logo apaixonada.

As peras cozidas são cobertas por calda de chocolate (e, em algumas versões, violetas cristalizadas). Algumas variações mais simples (como esta) usam amêndoa em lascas em lugar das flores. A fruta doce e o chocolate meio amargo se casam de maneira irresistível – parece que nos rendemos à tentação, mas a combinação ainda é saudável. Versões americanas ou britânicas muitas vezes indicam caldas com creme de leite, mas esta é fiel ao original francês, bem simples.

4 peras maduras, descascadas mas com o cabinho (veja Notas)
1 colher (sopa) de manteiga com sal
115 g de chocolate meio amargo ou ao leite, picado
½ xícara de creme de leite light, leite integral ou substituto de leite
1 colher (chá) de essência de baunilha
⅓ de xícara de xarope de bordo (maple syrup)
50 g de amêndoa em lascas (opcional, veja Notas)

1. Com uma faca afiada, corte uma fatia fina da extremidade inferior de cada pera, para que fiquem em pé. Coloque em uma panela grande e junte água suficiente para cobri-las. Retire as peras e reserve. Ferva a água em fogo alto, devolva as frutas à panela, em pé, e cozinhe até ficarem macias quando espetadas com a ponta de uma faca, por 10 a 12 minutos. (Não cozinhe demais, mas elas devem ficar macias para ser comidas com uma colher.) Com um pegador, transfira as peras para a assadeira e descarte o líquido. Tampe e leve à geladeira para esfriar.
2. Derreta a manteiga em uma panela pequena em fogo baixo. Junte o chocolate, o creme de leite e a baunilha e cozinhe, sem parar de mexer, até derreter. (Acrescente um pouco de creme se a calda parecer muito grossa – ela deve ser despejada sobre as frutas.) Retire do fogo e reserve para esfriar um pouco. (Se engrossar demais, junte 1 colher de chá de água de cada vez para deixá-la mais líquida.)
3. Quando as peras estiverem frias, tire o miolo com um descaroçador de maçãs ou uma faca, trabalhando a partir da extremidade inferior para retirar as sementes, deixando o cabo intacto. Coloque uma fruta em pé em cada prato de servir. Regue com o xarope de bordo e depois com o chocolate, para que cada fruta pareça flutuar sobre um "laguinho" de calda. Decore com a amêndoa, se desejar, e sirva.

Notas:
Escolha uma variedade de pera que se conserve inteira quando cozida.
Para um toque extra, toste a amêndoa em uma frigideira seca em fogo baixo, sem parar de mexer, por 4 a 5 minutos, até começar a dourar.

Dica para a Educação do Paladar:
Depois de servir a sobremesa pela primeira vez, experimente acrescentar outras especiarias à calda de chocolate. Canela e gengibre em pó são comuns – ou tente raspas de laranja. É uma ótima maneira de mostrar outras combinações de sabores a seus filhos. Por que não deixá-los escolher alguns ingredientes e ver como se saem? Algumas famílias gostam apenas do xarope de bordo e da amêndoa – se você não for muito fã de chocolate, faça dessa maneira!

Ótima receita, principalmente porque estamos tentando trocar os doces por frutas na sobremesa.

Mira

PÊSSEGO

A PURÊ CREMOSO DE PÊSSEGO

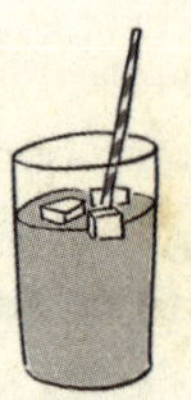

B LIMONADA DE PÊSSEGO E HORTELÃ

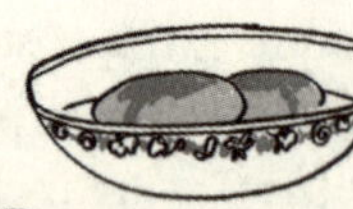

C PÊSSEGOS MÁGICOS COM ESPECIARIAS

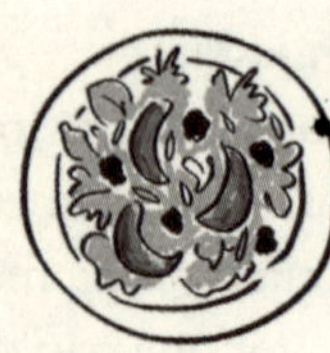

D SALADA SALGADA DE PÊSSEGO

Purê cremoso de pêssego

A

Equipamento especial: liquidificador
Preparo: 2 minutos
Cozimento: 2 minutos
Rendimento: ¾ a 1 xícara

Purês de frutas para bebês tendem a ser um pouco repetitivos. Usar os pêssegos como base é uma maneira ótima de introduzir frutas mais ácidas ao paladar infantil. Pêssegos e creme de leite formam um par delicioso para adultos e esta receita segue o mesmo princípio para os bebês!

1 pêssego maduro, descascado e cortado em quartos
1 colher (chá) de creme de leite fresco light ou 1 colher (sopa) de iogurte grego natural
uma pitada de canela em pó

1. Em uma panela em fogo alto, ferva 2 xícaras de água. Junte o pêssego e cozinhe por cerca de 2 minutos, até ficar macio. Retire do fogo, escorra e reserve o líquido. (Já estará com um perfume delicioso.)
2. Bata o pêssego, o creme de leite e a canela no liquidificador até ficar homogêneo. Junte líquido suficiente para obter a consistência desejada. Bom apetite!

Dica para a Educação do Paladar:
Varie o sabor para bebês mais velhos. Em lugar da canela, junte uma pitada de gengibre em pó, 1 colher (chá) de suco de limão ou laranja, ¼ de colher (chá) de hortelã seca ou apenas um pouquinho de essência de baunilha.

Dica para adultos:
O purê fica delicioso servido como calda para sorvete de creme. Prepare 1 receita para cada 2 pessoas e sirva! Decore com folhas frescas de hortelã, que combina muito bem com a fruta.

Limonada de pêssego e hortelã

B

Equipamento especial: espremedor de frutas; jarra grande
Preparo: 5 minutos
Cozimento: 10 minutos
Rendimento: 2 a 3 xícaras

Mesmo a limonada mais simples pode servir de veículo para novos e divertidos sabores. Quem poderia pensar nessa combinação? Mas funciona, e muito bem. (Confesso que às vezes preparo a receita com limonada pronta. Se você não quiser espremer todas as frutas, é uma opção!)

2 pêssegos descascados, sem caroço, picados
50 g de açúcar cristal
30 g de hortelã fresca picada
suco de 8 limões-sicilianos (cerca de 1 xícara)
½ limão-siciliano cortado em fatias finas para decorar
15 g de folhas de hortelã fresca para decorar

1. Em uma panela pequena em fogo alto, misture o pêssego, o açúcar, a hortelã picada e 1 xícara de água. Deixe ferver, sem parar de mexer. Quando o açúcar se dissolver, depois de cerca de 2 minutos, diminua o fogo para médio a baixo e cozinhe por 5 minutos. Retire do fogo e espere esfriar. Transfira para um recipiente de fecho hermético e leve à geladeira (veja Nota).
2. Encha metade de uma jarra com cubos de gelo. Passe a calda de frutas por uma peneira fina (descarte os sólidos) e coloque na jarra. Junte 2 xícaras de água (ou mais, como preferir) e o suco de limão. Sirva decorado com as fatias de limão e as folhas de hortelã.

Nota:
Esta calda simples de pêssego e hortelã fica melhor quando preparada com antecedência e refrigerada. Pode ser mantida na geladeira por 2 semanas.

Para os mais ousados:
Substitua a hortelã por manjericão. Acredite, fica muito saboroso!

Pêssegos mágicos com especiarias

C

Equipamento especial: nenhum
Preparo: 5 minutos
Cozimento: 20 minutos
Rendimento: 4 adultos ou crianças maiores

Frutas cozidas são uma de nossas sobremesas favoritas. Claro que há maneiras mais elegantes de servir pêssegos, mas esta é uma receita rápida para ser servida quente ou fria – e quando decorada com capricho, também fica requintada! Claire, minha filha mais nova, diz que é "mágica", por causa do anis-estrelado. E ela está certa: a especiaria parece mesmo um pouco mágica (pelo menos para uma garota de 4 anos que acredita em fadas). Bônus: é possível usar pêssegos congelados. Nós compramos frescos quando são vendidos em grande quantidade, no fim do verão, despelamos, tiramos o caroço e congelamos em sacos próprios. Assim, vão do congelador direto para a panela.

115 g de açúcar mascavo
um pedaço de canela com 5 a 8 cm ou 1 colher (chá) de canela em pó
3 anises-estrelados
um pedaço de gengibre com 5 mm descascado e fatiado ou 1 colher (chá) de gengibre em pó
4 pêssegos maduros, cortados em quartos
60 g de amêndoa em lascas (opcional)

1. Em uma panela média, coloque o açúcar, a canela, o anis-estrelado, o gengibre e 3 xícaras de água. Ferva em fogo alto, mexendo sem parar. Reduza o fogo para médio a baixo e cozinhe, mexendo de vez em quando, por cerca de 10 minutos (a calda ficará escura e impregnada do sabor das especiarias). Acrescente os pêssegos em uma única camada. Tampe e cozinhe por 5 minutos. Com uma colher, vire as frutas delicadamente, tampe e cozinhe por mais 5 minutos, ou até ficarem macias. Retire do fogo e conserve na panela tampada por 10 minutos. (O calor continua a cozinhar os pêssegos, mas eles se mantêm firmes.)

2. Enquanto isso, toste a amêndoa em uma frigideira seca em fogo médio a alto, por 3 a 4 minutos, até dourar (mexa com frequência, para evitar que queimem).
3. Há muitas maneiras de servir esta sobremesa. Experimente regar os pêssegos com creme de leite ou distribuir sobre uma bola de sorvete. Enfeite com a amêndoa. (Se acrescentar xarope de framboesa e sorvete, fará uma releitura do famoso doce francês Pêssegos Melba, criado pelo famoso chef Auguste Escoffier em homenagem à soprano australiana Nellie Melba. *Ooh la la!*)

Salada salgada de pêssego

D

Equipamento especial: nenhum
Preparo: 5 minutos
Cozimento: nenhum
Rendimento: 4 adultos ou crianças mais velhas

Eu sei, eu sei. Você provavelmente está pensando: "Dar rúcula para meus filhos? Só pode ser brincadeira!" Confie em mim e experimente esta receita. As crianças italianas crescem comendo esse tipo de alimento. Se você introduzir a rúcula cedo, elas vão adorar como formigas no açucareiro. Comece devagar. Quando aprenderem a gostar dos pêssegos, acrescente um pouco de espinafre. Então a rúcula. Junte as oleaginosas de que mais gostarem (amêndoas? pistaches?) Se deixarem, adicione também um pouco de queijo de cabra (ou feta, ou alguma variedade de queijo azul). Pense no método como "o gourmet gradual".

170 g de framboesa fresca
1 receita de Vinagrete clássico (página 336; veja Nota)
sal marinho e pimenta-do-reino moída (opcional)
um punhado grande ou dois pequenos de espinafre baby (cerca de 300 g)
4 pêssegos grandes sem caroço, em pedaços pequenos
40 g de amêndoa em lascas, pistache ou nozes
um maço pequeno de rúcula
40 g de queijo de cabra, feta ou azul (opcional)

1. Prepare o vinagrete: passe ⅓ da framboesa por uma peneira (descarte as sementes). Junte o Vinagrete clássico e bata com um garfo, para misturar. Se quiser, tempere a gosto com sal e pimenta--do-reino.
2. Em uma saladeira grande, misture com cuidado 2 a 3 colheres (sopa) do vinagrete de framboesa com o espinafre, o pêssego, a amêndoa, a rúcula e o queijo (se usar); tome cuidado para não machucar a fruta. Sirva o molho restante à parte. (As crianças tendem a não gostar de saladas que estão muito temperadas – "É muito grudento!"). Decore com a framboesa restante.

Nota:
Se o tempo for curto (e quando não é?), compre vinagrete de framboesa pronto. Seus filhos vão gostar do mesmo jeito!

Gostinho bom: sobremesas

Bolo de aniversário de iogurte com cobertura de chocolate e abacate

B C D

Equipamento especial: fôrma redonda de 23 cm; papel antiaderente; processador
Preparo: 20 minutos, mais 10 minutos para esfriar
Cozimento: 35 minutos
Rendimento: 8 adultos ou crianças (fatias pequenas)

Este bolo de iogurte (relativamente) saudável é uma das sobremesas mais tradicionais da França, muitas vezes uma das primeiras que as crianças francesas aprendem a fazer em casa. É fácil de preparar (e muito difícil de dar errado). Adoramos servir como bolo de aniversário – sim, é mesmo gostoso.

A garotada aprecia a textura úmida. Parece um pouco com pão de ló, levando iogurte e óleo vegetal em vez de manteiga. As raspas de limão e a leve acidez do iogurte equilibram perfeitamente a doçura. É ótimo em qualquer momento do dia.

Acrescentei um toque bem americano: cobertura de abacate. (Não muito conhecida na França, devo admitir!) Essa alternativa agradável e cremosa à manteiga foi um sucesso com as famílias que testaram minhas receitas.

O bolo pode ser feito com antecedência e guardado na geladeira, em uma embalagem hermética, por até 2 dias, mas a cobertura deve ser feita no momento de servir.

Bolo de iogurte:

1 xícara de iogurte grego natural
140 g de açúcar
2 ovos grandes
⅓ de xícara de óleo vegetal
1 colher (chá) de essência de baunilha
1 colher (sopa) de raspas finas de limão
350 g de farinha de trigo
1½ colher (chá) de fermento em pó
½ colher (chá) de bicarbonato de sódio
¼ de colher (chá) de sal marinho

Cobertura de chocolate e abacate:

2 abacates grandes descascados e sem caroço
1 colher (chá) de essência de baunilha
2 colheres (sopa) de manteiga sem sal amolecida (opcional)
140 a 280 g de açúcar de confeiteiro
¼ de colher (chá) de canela em pó
¼ de colher (chá) de sal marinho
6 colheres (sopa) de cacau em pó

1. Preaqueça o forno a 180 °C. Unte uma fôrma redonda de 23 cm e forre o fundo com papel antiaderente.
2. Em uma tigela grande, bata o iogurte e o açúcar. Acrescente os ovos, um de cada vez, batendo bem após cada adição. Junte o óleo, baunilha e raspas de limão; misture bem.
3. Em outra vasilha, misture a farinha, o fermento, o bicarbonato de sódio e o sal. Acrescente aos outros ingredientes e mexa apenas para incorporar. (Não bata demais!)
4. Transfira a massa para a fôrma e asse por 30 a 35 minutos, até dourar, ou até que uma faca enfiada no centro do bolo saia limpa. Retire do forno e deixe esfriar por 10 minutos. Passe para uma grade e espere esfriar completamente antes de espalhar a cobertura.
5. No processador, bata o abacate, a baunilha e a manteiga (se usar), até ficar homogêneo. Com o motor ligado, acrescente aos poucos 140 g de açúcar, a canela, o sal e o cacau. Se quiser, junte mais 140 g de açúcar, a gosto. Se a cobertura estiver grossa, adicione um pouco de creme de leite até obter a consistência desejada.

6. Transfira o bolo para o prato de servir. Com uma espátula, coloque uma boa quantidade de cobertura no centro. Espalhe com delicadeza, em direção à borda, até cobrir toda a superfície. Espalhe a cobertura também nas laterais e alise, girando o prato. Repita com o creme restante até tudo estar coberto por igual.

Dica para a Educação do Paladar:
Se quiser ousar, prepare uma cobertura de limão e abacate. Siga as mesmas orientações, mas substitua o cacau por 1 colher (sopa) de suco de limão e acrescente pelo menos mais 70 g de açúcar de confeiteiro para obter a consistência ideal. Nesta versão, sirva o bolo assim que espalhar a cobertura – ela tende a escurecer com o tempo.

Preparei a cobertura de abacate para o aniversário do meu filho. Havia dez crianças e nenhuma sequer piscou os olhos antes de comer. A aparência – e o sabor – era como a de uma cobertura de chocolate!

Roberta

Bolinhos de amêndoa (Financiers)

B C D

Equipamento especial: assadeira para minibolos (assadeira com 6 ou 12 canecos)
Preparo: 10 minutos, mais 10 minutos para esfriar
Cozimento: 15 minutos
Rendimento: cerca de 24 unidades

Estes bolinhos de amêndoa são irresistíveis. Na versão pequena e retangular, são muitas vezes servidos depois do jantar, como mignardises – o nome vem da antiquada palavra francesa *mignard* (uma graciosa criança pequena). Isso resume tudo!

Há um bônus maravilhoso: a receita não leva glúten, pois substitui a farinha de trigo por farinha de amêndoa. Se não encontrar, prepare a sua em casa, passando amêndoas sem pele pelo processador. A consistência pode não ser tão fina, mas os bolinhos também ficarão deliciosos!

90 g de manteiga com sal
90 g de farinha de amêndoa
90 g de açúcar de confeiteiro
4 colheres (sopa) de cacau em pó
uma pitada de sal marinho
2 claras grandes
¼ de colher (chá) de essência de amêndoa

1. Preaqueça o forno a 180 °C. Unte levemente a assadeira.
2. Derreta a manteiga em uma panela pequena em fogo baixo. Retire do fogo e reserve até esfriar (se estiver muito quente, a manteiga cozinha as claras, o que é um desastre!)
3. Em uma tigela grande, misture a farinha de amêndoa, o açúcar, o cacau e o sal. Acrescente as claras e a essência de amêndoa; aos poucos, junte a manteiga derretida fria e misture até ficar homogêneo.
4. Transfira a massa para a assadeira, enchendo ¾ de cada cavidade. Asse até crescer e ficar levemente elástico ao toque, por 12 a 15 minutos. Retire do forno e espere esfriar completamente (se tentar desenformar enquanto ainda estão mornos, vão quebrar!) Os bolinhos podem ser mantidos em um recipiente hermético por uma semana em temperatura ambiente.

Para os mais ousados:
Substitua a essência de amêndoa por ½ colher (chá) de lavanda para uso culinário.

Gulodices de chocolate e passas (Mendiants)

B C D

Equipamento especial: fôrma de silicone para muffin ou papel antiaderente
Preparo: 30 minutos, mais 30 minutos de descanso
Cozimento: nenhum
Rendimento: 8 cookies grandes ou 16 pequenos

Estes deliciosos docinhos de chocolate têm (relativamente) pouco açúcar – uma alternativa mais leve ao bolo recheado. Quem poderia pensar que algo tão simples seria tão gostoso?

O mendiant (nome francês desta guloseima) é um disco de chocolate cheio de nozes e frutas secas: uva-passa, avelã, figo e amêndoa. Tradicionalmente servido no Natal, hoje é consumido o ano inteiro, com inúmeras variações que incluem sementes e casca de frutas. Use a imaginação! O objetivo é fazer com que seu filho goste de estar na cozinha ajudando a preparar os alimentos – tentem preparar os docinhos juntos.

1 colher (sopa) de manteiga sem sal
225 g de chocolate meio amargo ou ao leite picado
1 colher (chá) de canela em pó
1 colher (sopa) de creme de leite fresco (se usar chocolate meio amargo)
60 g de amêndoa em lascas
60 g de mirtilo seco

1. Derreta a manteiga em uma panela pequena em fogo baixo. Junte o chocolate e mexa sem parar até derreter por completo. Acrescente a canela e o creme de leite (se usar chocolate meio amargo).
2. Monte os docinhos – é possível usar uma fôrma de silicone para muffins (como prefiro) ou papel antiaderente. Se usar a fôrma, coloque cerca de 1 colher (sopa) bem cheia da mistura de chocolate no fundo de 3 ou 4 cavidades. Se usar o papel, abra em uma superfície plana, faça 3 ou 4 montinhos do chocolate de cada vez e use as costas de uma colher para espalhar em círculos com cerca de 5 cm. Antes que o chocolate endureça, disponha a amêndoa e o mirtilo da maneira que desejar – use a imaginação! (Se endurecer antes de você terminar, não se preocupe: derreta novamente.)
3. Reserve os docinhos por pelo menos 30 minutos, para firmar. Teste as bordas com cuidado para ver se já podem ser servidos. Nham!

Dica para a Educação do Paladar:
Sugeri mirtilo e amêndoa na receita, mas comece com ingredientes que seu filho já aprecia e então introduza novos sabores. Algumas ideias: oleaginosas (amêndoa, pistache, pralinê, nozes-pecãs), frutas secas (uva-passa, mirtilo, damasco seco em fatias finas, cranberries, gengibre ou casca de laranja cristalizada) ou mesmo flor de sal, sementes ou pedaços de seu biscoito favorito!

Os docinhos fizeram sucesso com meus filhos de 6 e 4 anos. Eles disseram que foram os melhores "biscoitos" que já fiz e se divertiram acrescentando granola e morangos e framboesas frescos.

Stacy

Biscoitos de especiarias

B C D

Equipamento especial: assadeira; papel antiaderente; cortador de biscoitos
Preparo: 20 minutos
Cozimento: 10 minutos
Rendimento: 24 unidades pequenas

Bebês adoram mordiscar alguma coisa quando os dentes estão nascendo, mas os biscoitos para essa faixa etária são muito sem graça. Por que não incrementar um pouco? O óleo de cravo é tradicionalmente usado para ajudar a aliviar dor de dente – e esta receita usa um pouco do ingrediente moído para dar um sabor único aos biscoitos.

85 g de aveia em flocos finos
215 g de farinha de trigo, integral ou de aveia
1 colher (chá) de canela em pó
½ colher (chá) de cravo-da-índia em pó
6 colheres (sopa) de manteiga derretida
2 bananas bem maduras, amassadas até ficarem homogêneas

1. Preaqueça o forno a 220 °C. Forre a assadeira com papel antiaderente.
2. Em uma tigela grande, misture a aveia, a farinha, a canela e o cravo-da-índia. Aos poucos, junte a manteiga e a banana. (A massa deve ficar leve e homogênea; se estiver muito seca, junte 1 colher de sopa de água de cada vez – a quantidade depende do tamanho e da maturação da banana.) Forme uma bola com as mãos e abra sobre uma superfície enfarinhada na espessura de 6 mm. Use um cortador de biscoitos para obter formas redondas ou ovais (nada

de arestas pontudas para bebês!) Transfira para a assadeira e asse por 7 a 10 minutos, até dourar um pouco. Retire do forno e espere esfriar completamente antes de servir. Os biscoitos podem ser mantidos em um recipiente de fecho hermético, em temperatura ambiente, por 1 semana.

Dica de segurança:
Com estes e com quaisquer outros biscoitos, observe a criança para ver se ela não corre o risco de se engasgar.

Musse de limão

B C D

Equipamento especial: nenhum
Preparo: 10 minutos, mais 2 horas na geladeira
Cozimento: 10 minutos
Rendimento: 4 adultos ou 8 crianças

Quando você fala em musse, muita gente pensa em chocolate. Mas a de limão é igualmente deliciosa. Com pouco creme de leite, esta versão leve e aerada derrete na boca.

4 ovos grandes
200 g de açúcar
¼ de colher (chá) de sal marinho
raspas de 2 limões-sicilianos (cerca de 1 colher de sopa cheia)
suco de 2 limões-sicilianos (cerca de 4 colheres de sopa)
½ xícara de creme de leite fresco
½ colher (chá) de essência de baunilha
Decoração: fatias finas de limão-siciliano, frutas vermelhas frescas ou folhas frescas de hortelã

1. Prepare o creme de limão: em duas tigelas pequenas, separe as claras e as gemas.
2. Em uma panela média, sem estar aquecida, bata as gemas e metade do açúcar; acrescente o sal, as raspas e o suco de limão, baten-

do até ficar homogêneo. Leve ao fogo médio, sem parar de mexer, por cerca de 10 minutos, até engrossar. Passe por uma peneira (descarte os sólidos) e coloque em uma tigela grande. Cubra com filme plástico e deixe na geladeira até ficar firme (por pelo menos 1 hora; se possível, mais tempo).

3. Prepare a musse: em uma vasilha, bata as claras em neve com o açúcar restante até obter picos firmes. Com delicadeza, misture o creme frio de limão. Em outra tigela, bata o creme de leite e a baunilha até obter picos moles. Junte ao creme de limão, mexendo levemente apenas para incorporar (não misture demais!)
4. Divida a musse entre tigelas ou copos individuais e leve à geladeira por pelo menos 1 hora, ou até ficar firme. Sirva com a decoração de sua preferência.

Dica de segurança:
Esta receita inclui claras de ovos cruas – em alguns países, os médicos recomendam que elas não sejam servidas a bebês com menos de 12 meses de idade.

Surpresa de abacaxi

B C D

Equipamento especial: assadeira; papel antiaderente; papel-alumínio
Preparo: 5 minutos
Cozimento: 15 minutos
Rendimento: 8 crianças ou 4 adultos (depende do tamanho do abacaxi)

Esta sobremesa simples e deliciosa fica pronta muito rápido. Prepare o abacaxi enquanto cozinha o jantar e asse quando estiverem comendo. É uma clássica abordagem francesa: muita fruta, pouco açúcar e um toque de sabor inusitado.

1 abacaxi maduro
60 g de açúcar mascavo
½ colher (chá) de gengibre em pó
½ colher (chá) de canela em pó

½ colher (chá) de pimenta-da-jamaica em pó
suco de ½ limão-siciliano (cerca de 1 colher de sopa)
sorvete de creme ou coco, para servir

1. Preaqueça o forno a 160 °C. Forre a assadeira com papel antiaderente.
2. Retire as folhas pontudas e o miolo do abacaxi. Com uma faca afiada, corte em fatias de cerca de 2,5 cm – ainda com a casca. Distribua sobre a assadeira em uma única camada.
3. Em uma tigela pequena, misture o açúcar, o gengibre, a canela, a pimenta-da-jamaica, o suco de limão e ¼ de xícara de água; regue o abacaxi. Cubra com papel-alumínio, apertando bem. Asse por cerca de 15 minutos, ou até ficar macio, regando uma ou duas vezes com a calda da assadeira. Sirva com sorvete. Hum!

Amanteigado de limão, gengibre e tomilho

B C D

Equipamento especial: batedeira; assadeira; papel antiaderente; pincel
Preparo: 15 minutos, mais 1 hora na geladeira
Cozimento: 15 minutos
Rendimento: pelo menos 24 unidades

Esta receita sempre faz sucesso com crianças. Incrementei-a com um pouco de gengibre e tomilho. Pode parecer estranho, mas acredite: é uma combinação deliciosa!

645 g de farinha de trigo
¼ de colher (chá) de sal marinho
2 colheres (chá) de fermento em pó
1 colher (chá) de tomilho seco
225 g de manteiga sem sal, em temperatura ambiente
200 g de açúcar
2 colheres (sopa) de raspas de limão-siciliano
1 colher (chá) de gengibre em pó
1 ovo grande

suco de 1 limão-siciliano (cerca de 2 colheres de sopa)
¼ de xícara de leite integral

1. Preaqueça o forno a 160 °C. Forre a assadeira com papel antiaderente.
2. Em uma tigela grande, misture a farinha, o sal, o fermento e o tomilho. Reserve.
3. Com a batedeira em velocidade média a alta, bata a manteiga, o açúcar, as raspas de limão e o gengibre por 3 a 5 minutos, até ficar fofo. Junte o ovo e o suco de limão e bata em velocidade média, até incorporar. Acrescente a mistura de farinha e bata em velocidade baixa, até incorporar (não bata demais). Divida a massa ao meio e, com as mãos, forme um rolo (com cerca de 7,5 cm de espessura) com cada parte. Embrulhe em filme plástico e leve à geladeira por pelo menos 1 hora (ou por 15 minutos ao congelador).
4. Desembrulhe a massa e corte em fatias de 1,5 cm. Distribua na assadeira, deixando 2,5 cm entre os biscoitos. Pincele com o leite. Asse por 12 a 15 minutos, até as beiradas dourarem. Nham!

Petit gâteau de chocolate e gengibre

B C D

Equipamento especial: forminhas para muffin ou ramequins; forminhas de papel para muffins; assadeira (opcional)
Preparo: 20 minutos, mais 1 hora na geladeira
Cozimento: 15 minutos
Rendimento: cerca de 12 bolinhos

Esta sobremesa desprende uma calda deliciosa quando você corta os bolinhos. Por isso são assados em pequenas fôrmas ou ramequins – assim, cada um saboreia no próprio ritmo. O passo mais importante é untar muito bem as forminhas, para que o bolo desenforme sem quebrar.

150 g de manteiga com sal
115 g de chocolate meio amargo, em pedaços de 1,5 cm
130 g de açúcar cristal

4 ovos grandes
100 g de farinha de trigo
1 colher (chá) de gengibre em pó
sorvete de creme, para servir

1. Unte 12 forminhas para muffin ou ramequins. Forre com as forminhas de papel e unte também (isso é importante!)
2. Em uma panela pequena em fogo baixo, aqueça a manteiga e o chocolate, mexendo até derreter.
3. Em uma tigela grande, bata o açúcar e os ovos até ficar pálido e fofo (os confeiteiros chamam esse estágio de "ponto de fita", pois quando você levanta as pás da batedeira, o creme escorre em fitas largas).
4. Em outra vasilha, misture a farinha e o gengibre. Acrescente ao creme de ovos, mexendo para incorporar, e então junte o chocolate derretido com a manteiga. Misture até ficar homogêneo. Transfira para as forminhas (bem untadas!), cubra com filme plástico e deixe na geladeira por 30 minutos ou, de preferência, 1 hora. (Se usar ramequins, sugiro colocá-los em uma assadeira antes de levar à geladeira.)
5. Um pouco antes de servir, preaqueça o forno a 200 °C. Asse até que os bolinhos estejam firmes na superfície, por 12 ou 13 minutos. Retire do forno e espere 5 minutos, para esfriar um pouco. Desenforme com cuidado, levantando a forminha de papel e desembrulhando sobre um prato. Sirva morno, sozinhos ou com um pouco de sorvete de creme.

Dica para a Educação do Paladar:
Varie o sabor da receita acrescentando 1 colher (chá) de essência de baunilha ou ½ colher (chá) de essência de amêndoa, laranja ou lavanda. Ou junte 1 colher (chá) de canela em pó. Outra ideia é substituir o gengibre por 1 colher (chá) de hortelã seca. Brinque com seus filhos, solicitando que tentem adivinhar que sabor foi acrescentado.

Biscoitos língua de gato

B C D

Equipamento especial: assadeira; papel antiaderente; batedeira
Preparo: 10 minutos
Cozimento: 7 minutos
Rendimento: pelo menos 24 unidades

Estes biscoitos fáceis de fazer derretem na boca, de tão deliciosos. Os especialistas recomendam o uso de um saco de confeiteiro para que os formatos fiquem idênticos. Para crianças, porém, recomendo que você as deixe espalhar a massa do jeito delas, criando biscoitos divertidos.

115 g de manteiga sem sal
70 g de açúcar de confeiteiro
3 claras grandes
½ colher (chá) de essência de baunilha
215 g de farinha de trigo
¼ de colher (chá) de sal marinho
raspas de 1 limão-siciliano

1. Preaqueça o forno a 190 °C. Forre a assadeira com papel antiaderente e unte generosamente com manteiga. (Confie em mim: não coloque os biscoitos diretamente na assadeira, mesmo que esteja bem untada: eles provavelmente se quebrarão quando você tentar tirar.)
2. Bata a manteiga na batedeira, em velocidade alta, até ficar cremosa. Junte o açúcar e bata até ficar fofo. Acrescente as claras e a baunilha, batendo até incorporar. Com uma colher de pau, adicione a farinha e o sal, raspando as laterais da vasilha. Por último, junte as raspas de limão.
3. Espalhe a massa na assadeira com o verso de uma colher, formando "línguas de gato" (biscoitos ovalados). Asse por 5 a 7 minutos, até as bordas começarem a dourar. Retire a assadeira do forno e imediatamente transfira os biscoitos para uma grade, onde devem esfriar (se esfriarem na assadeira, provavelmente se quebrarão quando você tentar retirá-los – melhor fazer isso quando ainda estão mornos!) Espere esfriar antes de servir.

Dica para a Educação do Paladar:
Para um contraste de texturas, sirva os biscoitos como acompanhamento de outras sobremesas, como a Musse de limão (página 328) ou as Verrines (abaixo).

Verrines (Sobremesas elegantes sem trabalho)

B C D

Equipamento especial: copos estreitos
Preparo: 10 minutos
Cozimento: nenhum
Rendimento: 6 a 12 porções (depende do tamanho e formato dos copos)

Verrines são um coringa na França, servidas como aperitivo (feitas com camadas de ingredientes salgados, como musse de caranguejo com abacate) ou sobremesa. A maneira como são servidas diz muito sobre a cultura culinária francesa: devem ser um prazer para os olhos, tanto quanto para o estômago. Parecem muito com o parfait e você deve servir com uma colher. As crianças ficam curiosas sobre as camadas e logo vão querer preparar as próprias verrines. Abaixo, sugiro uma receita básica, mas o método tradicional é intercalar camadas de frutas e algum ingrediente lácteo. Use a criatividade – as possibilidades são infinitas!

Use copos estreitos e claros. Pequenos copos de suco ou taças de vinho funcionam bem, mas esqueça os recipientes grandes – esta sobremesa faz a linha "menos é mais".

1 receita de Purê de pera e ameixa (página 311)
1 xícara de iogurte grego natural
140 g de mirtilo e framboesa frescos, para decorar

1. Coloque cerca de 4 colheres (sopa) de Purê de pera e ameixa em cada copo. Com outra colher, cubra com cerca de 4 colheres (sopa) de iogurte, sem misturar as duas camadas. Repita até obter o número desejado de belas camadas. Decore com mirtilo e framboesa. Sirva imediatamente ou leve à geladeira por algumas horas.

Os amigões: receitas básicas

Estas receitas básicas, rápidas e fáceis de fazer em casa, dão a você quatro opções de usar sabores conhecidos para introduzir novos ingredientes na alimentação infantil. Também ajudam a economizar dinheiro e você ainda serve a seus filhos produtos com menos sal e açúcar que os industrializados. O Caldo de legumes, por exemplo, é uma base saborosa para purês de bebês e sopas para adultos. O Vinagrete clássico representa uma alternativa saudável e intensa aos molhos comprados prontos. O Gratinado crocante tem uma textura deliciosa que ajuda a apresentar alimentos às crianças de uma maneira familiar. E o Pistou (conhecido como "catchup verde") é bem mais salutar e gostoso que o tradicional molho vermelho.

Caldo de legumes (Brodo)

A B C D

Equipamento especial: nenhum
Preparo: 5 minutos
Cozimento: 30 minutos
Rendimento: cerca de 2 xícaras

Brodo é a palavra italiana para "caldo", a melhor definição desta sopa de legumes: sutil e saborosa. Os pais italianos preparam o caldo em grande quantidade e mantêm na geladeira ou no congelador. Primeiro servem puro, mas rapidamente ele se torna uma base para outras sopas e purês. Os pediatras da Itália aconselham os pais a misturar o caldo com cereal de arroz e juntar um pouco de azeite de oliva e queijo parmesão ralado antes de servir. O resultado é uma papa que derrete na boca – e os bebês adoram.

1 batata média descascada e cortada em cubos de 2,5 cm
1 cenoura grande descascada e picada
1 abobrinha grande picada
1 alho-poró pequeno (apenas a parte branca) em fatias finas (opcional)

1. Em uma panela grande em fogo médio, cozinhe a batata, a cenoura, a abobrinha e o alho-poró em 4 xícaras de água por cerca de 30 minutos, até o líquido reduzir pela metade (o caldo engrossa enquanto cozinha). Passe por uma peneira (descarte os sólidos) e espere esfriar.

Nota:
A receita pode ser dobrada facilmente. Conserve o caldo na geladeira (em recipiente bem tampado) por 2 a 3 dias ou no congelador por 1 mês.

Dica:
Use o caldo como base para sopas ou purês para os bebês. Ele confere um rico sabor de fundo que as crianças consideram confortável e familiar – isso ajuda a se acostumarem mais rápido com novos alimentos e sabores à medida que você varia as receitas.

Vinagrete clássico

B C D

Equipamento especial: recipiente de vidro de fecho hermético
Preparo: 2 a 3 minutos
Cozimento: nenhum
Rendimento: cerca de 1 xícara

Este vinagrete é incrivelmente versátil. Sirva como molho para salada ou para acompanhar hortaliças. Antes do jantar, por exemplo, sirvo o vinagrete em pequenas tigelas ao lado de *crudités (*legumes crus), como palitos de cenoura e pepino. Para beliscar, às vezes minhas filhas usam assadeiras de bolinhos como bandejinhas: enchem alguns orifícios de legumes e um deles de vinagrete. As crianças adoram coisas diferentes e apresentações divertidas!

O molho deve ser mantido na geladeira, em um recipiente de fecho hermético, por até 1 semana. Econômico e saudável!

½ xícara de azeite de oliva extra virgem ou outro óleo vegetal de boa qualidade
⅓ de xícara de vinagre
½ colher (sopa) de mostarda de Dijon
1 colher (sopa) de mel (opcional)
1 colher (sopa) de cebola bem picada (opcional)

1. Em um recipiente de vidro de fecho hermético, misture o azeite, o vinagre, a mostarda, o mel e a cebola. Agite com vigor. Experimente antes de servir e acerte os temperos a gosto (minha sogra prefere o vinagrete mais ácido, enquanto eu gosto de uma versão mais suave).

Dica para a Educação do Paladar:
As crianças gostam de mergulhar legumes no vinagrete (minha filha mais nova comeria de colherada se eu deixasse!) Assim que estiverem familiarizadas com o sabor, incentive-as a experimentarem outras hortaliças mergulhadas no molho.

Gratinado rápido e crocante

B C D

Equipamento especial: refratário de 20 x 25 cm
Preparo: 15 minutos
Cozimento: 10 minutos
Rendimento: 4 adultos e crianças mais velhas

Esta receita baseia-se na técnica francesa do gratinado, usada para preparar diversos legumes, de batatas a couve-flor. *Gratin* define o molho branco e a cobertura crocante que dão sabor às hortaliças. Quando as crianças se acostumarem com o prato, introduza novos alimentos: o molho e a cobertura têm aparência e sabor familiares o suficiente para elas se sentirem encorajadas a experimentar outros ingredientes.

É uma ótima receita para preparar com antecedência: conserve na geladeira e coloque no forno quando chegar em casa. Dobre o tempo de cozimento (pelo menos) se utilizar esse método.

legumes variados, como: 5 ou 6 cenouras grandes descascadas e cortadas em pedaços pequenos; 5 batatas grandes descascadas e cortadas em fatias finas; uma couve-flor grande ou duas pequenas, cortadas em buquês
3 colheres (sopa) de manteiga com sal, mais 2 colheres (sopa) para a cobertura
3 colheres (sopa) de farinha de trigo
2 xícaras de leite
½ colher (chá) de pimenta-do-reino moída
¼ de colher (chá) de noz-moscada ralada
uma pitada de sal marinho (opcional)
85 g de farinha de rosca
45 g de queijo parmesão ralado

1. Preaqueça o forno a 200 °C.
2. Em uma panela grande em fogo médio a alto, ferva 6 xícaras de água. Junte os legumes e cozinhe até ficarem al dente, por 5 a 7 minutos, dependendo do ingrediente e do tamanho em que está cortado. (Não cozinhe demais, para não despedaçarem.) Escorra e reserve.
3. Enquanto isso, prepare o molho branco: em uma panela média em fogo médio, derreta 3 colheres (sopa) de manteiga. Aumente o fogo para alto, junte a farinha e cozinhe, sem parar de mexer, por 1 minuto (não deixe queimar!) Acrescente o leite, reduza o fogo para médio (não muito baixo!) e cozinhe, sem parar de mexer, por 2 a 3 minutos, até começar a engrossar. Junte a pimenta-do-reino, noz-moscada e sal (se usar).
4. Disponha os legumes no refratário e cubra por igual com o molho. Reserve.
5. Em uma tigelinha, misture a farinha de rosca e o parmesão. Polvilhe por igual sobre o refratário. Distribua 2 colheres (sopa) de manteiga cortada em pedaços pequenos. Asse por 8 a 10 minutos, ou até ficar dourado e crocante.

Dica para a Educação do Paladar:
Quando preparar a receita pela primeira vez, escolha um legume de que seus filhos gostem. Assim que se acostumarem ao gratinado, comece a acrescentar alimentos diferentes. Pergunte a eles que combinações eles gostariam de experimentar – as possibilidades são infinitas!

Pistou (ou "catchup verde")

B C D

Equipamento especial: processador ou liquidificador
Preparo: 10 minutos
Cozimento: 7 minutos
Rendimento: cerca de 1 xícara

Minhas filhas é que começaram a chamar o pistou de "catchup verde". Pode ser usado para mergulhar legumes, como molho ou condimento em qualquer receita – de hortaliças a macarrão!

½ maço de brócolis, cortado em buquês
um punhado pequeno de folhas frescas de manjericão
1 colher (sopa) de azeite de oliva extra virgem
3 colheres (sopa) de queijo parmesão ralado
1 colher (sopa) de suco fresco de limão
uma pitada de tomilho seco ou ¼ de colher (chá) de folhas de tomilho fresco
60 g de sementes de girassol tostadas e sem sal (opcional)
1 xícara de Caldo de legumes (página 335) ou caldo pronto com pouco sódio
sal marinho, a gosto

1. Ferva uma panela média com água em fogo médio. Junte os buquês de brócolis e cozinhe até ficarem macios, por 7 a 8 minutos. Escorra e reserve o líquido.
2. Coloque os brócolis cozidos, o manjericão, o azeite, o queijo parmesão, o suco de limão, o tomilho, as sementes de girassol (se usar) e ½ xícara do líquido do cozimento no processador ou liquidificador. Bata até ficar homogêneo. Prove e acrescente sal a gosto (pessoalmente, não tempero meu pistou com sal, mas tem gente

que gosta!) Conserve na geladeira, em um recipiente hermético, por até 1 semana. Às vezes eu congelo as sobras em bandejas de gelo (embora a textura fique um pouco diferente); conserve no congelador por até 1 mês.

Notas

Introdução

1. http://mandarine-et-kiwi.blogspot.ca (blog canadense, escrito em francês, sobre "educação gastronômica sensorial"); Dazeley, P. (2012). Os programas destinados a promover a alimentação saudável devem interagir com alimentos em diferentes modalidades sensoriais? Um texto sobre a evidência. *British Journal of Nutrition* 108(5): 769-77; Dovey, T.M., Aldrige, V.K., Dignan, W., Staples, P.A., Gibson, E.L. e Halford, J.C.G. (2012). Diferenças de desenvolvimento em decisões sensoriais envolvidas na decisão de experimentar uma nova fruta. *British Journal of Health Psychology* 17:258-72; Kannan, S., et al. (2011). "FruitZotic": Um caminho sensorial para introduzir crianças pré-escolares a frutas frescas exóticas em lugares vantajosos no oeste de Massachusetts. *Journal of Nutrition Education and Behavior* 43(3): 205-6; Mustonen, S., et al. (2009). Efeito da educação sensorial na percepção gastronômica de crianças em idade escolar: um estudo de dois anos. *Food Quality and Preference* 20(3): 230-40; Mustonen, S. e Tuorila, H. (2010). A educação sensorial diminui índices de neofobia e encoraja crianças de 8 a 12 anos a experimentar alimentos diferentes. *Food Quality and Preference* 21(4): 353-60; Reverdy, C., et al. (2008). Efeito da educação sensorial na disposição das crianças em aceitar alimentos novos. *Appetite* 51(1): 156-65, Reverdy. C, et al. Efeito da educação sensorial na preferência alimentar infantil. *Food Quality and Preference* 21(7): 794-804; Woo, T. e K. Lee (2011). Desenvolvimento de livro sobre educação sensorial e guia de ensino para incentivar a preferência pela gastronomia coreana em crianças em idade escolar. *Korean Journal of Nutrition* 44(4): 303-11.
2. O guia do Ministério da Educação francês está disponível em http://alimentation.gouv.fr/IMG/pdf/Classesdugout-formationdesenseignants_cle09fcdb.pdf. Para mais informações a respeito da história da "educação sensorial" na França, veja http://alimentation.gouv.fr/reseau-education-gout.
3. Muitas dessas técnicas também foram aplicadas na educação ambiental (aulas sobre a natureza, geralmente ao ar livre). Veja, por exemplo, Classen, C. (ed.). (2005). *The*

Book of Touch: Sensory Formations. Oxford: Berg Publishers; Riener, M. (2009). Informações sensoriais, visualização e aprendizado físico. *International Journal of Science Education* 31(3): 343-64.

4. Dazeley, P., et al. (2012). Os programas destinados a promover a alimentação saudável devem interagir com alimentos em diferentes modalidades sensoriais? Um texto sobre a evidência. *British Journal of Nutrition* 108(5): 769-77; Dovey, T.M., et al. (2012). Diferenças de desenvolvimento em decisões sensoriais envolvidas na decisão de experimentar uma nova fruta. *British Journal of Health Psychology* 17:258-72; Kannan, S., et al. (2011). "FruitZotic": Um caminho sensorial para introduzir crianças pré-escolares a frutas frescas exóticas em lugares vantajosos no oeste de Massachusetts. *Journal of Nutrition Education and Behavior* 43(3): 205-6; Mustonen, S., et al. (2009). Efeito da educação sensorial na percepção gastronômica de crianças em idade escolar: um estudo de 2 anos. *Food Quality and Preference* 20(3): 230-40; Mustonen, S. e Tuorila, H. (2010). A educação sensorial diminui índices de neofobia e encoraja crianças de 8 a 12 anos a experimentar alimentos diferentes. *Food Quality and Preference* 21(4): 353-60; Reverdy, C., et al. (2008). Efeito da educação sensorial na disposição das crianças em aceitar alimentos novos. *Appetite* 51(1): 156-65, Reverdy. C, et al. Efeito da educação sensorial na preferência alimentar infantil. *Food Quality and Preference* 21(7): 794-804; Woo, T. e K. Lee (2011). Desenvolvimento de livro sobre educação sensorial e guia de ensino para incentivar a preferência pela gastronomia coreana em crianças em idade escolar. *Korean Journal of Nutrition* 44(4): 303-11; Rinck. F., et al. (2011). Ontogenia do olfato durante a infância e sua relação com o desenvolvimento da linguagem. *Chemical Senses* 3(1): 83-91.
5. Rigal, N. (2006). *Winning the food fight*. Rochester, VT: Healing Arts Press.
6. Veja, por exemplo, o pronunciamento feito em conjunto pela Canadian Pediatric Society e pela Canandian Society of Allergy and Clinical Immunology: Chan, E. e Cummings, C. (2013). Exposição alimentar e prevenção da alergia em crianças de risco. *Paediatrics and Child Health* 18(10): 545-49. A American Association of Pediatrics fez um pronunciamento semelhante em 2008: Greer, F., et al. (2008). Efeitos de intervenções nutricionais prematuras no desenvolvimento de doenças atópicas em bebês e crianças: o papel das restrições dietéticas maternas, amamentação, momento de introduzir alimentos complementares e fórmulas hidrolizadas. *Pediatrics* 121(1): 183-91. As orientações americana e canadense são muito parecidas com as da Europa.

Segredo nº 1: As crianças podem aprender a gostar de alimentos saudáveis

1. Rosenthal, R., e Jacobson, L. (1969). *Pygmalion in the classroom: teacher expectation and pupil's intellectual development*. Nova York: Irvington Publishers. Veja também

Rosenthal, R. e Jacobson, L. (1968): Pygmalion in the classroom. *The Urban Review* 3(1): 16-20 e Rosenthal, R. (1994). Efeitos da expectativa interpessoal: uma perspectiva de 30 anos. *Current Directions in Psychological Science* 3(6): 176-9; Rosenthal, R., e Rubin, D.B. (1978). Efeitos da expectativa interpessoal: os primeiros 345 estudos. *Behavioral and Brain Sciences* 1(3): 377-86.

2. Rozin, P., Fallon, A. e Augustoni-Ziskind, M (1985). A concepção infantil dos alimentos: o desenvolvimento da sensibilidade de contágio a substâncias "desagradáveis". *Develpmental Psychology* 21(6): 1075-9.
3. Birch, L.L. (1980). A relação entre as preferências alimentares das crianças e de seus pais. *Journal of Nutrition Education* 12: 14-18; Birch, L.L. (1999). Desenvolvimento de preferências alimentares. *Annual Review of Nutrition* 19: 41-62; Skinner, J.D. et al. (2002). Preferências alimentares infantis: uma análise longitudinal. *Journal of the American Dietetic Association* 102(11): 1638-47.
4. Bartoshuk, L.M. (1991). Doçura: história, preferências e variações genéticas. *Food Technology* 45(11): 108, 110, 112-3; Hayes, J.A. e Keast, R.S.J. (2011). Duas décadas de superpaladar: onde estamos? *Physiology and Behavior* (104)5: 1072-4; Berridge, K.C. Reação do paladar: medindo o impacto hedonista em bebês e animais. *Neuroscience and Biobehavioral Reviews* 24: 173-98.
5. Bartoshuk, L.M. (2000). Comparando experiências sensoriais entre indivíduos: avanços psicofísicos recentes jogam luz sobre a variação genética na percepção dos sabores. *Chemical Senses* 25: 447-60; Tepper, B.J. (1999). A sensibilidade genética do paladar ao PROP influencia as preferências alimentares e o ganho de peso? *Appetite* 32(3): 422.
6. West, C. (2009, Julho/agosto). Medindo a magnitude. Observer of the American Association for Psychological Science 22(6).
7. Duffy, V.B. e Bartoshuk, L.M. (2000). A aceitação dos alimentos e a variação genética no paladar. *Journal of the American Dietetic Association* 100: 647-55; Miller, I.J. e Reedy, F.E. (1990). Variações na densidade das papilas gustativas humanas e a intensidade da percepção do sabor. *Physiology and Behavior* 47: 1213-19.
8. Bartoshuk, L.M., Duffy, V.B. e Miller, I.J (1994). Paladar PTC/PROP: anatomia, psicofísica e efeitos sexuais. *Physiology and Behavior* 56: 1165-71.
9. Zeinstra, G. et al. (2009). Expressões faciais nas crianças em idade escolar são bons indicativos de "gosto", mas não de "não gosto". *Food Quality and Preference* 20(8): 620-24.
10. Pliner, P., Pelchat, M. e Grabski, M. (1993). Redução de neofobia em humanos por meio da exposição a novos alimentos. *Appetite* 20(2): 111-23; Cooke, L. (2007). A importância da exposição na alimentação saudável durante a infância: um exame. *Journal of Human Nutrition and Dietetics* 20(4): 294-301.

11. Loewen, R. e Pliner, P. (1999) Efeitos da exposição anterior de alimentos novos, palatáveis e não palatáveis, na aceitação da criança em provar outros ingredientes novos. *Appetite* 32(3): 351-66.
12. Birch, L.L. e Marlin, D.F. (1982). Não gosto disso, nunca experimentei: efeitos da exposição nas preferências alimentares de crianças de 2 anos. *Appetite* 3(4): 353-60; Aldridge, V., Dovey, T.M. e Halford, J. (2009). O papel da familiaridade no desenvolvimento alimentar. *Developmental Review* 29(1): 32-44; Cooke, L. (2007). A importância da exposição na alimentação saudável durante a infância: um exame. *Journal of Human Nutrition and Dietetics* 20(4): 294-01; Pelchat, M. e Pliner, P. (1995). "Experimente. Você vai gostar": efeitos da informação na disposição para provar novos alimentos. *Appetite* 24(2): 153-65.
13. Loewen, R. e Pliner, P. (1999). Efeitos da exposição anterior de alimentos novos, palatáveis e não palatáveis, na aceitação da criança em provar outros ingredientes novos. *Appetite* 32(3): 351-66.
14. Birch, L.L. et al. (1987). Que tipo de exposição reduz a neofobia em crianças? Olhar vs. provar. *Appetite* 9(3): 171-8; Williams, K.E. et al. (2008). A prática faz a perfeição: um olhar longitudinal à exposição repetida do paladar. *Appetite* 51(3): 739-42; Heathe, P., Houston-Price, C. e Kennedy, O.B. (2011). Aumentando a familiaridade gastronômica sem lágrimas: papel para a exposição visual? *Appetite* 57(3): 832-8. Houston-Price, C., Butler, I. e Shiba, P. (2009). Impactos da exposição visual na disposição de crianças de colo para experimentar frutas e hortaliças. *Appetite* 53(3): 450-53.
15. Kessler, D. (2010). The end of over-eating: taking control of the insatiable american appetite. Emmaus, PA: Rodale Books.
16. Ventura, A. e Mennella, J. (2011). Preferência inata e adquirida pelo sabor doce durante a infância. *Current Opinion in Clinical Nutrition and Metabolic Care* 14(4): 379-84.
17. Harrison, D. et al. (2010). Efeitos analgésicos das soluções doces para bebês: estado atual do equilíbrio. *Pediatrics* 126(5): 894-902.
18. Baeyens, F. et al. (1990). O condicionamento do sabor-sabor e da cor-sabor em seres humanos. *Learning and Motivation* 21(4): 434-55.
19. Eertmans, A., Baeyens, F. e Van den Bergh, O. (2001). O gosto por alimentos e sua importânica relativa no comportamento alimentar humano: análise e sugestões preliminares para a promoção da saúde. *Health Education Research: Theory and Practice* 16(4): 443-56.
20. Capaldi, E.D. e Privitera, G.J. (2008). Como diminuir a rejeição de azedo e amargo em crianças e adultos. *Appetite* 50(1): 139-45.
21. Havermans, R.C. e Jansen, A. (2007). Como aumentar a aceitação de crianças pelas hortaliças por meio do aprendizado sabor-sabor. *Appetite* 48(2): 259-62.

22. Pliner, P. e Stallberg-White, C. (2000). "Passe o catchup, por favor": sabores familiares aumentam a disposição de crianças para experimentar alimentos novos. *Appetite* 34(1): 95-103.
23. Rozin, P. (1976). "A seleção de alimentos por ratos, seres humanos e outros animais", em Rosenblatt, J. et al. (eds.), *Advances in the study of behavior* (vol. 6). Nova York: Academic Press, 21-76.
24. Fallon, A.E., Rozin, P. e Pliner, P. (1984). A concepção infantil de comida: o desenvolvimento de rejeições alimentares com referência especial à aversão e sensibilidade por contaminação. *Child Development*: 566-75.
25. Miller, G. (2011). Doce aqui, salgado ali: evidências para um mapa do sabor no cérebro dos mamíferos. *Science* 333(6047): 1213; Chen, X. et al. (2011). Um mapa gustotópico das qualidades do paladar no cérebro dos mamíferos. *Science* 333(6047) 1262-6.
26. Schiffman, S.S. (1997). Perdas do paladar e do olfato no envelhecimento normal e doenças. *Journal of the American Medical Association* 278(16): 1357-62.
27. Anzman, S.L., Rollins, B.Y. e Birch, L.L. (2010). Influência dos pais no ambiente gastronômico infantil e risco de obesidade: consequências para a prevenção. *International Journal of Obesity* 34(7): 1116-24.

Segredo nº 2: Fazer propaganda dos alimentos saudáveis realmente funciona!

1. Consultado em http://news.bbc.co.uk/2/hi/uk_news/england/8492477.stm.
2. Consultado em http://www.primaryindustrieseducation.com.au/resources/reports/foodfibrefuture.pdf.
3. Howden, N. (2001, 5 de março). Vergonha cultural: crianças não conseguem ver iogurtes nas árvores. *Sydney Morning Herald*. Veja também Hillman, K. e Buckley, S. (2011). Comida, fibras e o futuro: relatório de pesquisas sobre o conhecimento de estudantes e professores a respeito de Indústrias Primárias. Sydney: ACER. Consultado em: http://www.primaryindustrieseducation.com.au/resources/reports/foodfibrefuture.pdf.
4. Schor, J.B. e Ford, M. (2007). Do "gostoso" ao "cool": o marketing alimentar para crianças e o crescimento do simbólico. *The Journal of Law, Medicine and Ethics* 35(1): 10-21; Desrochers, D.M. e Holt, D.J. (2007). A exposição das crianças aos anúncios de TV: consequências para a obesidade infantil. *Journal of Public Policy and Marketing* 26(2): 20; Dorfman, L.E. e Wootan, M.G. (2012). O país precisa fazer mais para fazer propaganda de alimentos às crianças. *American Journal of Preventive Medicine* 42(3): 334; Cairns, G. et al. (2013): Análises sistemáticas da evidência da natureza, extensão e efeitos do marketing de alimentos para crianças: um resumo retrospectivo. *Appetite* 62: 209-15. Nestle, M. (2002). *Food Politics: How the Food Industry Influences Nutrition, and Health*. Berkeley: University of California Press.

5. Mello, M.M, Studdert, D.M. e Brennan, T.A. (2006). Obesidade: a nova fronteira da lei de saúde pública. *New England Journal of Medicine* 354(24): 2601-10; Batada. A. et al. (2008). Nove em cada 10 propagandas de alimentos mostradas durante a programação de TV infantil nas manhãs de sábado anunciam produtos ricos em gordura, sódio e açúcar ou pobres em nutrientes. *Journal of the American Dietetic Association* 108(4): 673-8.
6. Harris, J.L., Bargh, J.A. e Brownell, K.D. (2009). Efeitos primários da propaganda de alimentos na TV no comportamento alimentar. *Health Psychology* 28(4): 404-13; Harris, J.L. et al. (2009). Uma crise no mercado: como o marketing dos alimentos contribui para a obesidade infantil e o que pode ser feito. *Annual Review of Publich Health* 30(1): 211-25.
7. Alvy, L. e Calvert, S. (2008). O marketing de alimentos em *websites* infantis populares: uma análise de conteúdo. *Journal of the American Dietetic Association* 108(4): 710-13.
8. Troianovksi, A. (2012, março). Brincadeira de criança: a indústria alimentícia prende a garotada em games móveis. *Wall Street Journal*. Consultado em: http://www.wsj.com/news/articles/SB10000872396390444812704577605263654758948.
9. BBC News Online. (2011, 17 de dezembro). Fabricantes de comida fazem propaganda online para as crianças. Consultado em: http://www.bbc.co.uk/news/health-16217306.
10. Richtel, M. (2011, 20 de abril). Jogos online: um caminho para jovens consumidores. *The New York Times*. Consultado em: http://www.nytimes.com/2011/04/21/business/21marketing.html?pagewanted=all&_r=0.
11. Von Normann, K. (2009). O impacto do estilo de vida e do conhecimento gastronômico nos padrões alimentares das crianças alemãs. *International Journal of Consumer Studies* 33(4): 382-91; Harris, J.L., Brownell, K.D. e Bargh, J.A. (2009). O modelo defensivo do marketing de alimentos: integrando pesquisas psicológicas para proteger a juventude e informar o público. *Social Issues and Policy Review* 3(1): 211-71; Chaplin, L.N. e John, D.R. (2005). O desenvolvimento da conexão individual com a marca em crianças e adolescentes. *Journal of Consumer Research* 32: 119-29.
12. Forman, N. et al. (2009). O marketing dos alimentos influencia o consumo livre de maneiras diferentes nas crianças de acordo com o peso: resultados de um estudo-piloto. *Appetite* 53(1): 76-83; Nestle, M. (2006). Marketing de alimentos e obesidade infantil: uma questão de política. *New England Journal of Medicine* 354(24): 2527-9; Nestle, M. (2002). *Food Politics: How the Food Industry Influences Nutrition, and Health.* Berkeley: University of California Press.
13. McGinnis, J.M., Gootman, J.A. e Kraak, V.I. (eds.) (2006). *Food Marketing to Children and Youth: Threat or Opportunity?* Washington, D.C.: National Academics Press.

14. Deliza, R. e MacFie, H.J.H. (1996). A geração da expectativa sensorial por meio de incentivos externos e seu efeito na percepção sensorial e avaliações hedonísticas: uma análise. *Journal of Sensory Studies* 11: 103-28; Fazio, R.H. (2001). Sobre a ativação automática de avaliações associadas: um panorama. *Cognition and Emotion* 15: 115-41; Chartrand, T.L. et al. (2008). Objetivos e escolhas inconscientes dos consumidores. *Journal of Consumer Research* 35: 189-201.
15. Bargh, J.A. e Ferguson, M.J. (2000). Além do comportamento: a automação de processos mentais superiores. *Psychological Bulletin*, 126: 925-45; Strack, F. e Deutsch, R. (2004). Determinantes refletivas e impulsivas do comportamento social. *Personality and Social Psychology Review* 8: 220-47. Wilson, T.D. e Bar-Anan, Y. (2008). A mente invisível. *Science* 321: 1046-7; Dijksterhuis, A., Chartrand, T.L. e Aarts, H. (2007). Comportamento automático. Em J. A. Bargh (ed.), *Social Psychology and the Unconscious: The Automaticity of Higher Mental Processes*. Filadélfia: Psychology Press. Descobertas semelhantes dizem respeito à percepção do consumo de álcool por crianças pequenas, veja: Austin, E.W. e Knaus, C. (2000). Prevendo o potencial do comportamento de risco entre os que são "muito jovens" para beber como resultado de propaganda atraente. *Journal of Health Communication* 5: 13-27. É por isso, também, que mensagens do gênero "coma de maneira saudável" e "faça mais exercícios", transmitidas por órgãos de saúde pública, mostram-se relativamente ineficazes em mudar comportamentos de longo prazo. Veja, por exemplo, Wardle, J. e Huon, G. (2000). Uma investigação experimental das influências de informações sobre saúde no gosto das crianças. *Health Education Research* 15: 39-44.
16. Schor, J.B. e Ford, M. (2007). Do "gostoso" ao "cool": o marketing alimentar para crianças e o crescimento do simbólico. *The Journal of Law, Medicine and Ethics* 35(1): 10-21.
17. Nestle, M. (2002), Food Politics: How the Food Industry Influences Nutrition, and Health. Berkeley: University of California Press.
18. Christakis, D.A. (2008). Os efeitos da mídia para crianças: o que sabemos e o que podemos aprender? *Acta Paediatrica* 98(1): 8-16; Lillard, A.S. e Peterson, J. (2011). O impacto imediato de diferentes tipos de TV na função executora de crianças pequenas. *Pediatrics* 128(4): 644-9; Zimmerman, F.J., Christakis, D.A. e Meltzoff, A.N. (2007). Associações entre ver TV e o desenvolvimento da linguagem em crianças com menos de 2 anos. *Journal of Pediatrics* 151(4): 364-68; Page, A. et al. (2010). Crianças: ver TV está associado a dificuldades psicológicas sem relação com atividades físicas. *Pediatrics*. Doi: 10.1542/peds. 2010-1154; Strasburger, V.C. et al. (2011). Manifesto político: crianças, adolescentes, obesidade e a mídia. *Pediatrics* 128:201-8; Boyland, E.J. et al. (2011). Propaganda de alimentos aumenta a preferência por comida calórica, principalmente em crianças que assistem mais à TV. *Pediatrics* 128: e93-e100.

19. Halford, J.C.G. et al. (2004). Efeitos dos anúncios de alimentos na TV sobre o consumo infantil de comida. *Appetite* 42: 221-5; Halford, J.C.G. et al. (2007). Efeitos dos anúncios de comida na TV, além das marcas, sobre o consumo calórico e as escolhas alimentares de crianças de 5 a 7 anos. *Appetite* 49: 263-7; Harris, J.L., Bargh, J.A. e Brownell, K. (2009). Efeitos diretos dos anúncios de alimentos na TV sobre o comportamento alimentar. *Health Psychology* 28: 404-13.

20. Wansink, B. et al. (2012). Nomes atraentes aumentam o consumo de hortaliças nas escolas. *Preventive Medicine* 55(4): 330-32; Wansink, B. et al. (2011). O que existe num jogo? Dar nomes descritivos às hortaliças aumenta as vendas no almoço. *Journal of Nutrition Education and Behavior* 43(4): S1.

21. Wansink. B. et al. (2012). Criar marcas para os alimentos melhora o almoço escolar? *Preventive Medicine* 166(10): 967-8.

22. Wansink, B., Shimizu, M., Camps, G. (2011). O que o Batman comeria? Incentivando as crianças a fazer escolhas alimentares saudáveis. *Pediatric Obesity* 7: 121-3.

23. Morizet, D. et al. (2012). O efeito de rotular sobre a aceitação de novos pratos com hortaliças em pré-adolescentes. *Appetite* 59(2): 399-402.

24. Harper, L. e Sanders, K. (1975). O efeito da alimentação do adulto na aceitação de alimentos desconhecidos por crianças pequenas. *Journal of Experimental Child Psychology* 20: 200-14; Hendy, H. e Raudenbush, B. (2000). Eficácia do professor como exemplo para encorajar a aceitação dos alimentos em crianças pré-escolares. *Appetite* 34(1): 61-76; Jansen, A. e Tenney, N. (2001). Ver a mamãe tomar uma bebida "light": o aprendizado social é um determinador mais forte na preferência do paladar adquirido do que o condicionamento às calorias? *European Journal of Clinical Nutrition* 55(6): 418-22.

25. Birch, L.L. (1980). Efeitos do exemplo de colegas nas escolhas alimentares e no comportamento alimentar de pré-escolares. *Child Development* 51: 489-96.

26. French, S.A. et al. (1999). Correlatos cognitivos e demográficos da venda de petiscos com baixa gordura entre adolescentes e adultos. *Journal of the American Dietetic Association* 99(4): 471-5; Zandstra, E.H., De Graaf, C. e Van Staveren, W. (2001). Influência da saúde e do paladar no consumo de alimentos com pouca e muita gordura. *Food Quality and Preference* 12: 75-82; Glanz, K. et al. (1998). Por que os americanos comem o que querem: sabor, nutrição, preço, conveniência e preocupação com o controle do peso como influências no consumo de alimentos. *Journal of the American Dietetic Association* 98: 1118-26; Neumark-Sztainer, D. et al. (2003). Correlatos do consumo de frutas e hortaliças entre adolescentes: descobertas do Projeto EAT. *Preventive Medicine* 37: 198-208.

27. Kitts, D. (1994). Substâncias bioativas na comida: identificação e usos potenciais. *Canadian Journal of Physiology and Pharmacology* 72: 423-34.

28. Cooke, L.J. et al. (2011). Comer por prazer ou ganho. *Psychological Science* 22(2): 190-96.
29. Sekar, R., Rajagopal, P. e Gilbride, T.J. (2010). Fazendo a propaganda de alimentos saudáveis para crianças: a eficácia dos incentivos, comprometimento e competições. *Journal of Marketing* 74(3): 93-106.
30. Esses produtos eram alguns dos 19 pares usados em uma degustação às cegas do *Consumer Reports*, que encontrou poucas diferenças significativas de sabor entre eles. Em cada caso, os examinadores do *Consumer Reports* encontraram pouca ou nenhuma diferença entre a qualidade do sabor do produto de marca e do genérico. *Consumer Reports* (2012, outubro). Famosos vs. Genéricos: nossos testes colocam produtos sem marca contra os rivais de nome. Consultado em: http://consumerreports.org/cro/magazine/2012/10/store-brand-vs-name-brand-taste-off/index.htm.
31. Robinson, T.N. et al. (2007). Efeitos das propagandas de fast food no paladar de crianças pequenas. *Archives of Pediatric and Adolescent Medicine* 161: 792-7.
32. Moore, E.S. e Lutz, R.L. (2000). Crianças, propaganda e experiências de produtos: uma pesquisa de muitos métodos. *Journal of Consumer Research* 27: 31-48.
33. Raju, S. et al. (2010). Fazendo a propaganda de alimentos saudáveis para crianças: a eficácia dos incentivos, comprometimento e competições. *Journal of Marketing* 74(3): 93-106.
34. Cooke, L.J. et al. (2011). Comer por prazer ou ganho. *Psychological Science* 22(2): 190-96.

Segredo nº 3: Estabeleça um lanche por dia

1. Waller, C.E., Du, S. e Popkin, B.M. (2012). Padrões de sobrepeso, inatividade e lanches em crianças chinesas. *Obesity Research* 11(8): 957-61.
2. Piernas, C. e Popkin, B.M. (2010). Tendências em petiscos entre crianças americanas. *Health Affairs* 29(3): 398-404.
3. Veja http://www.letsmove.gov.
4. Piernas, C. e Popkin, B.M. (2010). O ato de beliscar aumentou entre os adultos americanos entre 1977 e 2006. *Journal of Nutrition* 140(2): 325-32.
5. Kerr, M.A. et al. (2009). Padrões de lanches entre adolescentes: uma comparação do tipo, frequência e tamanho das porções entre a Grã-Bretanha em 1997 e a Irlanda do Norte em 2005. *British Journal of Nutrition* 101(1): 122.
6. Jahns, L, Siega-Riz, A.M. e Popkin, B.M. (2001). O aumento dos lanchinhos entre crianças americanas entre 1977 e 1996. *The Journal of Pediatrics* 138(4): 493-8; Zizza, C., Siega-Riz, A.M. e Popkin, B.M. (2001). Aumento significativo de lanches entre jovens adultos de 1977-1978 e 1994-1996 representa uma fonte de preocupação! *Preventive Medicine* 32(4): 303-10.
7. Kessler, D. (2009). The End of Over-eating: Taking Control of the Insatiable American Appetite. Emmaus, PA: Rodale Press.

8. Fisher, J.O. e Birch, L.L. (2002). Comer sem fome e o sobrepeso em garotas de 5 a 7 anos. *American Journal of Clinical Nutrition* 76(1): 226-31.
9. Kagamimori, S. et al. (2008). A relação entre estilo de vida, características sociais e obesidade em crianças japonesas de 3 anos. *Child: Care, Health and Development* 25(3): 235-48.
10. Abramson, E. (2011). *It's Not Just Baby Fat*. [S.l.]: Bodega Books.
11. Birch, L.L. e Deysher, M. (1985). Compensação calórica condicionada e não condicionada: evidências para a autorregulamentação do consumo de alimentos por crianças pequenas. *Learning and Motivation* 16: 341-55; Deysher, M. (1986). Compensação calórica e saciedade sensorial: evidências para a autorregulamentação do consumo de alimentos por crianças pequenas. *Appetite* 7(4): 323-31.
12. Young, L.R. e Nestle, M. (2003). Porções cada vez maiores no mercado americano: consequências para o aconselhamento nutricional. *Journal of the American Dietetic Association* 103(2): 231-4.
13. Mischel, W. et al. (1972). Mecanismos cognitivos e de atenção no atraso da gratificação. *Journal of Personality and Social Psychology* 21(2): 204-18. Veja também: Eigste, I. et al. (2006). Prevendo o controle cognitivo da pré-escola ao final da adolescência e começo da idade adulta. *Psychological Science* 17(6): 478-84; Casey, B.J. et al. (2011, 29 de agosto). Correlatos comportamentais e neurais do atraso da gratificação 40 anos depois. *Proceedings of the National Academy of Sciences* u108(36): 14998-15003.
14. Honkanen, P. et al. (2012). Influências reflexivas e impulsivas no consumo de petiscos nocivos: os efeitos moderadores do autocontrole relacionado à alimentação. *Appetite* 58(2): 616-22.
15. Flood-Obbagy, J.E. e Rolls, B.J. (2009). O efeito das frutas em diferentes formas no consumo de energia e saciedade durante as refeições. *Appetite* 52(2): 416-22.
16. Cornwell, T.B. e McAlister, A.R. (2010). Escolhas contingentes: explorando a relação entre bebidas doces e o consumo de hortaliças. *Appetite* 62: 203-8. doi: http://dx.doi.org/10.1016/j.appet.2012.05.001.
17. Cheng, J. (2012) Pensamentos sobre a comida. *Journal of the American Medical Association* 308(11): 1101-2.
18. Adaptado do guia do Ministério da Educação francês, disponível em http://alimentation.gouv.fr/IMG/pdf/Classesdugout-formationdesenseignants_cle09fcdb.pdf.
19. Gori, M. et al. (2008). Crianças pequenas não incorporam informações visuais e táteis. *Current Biology* 18(9): 694-8.
20. Lukasewycz, L.D. e Mennella, J.A. (2012). Acuidade tática lingual e preferências de texturas de alimentos entre crianças e suas mães. *Food Quality and Preference* 26(1): 58-66.

Segredo nº 4: Rotinas e rituais tornam a alimentação saudável automática (e divertida!)

1. Spill, M. et al. (2010). Comer hortaliças primeiro: o uso das porções para aumentar o consumo de hortaliças em crianças pré-escolares. *American Journal of Clinical Nutrition* 91(5): 1237-43; Wardle, J. et al. (2012). O estilo da alimentação dos pais e a transmissão intergeracional do risco de obesidade. *Obesity Research* 10(6): 453-62.
2. Birch, L.L. (1980). A relação entre as preferências alimentares das crianças e as de seus pais. *Journal of Nutrition Education* 12: 14-18.
3. Morizet, D. et al. (2011). Conhecimento perceptivo e léxico de hortaliças em crianças pré-adolescentes. *Appetite* 56(1): 142-7.
4. Shutts, K. et al. (2009). Informações sociais guiam as escolhas alimentares das crianças. *Journal of Cognition and Development* 10(1-2): 1-17; Stevenson, R. et al. (2010). A resposta das crianças aos gatilhos de aversão adulta: desenvolvimento e aquisição. *Developmental Psychology* 46(1): 165-77.
5. Greenhalg, J. et al. (2009). Efeitos de exemplos positivos e negativos no consumo de alimentos azuis por crianças pequenas. *Appetite* 52(3): 646-53.
6. Horne, P.J. et al. (2008). O aumento da oferta paterna e o consumo de frutas e hortaliças pelas crianças da Irlanda: a intervenção Food Dudes. *European Journal of Clinical Nutrition* 63(5): 613-18; Horne, P.J. et al. (1995). Um procedimento eficaz para mudar as preferências alimentares em crianças de 5 a 7 anos. *Proceedings of the Nutrition Society* 54(2): 441-52.
7. Rozin, P. e Nemeroff, C.J. (1990). As leis da empatia mágica: uma análise psicológica de similaridade e contágio. Em Stiglet, J., Herdt, G. e Shweder, R.A. (eds.), *Cultural Psychology: Essays on Comparative Human Development*. Cambridge, Reino Unido: Cambridge University Press, 205-302.
8. Ochs, E. e Shohet, M. (2006). A estruturação cultural da socialização durante as refeições. *New Directions for Child and Adolescent Development* 111:35-49.

Segredo nº 5: Crianças não precisam de "comida de criança"

1. Moriyama, N. (2005). Mulheres japonesas não envelhecem nem engordam. Rio de Janeiro: Rocco.
2. Rose, D. (2012, 15 de março). A verdade sobre os alimentos "amigos" das crianças. Consultado em www.psychologytoday.com/blog/the-art-science-teaching-kids-eat-right/201203/the-truth-about-child-friendly-foods; Kessler, D. (2009). *The End of Over-Eating: Taking Control of the Insatiable American Appetite*. Emmaus, PA: Rodale Press.
3. Burger, K.S. e Stice, E. (2012) O consumo frequente de sorvete está associado à resposta estriada reduzida no consumo de milk-shake de sorvete. *American Journal of Clinical Nutrition* 95(4): 810-17.

4. Kessler, D. (2009). The End of Over-Eating: Taking Control of the Insatiable American Appetite. Emmaus, PA: Rodale Press.
5. Johnson, P. e Kenny, P. (2010). Receptores de dopamina D2 na disfunção de recompensa semelhante ao vício e a alimentação compulsiva em ratos obesos. *Nature Neuroscience* 13: 635-41; Epstein, D. e Shaham, Y. (2010). Ratos que se alimentam de cheesecake e a questão do vício em comida. *Nature Neuroscience* 13: 529-31.
6. Rose, D. (2012, 15 de março). A verdade sobre os alimentos "amigos" das crianças. Consultado em www.psychologytoday.com/blog/the-art-science-teaching-kids-eat-right/201203/the-truth-about-child-friendly-foods.
7. Kessler, D. (2009). The End of Over-Eating: Taking Control of the Insatiable American Appetite. Emmaus, PA: Rodale Press.
8. Consultado em http://www.cancer.umn.edu/research/programs/peiowa.html.
9. Fisher, J.O. e Birch, L.L. (1999). O acesso restrito a comidas palatáveis afeta o comportamento, as escolhas e o consumo de alimentos pelas crianças. *American Journal of Clinical Nutrition* 69(6): 1264-72.
10 Adessi, E. et al. (2005). Influências sociais específicas na aceitação de novos alimentos em crianças de 2 a 5 anos. *Appetite* 45(3): 264-71; Haire-Joshu, D. et al. (2008). Saudação às crianças: o impacto de um programa caseiro no consumo de frutas e hortaliças por pais e filhos pré-escolares. *Preventative Medicine* 47(1): 77-8; Hughes, S.O. et al. (2007). O impacto da alimentação dos pais e cuidadores no consumo alimentício infantil. *Journal of Developmental and Behavioral Pediatrics* 28(2): 100-107; Wardle, J., Carnell, S. e Cooke, L. (2005). O controle dos pais sobre a alimentação e o consumo de frutas e hortaliças pelas crianças: como estão relacionados? *Journal of the American Dietetic Association* 105(2): 227-32.
11. Bittman, M. (2012, junho). Que dieta funciona? *New York Times*. Consultado em http://opinionator.blogs.nytimes.com/2012/06/26/which-diet-works/?hp.
12. Cooper, E. (1986). Boas maneiras chinesas à mesa: você é como você come. *Human Organization* 45(2): 179-84.
13. Birch, L.L. et al. (1987). Que tipo de exposição reduz a neofobia alimentar infantil? Olhar vs. Provar. *Appetite* 9(3): 171-8.
14. Busick, D.B. et al. (2008, novembro). Compras de alimentos feitas pelos pais como medida de exposição e a disposição de crianças pré-escolares para identificar e experimentar frutas e hortaliças. *Appetite* 51(3): 468-73; Wardle, J. et al. (2003a). O aumento da aceitação de hortaliças pelas crianças: um estudo randômico da exposição feita pelos pais. *Appetite* 40(2): 155-62; Wardle, J. et al. (2003b). Modificando as preferências alimentares infantis: os efeitos da exposição e recompensas na aceitação de uma hortaliça desconhecida. *European Journal of Clinical Nutrition* 57(2): 341-8.

15. Wardle, J. et al. (2003a). O aumento da aceitação de hortaliças pelas crianças: um estudo randômico da exposição feita pelos pais. *Appetite* 40(2): 155-62; Wardle, J. et al. (2003b). Modificando as preferências alimentares infantis: os efeitos da exposição e recompensas na aceitação de uma hortaliça desconhecida. *European Journal of Clinical Nutrition* 57(2): 341-8.
16. Howard, A.J. et al. (2012). Preferências alimentares de crianças de colo: o impacto da exposição a novidades, preferências maternas e neofobia. *Appetite* 59(3): 818-25.
17. Ministério da Educação Nacional (2012). *Programme de formation des enseignants sur les classes du goût*. Paris: Ministério Nacional da Educação Francês.
18. McCrickerd, K. et al. (2012). Mudanças sutis no sabor e textura de uma bebida aumenta as expectativas de saciedade. *Appetite* 59(2): 632.
19. Johnson, J. e Clydesdale, F.M. (1982). A percepção da doçura e do vermelho em soluções coloridas de sacarose. *Journal of Food Science* 47: 747-52.
20. O Centro para a Ciência no Interesse Público tem um ótimo *website* que explica os riscos para a saúde de diferentes aditivos alimentícios. http://www.cspinet.org/reports/chemcuisine.htm.
21. Sinn, N. (2008). Influências nutricionais e dietéticas no Transtorno do Déficit de Atenção com Hiperatividade. *Nutrition Reviews* 66(10): 558-68; McCann, D. et al. Aditivos alimentícios e o comportamento hiperativo em crianças da comunidade entre 3 anos e 8 a 9 anos: um estudo randômico, às cegas, controlado por placebo. *Lancet* 370(9598): 1560-67.
22. Weiss, B. (2010). Corantes alimentícios sintéticos e riscos neurocomportamentais: a visão de pesquisas de saúde ambiental. *Environmental Health Perspectives* 120(1): 1.

Segredo nº 6: Participar é melhor do que pressionar

1. Carper, J.L, Fisher, J.O. e Birch, L.L. (2000). Repressão dietética e desinibições emergentes em garotas estão relacionadas ao controle dos pais na alimentação das crianças. *Appetite* 35(2): 121-9.
2. Jansen, E., Mulkens, S. e Jansen, A. (2007). Não coma o alimento vermelho! A proibição de petiscos leva a seu consumo relativamente maior pelas crianças. *Appetite* 49(3): 572-7.
3. Nanney, M.S. et al. (2007). A frequência da alimentação com produtos cultivados em casa está associada com o maior consumo entre pais e filhos em idade pré-escolar no interior do Missouri. *Journal of the American Dietetic Association* 107(4): 577-84; Hein, S. et al. (2011). Uma interferência baseada na comunidade pode favorecer a comida caseira? Perspectivas para os pais sobre a influência de hortas deliciosas e nutritivas. *Journal of Nutrition Education and Behavior* 43(2): 130-34; Somerset, S. e Markwell, K. (2009). Impacto de uma horta escolar no comporta-

mento e nas habilidades de identificação de hortaliças e frutas: uma intervenção de 12 meses. *Public Health Nutrition* 12: 214-21; Parmer, S.M. et al. (2009). Hortas escolares: uma aproximação experimental de aprendizado para um programa de educação nutritiva com vistas a aumentar o conhecimento, a preferência e o consumo de frutas e hortaliças entre estudantes do segundo ano. *Journal of Nutrition Education and Behavior* 41: 212-17.

Segredo nº 7: Comer com consciência opera mágicas

1. Wansink, B., Painter, J.E. e North, J. (2005). Tigelas sem fundo: por que a indicação visual do tamanho das porções pode influenciar o consumo de alimentos. *Obesity Research* 13(1): 93-100.
2. Consultado em http://foodpsychology.cornell.edu/outreach/bottomless-bowls.html.
3. Wansink, B. (2004). Fatores ambientais que, por ignorância, aumentam o volume de comida consumida. *Annual Review of Nutrition* 24:455-79; Wansink, B., Van Ittersum, K. e Painter, J.E. (2006). A ilusão do sorvete: tigelas, colheres e o tamanho das porções que servimos. *American Journal of Preventive Medicine* 31(3): 240-43; Wansink, B. e Kim, J. (2005). Pipoca em sacos enormes: o tamanho das porções pode influenciar o consumo tanto quanto o sabor. *Journal of Nutrition Education and Behavior* 37(5): 241-5; Wansink, B. e Cheney, M.M. (2005). Tigelas gigantes: o tamanho dos recipientes e o consumo de alimentos. *J A M A* 293(14): 1727-8.
4. Marteau, T.M., Hollands, G.H. e Fletcher, P.C. (2012). Mudando o comportamento humano para prevenir doenças: a importância de identificar processos automáticos. *Science* 337(6101): 1492-5.
5. Hanks, A., Just, D. e Wansink, B. (2012). Gatilhos: a influência de alternativas "irrelevantes" nas lanchonetes escolares. *Agricultural and Resource Economics Review* 41(1): 114-23.
6. Halford, J.C.G. (2012). Diferenças de desenvolvimento em decisões sensoriais envolvidas na decisão de experimentar uma nova fruta. *British Journal of Health Psychology* 17:258-72.
7. Hill, J.O. e Peters, J.C. (1998). Contribuições do ambiente à epidemia de obesidade. *Science* 280: 1371-4.
8. Consultado em http://mindlesseating.org/faq.php.
9. Consultado em http://www.suntimes.com/lifestyles/food/16808808-423/cooking-for-kids-sweet.html
10. Howard, A.J. et al. (2012). Preferências alimentares de crianças de colo: o impacto da exposição a novidades, preferências maternas e neofobia. *Appetite* 59(3): 818-25.
11. Fischler, C. *L'homnivore*. Paris: Odile Jacob.

12. Beltran, A. et al. (2011). Identificando e esclarecendo valores e pronunciamentos lógicos que promovem práticas parentais eficazes com o uso de intensivas entrevistas. *Journal of Nutrition Education and Behavior* 43(6): 531-5.
13. Bone, J. (2005). O pão nosso: espiritualidade, comida e a educação no começo da infância. *International Journal of Children's Spirituality* 10(3): 307-17; Nath, J. (2010). Deus é vegetariano: a alimentação, saúde e bioespiritualidade dos hare krishnas, budistas e adventistas do sétimo dia. *Health Sociology Review* 19(3): 356-68.
14. Kleef, E.V., Shimizu, M., e Wansink, B. (2012). Só uma mordida: porções bem menores no lanche satisfazem a fome e o desejo. *Food Quality and Preference* 27(1): 96-100.
15. Birch, L.L. (1980). A relação entre as preferências alimentares das crianças e de seus pais. *Journal of Nutrition Education* 12: 14-18; Wansink, B., Payne, C.R. e Chandon, P. (2007). Indícios internos e externos da cessação alimentar: O paradoxo francês redux? *Obesity* 15: 2920-24.
16. CSPI. (2012). *Liquid candy: how soft drinks are harming America's health*. Washington: Centre for Science in the Public Interest.
17. Batsell, W.R., Brown, A.S., Ansfield, A.E. e Paschall, G.Y. (2002). Você vai comer tudo!: uma análise retrospectiva de episódios de consumo forçado. *Appetite* 38(3): 211-19; Brown, K.A. et al. (2008). O papel das práticas de controle parentais na explicação da dieta infantil e do índice de massa corporal. *Appetite* 50(2-3): 252-9; Galloway, A. (2006). "Termine a sopa": efeitos contraproducentes de pressionar as crianças a comerem de acordo com consumo e afeto. *Appetite* 46(3): 318-23.

Bebês: o máximo de variedade com o mínimo de confusão

1. Birch, L. (1998). Desenvolvimento dos padrões de aceitação alimentar nos primeiros anos da vida. *Proceedings of the Nutrition Society* 57(4): 617-24; Birch, L. (1999). Desenvolvimento de preferências alimentares. *Annual Review of Nutrition* 19: 41-62; Mennella, J. et al. (2008). Variedade é o tempero da vida: estratégias para promover a aceitação de frutas e hortaliças durante a infância. *Physiology and Behavior* 94(1): 29-38; Maier, A. (2008). *A experiência precoce da variação sensorial e suas consequências sobre a alimentação futura. Enfance* 60(3): 231-40; Schwartz, C., Issanchou, S. e Nicklaus, S. (2009). Mudanças do desenvolvimento na aceitação dos cinco sabores básicos no primeiro ano de vida. *British Journal of Nutrition* 102(9): 1375-85; Schwartz, C. et al. (2010). *A que sabores são expostos os lactentes no primeiro ano de vida? Archives de Pédiatrie* 17(7): 1026-34; Schwartz, C. et al. (2011). O papel do paladar na aceitação alimentar durante o desmame. *Physiology and Behaviour* 104: 646-52.
2. Mennella, J.A. et al. (2005). Práticas de alimentação de infantes e experiências iniciais de sabor em crianças mexicanas: um estudo intracultural. *Journal of the American Dietetic Association* 105(6): 908-15; Birch, L.L. et al. (1998). O consumo de novos ali-

mentos por infantes estimula a aceitação de alimentos semelhantes. *Appetite* 30(3): 283-95; Forestell, C.A. e Mennella, J.A. (2007). Determinantes iniciais da aceitação de frutas e hortaliças. *Pediatrics* 120(6): 1247-54.

3. Berkowitz, R.I. et al. (2005). Crescimento de crianças com grande risco de obesidade durante os primeiros 6 anos da vida: consequências para a prevenção. *American Journal of Clinical Nutrition* 81(1): 140-46; Stettler, N. et al. (2003). Rápido ganho de peso durante a infância e obesidade no começo da vida adulta em um grupo de afro-americanos. *American Journal of Clinical Nutrition* 77(6): 1374-8; Stunkard, A.J. et al. (2004). Indicativos do tamanho do corpo nos 2 primeiros anos de vida: um estudo de alto risco da obesidade humana. *International Journal of Obesity and Related Metabolic Disorders* 28(4): 503-13; Whitaker, R.C. et al. (1998). Acúmulo de adiposidade precoce e o risco de obesidade na vida adulta. *Pediatrics* 101(3): E5.
4. Butte, N. et al. (2004). Orientações para alimentação saudável para infantes e crianças de colo. *Journal of the American Dietetic Association* 104(3): 442 R.I. 54.
5. Dixon, K. (2008, outubro). Mamãe, vou comer a mesma coisa que você. *New York Times*. Consultado em http://www.nytimes.com/2008/10/01/dining/01baby.html?pagewanted=printand_r=0.
6. Veja, por exemplo, Mennella, J.A. e Beauchamp, G.K (2005). Entendendo a origem das preferências de sabor. *Chemical Senses* 30 (suplemento): 242-3; Schaal, B., Marlier, L. e Soussignan, R. (2000). Fetos humanos aprendem o olfato por meio da dieta das mães grávidas. *Chemical Senses* 25: 729-37; Domínguez, P. (2011). O estudo do desenvolvimento dos sistemas de paladar e olfatório natal usando o mapeamento do cérebro humano: uma atualização. *Brain Research Bulletin* 84(2): 118-24.
7. Veja, por exemplo, Mennella, J. (2009). A programação do paladar durante a amamentação. *Advances in Experimental Medicine and Biology* 639: 113-20; Gerrish, C.J. e Mennella, J.A. (2001). A variedade de sabores aumenta a aceitação de alimentos em bebês alimentados com fórmula. *American Journal of Clinical Nutrition* 73(6): 1080-85; Schwartz, C. et al. (2010). A que sabores são expostos os lactentes no primeiro ano de vida? *Archives de Pédiatrie* 17(7): 1026-34; Nicklaus, S. et al. (2005). Um estudo prospectivo da procura de variedade de alimentos na infância: adolescência e primeiros anos da vida adulta. *Appetite* 44(3): 288-97.
8. Gerrish, C.J. e Mennella, J.A. (2001). A variedade de sabores aumenta a aceitação de alimentos em bebês alimentados com fórmula. *American Journal of Clinical Nutrition* 73(6): 1080-85; Menella, J.A., Kennedy, J.M. e Beauchamp. G.K. (2006). Aceitação de hortaliças por bebês: efeitos dos sabores da fórmula. *Early Human Development* 82(7): 463-8.
9. Birch, L.L. (1999). Desenvolvimento de preferências alimentares. *Annual Review of Nutrition* 19: 41-62; Rozin, P. e Millman, L. (1987). O ambiente familiar, e não a

hereditariedade, contribui para as semelhanças nas preferências de alimentos e atitudes: um estudo com gêmeos. *Appetite* 8: 125-34.

10. Maier, A. et al. (2007). Experiência sensorial alimentar do nascimento ao desmame: padrões contrastantes em duas regiões europeias próximas. *Appetite* 49: 429-40.
11. Dixon, K. (2008, outubro). Mamãe, vou comer a mesma coisa que você. *New York Times*. Consultado em http://www.nytimes.com/2008/10/01/dining/01baby.html?pagewanted=printand_r=0.
12. Consultado em http://patiented.aap.org/content2.aspox?aid=5713.
13. Ludwig, D. (2007) *Ending the food fight: guide your child to a healthy weight in a fast food/fake food world*. Chicago: Houghton Mifflin; Szabo, L. (2010, novembro). Pediatras recomendam tirar ingredientes brancos da alimentação inicial do bebê. *USA Today*. Consultado em: http://usatoday30.usatoday.com/yourlife/parenting-family/babies/2010-12-01-babyfood01_st_N.htm.
14. Sun, Q. et al. (2010, junho). Arroz branco, arroz integral e o risco de diabetes tipo 2 em homens e mulheres americanos. *Archives of Internal Medicine* 170(11): 961-9.
15. Butte, N. et al. (2010). O consumo de nutrientes de bebês, crianças de colo e pré-escolares americanos atinge ou excede as recomendações dietéticas. *Journal of the American Dietetic Association* (110)12: S27-37 (suplemento).
16. Fox, M.K. et al. (2004, janeiro). Um estudo sobre a alimentação de bebês e crianças de colo: o que eles estão comendo? *Journal of the American Dietetic Association* 104(1S): 22-30.
17. Bayol, S.A. et al. (2008). Filhos de mães que tiveram uma dieta de *junk food* durante a gravidez e a amamentação exibem adiposidade exacerbada e mais proeminente em meninas. *Journal of Physiology*. doi: 10.1113/jphysiol.2008.153817.
18. Shutts, K. et al. (2009). Conhecimento central e seus limites: o domínio da comida. *Cognition* 112(1): 120-40.
19. Hendy, H.M. (2002). Efetividade do exemplo dado por colegas treinados para encorajar a aceitação de alimentos em crianças pré-escolares. *Appetite* 39(3): 217-25.
20. Rozin, P., Fallon, A. e Augustoni-Ziskind, M. (1985). A concepção infantil dos alimentos: o desenvolvimento da sensibilidade de contágio a substâncias "desagradáveis". *Develpmental Psychology* 21(6): 1075; Fallon, A.E., Rozin, P. e Pliner, P. (1984). A concepção infantil da comida: o desenvolvimento de rejeições alimentares com referência especial à aversão e sensibilidade por contaminação. *Child Development*: 566-75.
21. Birch, L.L e Fisher, J.O. (1998). Desenvolvimento de comportamentos alimentares entre crianças e adolescentes. *Pediatrics* 101 (suplemento 2): 539-49.
22. Musher-Eizenman, D.R. et al. (2009). Características de pais e filhos relacionadas às práticas alimentares parentais: uma avaliação cultural cruzada nos Estados Unidos e

na França. *Appetite* 52(1): 89-95; de Lauzon-Guillain, B. et al. (2009). Práticas parentais de alimentação nos Estados Unidos e na França: relações com as características das crianças e o comportamento alimentar dos pais. *Journal of the American Dietetic Association* 109(6): 1064-6.

23. Hittner, J. e Faith, M. (2011). Tipologia de padrões emergentes da alimentação na primeira infância. *Eating Behaviors* 12(4): 242-8; Carnell, S. e Wardle, J. (2008). Apetite e adiposidade em crianças: evidências para uma teoria da suscetibilidade comportamental da obesidade. *American Journal of Clinical Nutrition* 88(1): 22-9; Wardle, J. et al. (2008). Evidência para uma forte influência genética na adiposidade infantil apesar da força do ambiente obesogênico. *American Journal of Clinical Nutrition* 87(2): 398-404; Ashcroft, J. et al. (2007). Continuidade e estabilidade de traços comportamentais da alimentação em crianças. *European Journal of Clinical Nutrition* 62(8): 985-90.
24. Birch, L.L. (1979). Preferências e padrões de consumo em crianças pré-escolares. *Journal of Nutrition Education* 11: 189-92; Birch, L.L et al. (1987). Que tipo de exposição reduz a neofobia em crianças? Olhar vs. provar. *Appetite* 9(3): 171-8; Birch, L.L. (1990). Desenvolvimento de padrões de aceitação de comida. *Developmental Psychology* 26(4): 515; Birch, L.L. (1999). Desenvolvimento de preferências alimentares. *Annual Review of Nutrition* 19: 41-62; Birch, L.L. e Marlin, D.W. (1982). Não gosto disso, nunca experimentei: efeitos da exposição nas preferências alimentares de crianças de 2 anos. *Appetite* 3(4): 353-60.
25. Birch, L.L. e Fisher, J.O. (1998). Desenvolvimento de comportamentos alimentares entre crianças e adolescentes. *Pediatrics* 101 (suplemento 2): 539-49.
26. Hittner, J. e Faith, M. (2011). Tipologia de padrões emergentes da alimentação na primeira infância. *Eating Behaviors* 12(4): 242-8; Bartoshuk, L.M., Duffy, V.B. e Miller, I.J. (1994). Paladar PTC/PROP: anatomia, psicofísica e efeitos sexuais. *Physiology and Behavior* 56: 1165-71; Bartoshuk, L.M. (2000). Comparando experiências sensoriais entre indivíduos: avanços psicofísicos recentes jogam luz sobre a variação genética na percepção dos sabores. *Chemical Senses* 25: 447-60; Tepper, B.J. (1999). A sensibilidade genética do paladar ao PROP influencia as preferências alimentares e o ganho de peso? *Appetite* 32(3): 422.
27. Dovey, T.M. et al. (2008). Neofobia alimentar e o comportamento "enjoado/problemático" em crianças: uma análise. *Appetite* 50(2): 181-93; Galloway, A.T. et al. (2006) "Termine a sopa": efeitos contraproducentes de pressionar as crianças a comerem no consumo e afeto. *Appetite* 46(3): 318-23; Pliner, P. e Loewen, E. (1997). Temperamento e neofobia alimentar em crianças e suas mães. *Appetite* 28(3): 239-54; Pliner, P. (1994). Desenvolvimento de medidas de neofobia alimentar nas crianças. *Appetite* 23(2): 147-63.

Crianças de colo: prevenindo e resolvendo desafios comuns

1. Baxter, I.A., Jack, F.R. e Schröder, M. (1998). O uso do método da grade de repertório para extrair informações perceptivas de alunos da escola primária. *Food Quality and Preference* 9(1): 73-38; Guinard, J. e Mazzucchelli, R. (1996). A percepção sensorial da textura na boca. *Trends in Food Science & Technology* (7)7: 213-19; Martins, Y. e Pliner, P. (2006). "Credo, isso é nojento!": identificação das características de alimentos que provocam rejeição baseada no asco. *Appetite* 46(1): 75-85.
2. Lundy, B. et al. (1998). Preferências na textura dos alimentos em bebês *versus* crianças de colo. *Early Child Development and Care* 146(1): 69-85; Oram, N. (1994). As experiências alimentares das crianças podem ser diferentes das dos adultos. *Appetite* 22(3): 283-7.
3. Baxter, I.A., Jack, F.R. e Schröder, M. (1998). O uso do método da grade de repertório para extrair informações perceptivas de alunos da escola primária. *Food Quality and Preference* 9(1): 73-38; Nicklaus, S. et al. (2005). Um estudo prospectivo da procura de variedade de alimentos na infância: adolescência e primeiros anos da vida adulta. *Appetite* 44(3): 288-97; Perez-Rodrigo, C. e Aranceta, J. (2003). Educação nutricional nas escolas: experiências e desafios. *European Journal of Clinical Nutrition* 57: S82-S85.

Crianças em idade escolar: técnicas para criar filhos que comem bem

1. Weber, K., Story, M. e Harnack, L. (2006). Estratégias do *marketing* de alimentos na internet voltadas para crianças e adolescentes: uma análise de conteúdo dos *sites* de marcas de comidas e bebidas. *Journal of the American Dietetic Association* 106(9): 1463.
2. American Academy of Pediatrics. (2011). Uso da mídia por crianças menores de 2 anos. *Pediatrics* 128(5): 1040-45; American Academy of Pediatrics. (2005). *Caring for your Baby and Child, from Birth to Age 5*. Washington: AAP.
3. Harris, J.L., Brownell, K.D. e Bargh, J.A. (2009). O modelo defensivo do marketing de alimentos: integrando pesquisas psicológicas para proteger a juventude e informar o público. *Social Issues and Policy Review* 3(1): 211-71.
4. Faith, M.S. et al. (2012). Estratégias de alimentação pais-filhos e sua relação com o consumo de comida por crianças e o peso. *Obesity Research* 12(11): 1711-22.
5. van Strien, T. e Bazelier, F.G. (2007). O controle parental do consumo de comida está relacionado ao comportamento alimentar externo, reprimido e emocional em meninos e meninas de 7 a 12 anos. *Appetite* 49(3): 618-25; Rodin, J. (1981). Status atual da hipótese interna-externa sobre a obesidade. *American Psychologist* 36: 361-72; Birch, L.L., Fisher, J.O. e Davison, K.K. (2003). Aprendendo a comer demais: mães que usam práticas restritivas incentivam o consumo de comida mesmo quando as filhas não estão com fome. *American Journal of Clinical Nutrition* 78(2): 215-20; Carper, J.J., Fisher, J.O. e Birch, L.L. (2000) Repressão dietética e desinibições emergen-

tes em garotas estão relacionadas ao controle dos pais na alimentação das crianças. *Appetite* 35(2): 121-9; Birch, L.L. e Fisher, J.O. (1998). Desenvolvimento de comportamentos alimentares entre crianças e adolescentes. *Pediatrics* 101 (3): 539-49.

6. Ogden, J., Reynolds, R. e Smith, A. (2006). Expandindo o conceito de controle parental: um papel para o controle evidente e dissimulado no comportamento das crianças diante de petiscos? *Appetite* 47(1): 100-106.
7. Antonovsky, A. (1987). *Unraveling the Mistery of Health: How People Manage Stress and Stay Well.* San Francisco: Jossey-Bass; Antonovsky, A. (1993, março). Estrutura e propriedades do senso de equilíbrio coerente. *Social Science and Medicine* 36: 725-33; Ray, C., Suominen, S. e Roos, E. (2009). O papel do senso de coerência dos pais nos padrões irregulares de alimentação e nos padrões do consumo de alimentos em crianças de 10 a 11 anos na Finlândia. *Journal of Epidemiology and Community Health* 63(12): 1005-9.

Agradecimentos

Este livro foi um trabalho feito com amor, para o qual muitas pessoas deram suas contribuições.

Por tolerar minhas sugestões na cozinha – às vezes estranhas, às vezes maravilhosas – um agradecimento caloroso a duas dúzias de famílias espalhadas ao redor do mundo: Babette, Brandy, Celine, Claire, Françoise, Greg, Jacqueline, Jamie, Jennifer, Jessica, Jon, Kristine, Lori, Roberta, Martha, Meg, Mira, Sarah Jane, Sophie, Stacy, Teresa, Trevor e Beth, a seus familiares, a todas as crianças e profissionais da Alphabet Academy – o melhor grupo de aprendizes que eu jamais esperaria ter!

Martha Magor Webb desempenhou vários papéis: agente, testadora, crítica e amiga. Tem sido uma alegria trabalhar com ela. Obrigada, também, à equipe toda da agência Anne McDermid.

Planejar a arte do livro e sonhar com ilustrações, durante o dia, ao lado da artista Sarah Jane Wright me deu a inspiração perfeita para escrever. Obrigada, Sarah Jane, por sua disposição em trocar ideias e sua paciência infinita!

Foi um prazer trabalhar novamente com Kate Cassaday (HarperCollins Canada) e Cassie Jones (William Morrow, em Nova York): espertas, criativas, compreensivas e gentis. Agradeço a elas e a seus colegas pelo entusiasmo que mostraram durante o processo, do começo ao fim do livro.

Por fim: para Sophie, Claire e Philippe – por sua paciência e por suas críticas amorosas e honestas. Quem mais aguentaria algumas de minhas experiências mais excêntricas na cozinha? Se algum dia eu duvidei de que “comida é amor”, vocês me convenceram alegremente do contrário.

Agradecimentos

Índice remissivo